MARTIN MICHAUD

SOUS LA SURFACE

THRILLER

Du même auteur:
Il ne faut pas parler dans l'ascenseur, Les Éditions Coup d'œil, 2013.
La chorale du diable, Les Éditions Coup d'œil, 2013.
Je me souviens, Les Éditions Coup d'œil, 2014.
Violence à l'origine, Les Éditions Goélette, 2014.

Couverture: Jessica Papineau-Lapierre
Graphisme: Kevin Fillion
Révision, correction: Fleur Neesham, Patricia Juste et Élaine Parisien

www.boutiquegoelette.com
www.facebook.com/EditionsGoelette

Dépôt légal: 3e trimestre 2015
Bibliothèque et Archives nationales du Québec
Bibliothèque et Archives Canada

Imprimé au Canada

ISBN: 978-2-89731-862-8
(version originale, 978-2-89690-600-0)

Pour mes trois amours
Pour Jack Kerouac
À la mémoire de Lucien

OUVERTURE

Ma garce de vie s'est mise à danser devant mes yeux,
et j'ai compris que quoi qu'on fasse, au fond,
on perd son temps, alors autant choisir la folie.

Jack Kerouac, *On the road*

Je n'ouvre jamais les yeux dans l'eau. J'ai peur des forces qui gravitent sous la surface, des formes noires qui ondoient dans l'ombre ; peur d'y croiser un visage putréfié ou que la mort me saisisse par la cheville et me fige dans le limon jusqu'à ce que la dernière molécule d'oxygène ait quitté mes poumons. Cette règle, je la respecte aussi à la piscine, car on ne sait jamais avec certitude ce qui se trame sous la surface.

Le vestiaire des femmes était désert en ce 14 décembre 1999. Une odeur de chlore flottait dans l'air. S'abonner à un club privé en plein cœur de Manhattan coûtait la peau des fesses, mais j'aimais la tranquillité qui animait ces lieux, tôt les jours de semaine.

Depuis quelques mois, chaque fois que je venais nager, chacun de mes gestes contribuait au strict respect d'une routine préprogrammée : déposer mon sac sur le banc de bois patiné, face à mon casier ; me déshabiller et suspendre mes vêtements aux crochets de l'armoire métallique; glisser mes orteils dans la bride en V de mes tongs.

Par la suite, au son du caoutchouc qui claquait contre mes talons, je me rendais à la toilette complètement nue, sans même prendre la précaution de me couvrir. À quoi bon?

Je ne croisais jamais personne à cette heure-là et, sans doute à cause de mon ancien métier, la nudité ne m'intimidait pas.

Dès que j'avais fini d'uriner, je me dirigeais vers le miroir fixé au mur de céramique. En un tournemain, je remontais en chignon ma tignasse blonde avec l'élastique entortillé autour de mon poignet. Guettant l'arrivée d'une première ride, j'effleurais parfois du bout des doigts la peau de mes paupières inférieures, sous mes yeux verts.

Il y avait déjà trois ans, à cette époque, que j'avais arrêté de faire des défilés de mode. Or, même si, quelques semaines plus tard, le nouveau millénaire me propulserait dans la trentaine, mon corps n'avait pas changé d'un iota au cours de la dernière décennie.

Maillot enfilé, l'étape finale de mon rituel consistait à vérifier le contenu de mon sac — une enveloppe, mon portefeuille et un nécessaire de toilette —, à le poser sur la tablette du haut et à refermer la porte de métal. Après avoir pris une serviette dans la pile sur le comptoir, je poussais la porte qui menait à la piscine.

Sous le grésillement des néons, l'eau scintillait comme un miroir et le bruit de ma respiration me semblait amplifié par le silence sépulcral. Je prenais une grande inspiration avant de plonger. Mes paupières étaient closes au moment de toucher l'eau.

Lorsque je reviendrais au vestiaire, l'enveloppe aurait disparu. Ce manège s'était déjà produit et se produirait encore. On peut n'être que témoin de son existence, mais parfois les gestes que l'on pose nous ramènent des années plus tard à l'origine des choses. Et quand on a tout perdu, même le nom de celui qu'on a aimé a une drôle de consonance.

La vie n'est pas un conte de fées, mais laissez-moi quand même vous raconter...

PROLOGUE

Lowell, Massachusetts, 20 octobre 1991

– Embrasse-moi encore…

Elle battit des cils, les ailes de ses narines frémirent. Couchée sur le tablier du pont de chemin de fer, sa tête reposait sur les cuisses du jeune homme qui, du bout des doigts, caressait ses cheveux. Les jambes pendant dans le vide, il pencha son visage vers elle, ses lèvres cherchèrent les siennes dans l'obscurité. C'était une belle soirée d'automne. Des nuages d'encre couvraient la lune, mais un rougeoiement scintillait dans l'ombre.

Au dernier moment, elle mit sa paume contre la joue de son amoureux, le repoussa et pouffa de rire.

– Non, jette ça d'abord. C'est dégueulasse et ça pue!

Il tira une dernière bouffée de la cigarette qu'il tenait entre les doigts, puis, d'une chiquenaude, l'envoya valser cinq mètres plus bas. Au contact de l'eau, le mégot incandescent émit un dernier soupir avant de disparaître dans la rivière.

Le garçon commença à chatouiller son amoureuse et à lui souffler son haleine au visage.

– Comme ça, tu trouves que je pue, hein face de rat?

Elle se tortillait en criant comme une possédée dans son *hoodie* aux couleurs de UMass.

– Arrête! Arrête! Je déteste me faire chatouiller!

Après s'être relevée, elle lui flanqua un coup de poing sur l'épaule. Le jeune homme s'arrêta, retrouva son sérieux, puis il prit doucement son visage entre ses mains.

– Là, du calme... Excuse-moi... Mon amour...

Il la serra contre lui, elle lui passa les bras autour du cou. Leurs bouches se soudèrent dans un lent et langoureux baiser. Ils se trouvaient là où ils se rejoignaient toutes les nuits depuis qu'ils avaient commencé à sortir ensemble, quatre mois plus tôt. Elle murmura:

– Je t'aime.

– Et moi, je t'aime plus.

La jeune femme frissonna. Elle tremblait autant de froid que d'émotion. Se redressant, il retira la veste à carreaux qu'il portait par-dessus un t-shirt de Guns N' Roses et l'en couvrit. Leurs corps se lovèrent l'un contre l'autre et, dans l'urgence, leurs bouches s'unirent de nouveau.

Le vent qui bruissait à travers les feuilles que l'automne n'avait pas encore vaincues éloignait les nuages. Enlacé, le couple regardait maintenant la lune se mirer dans l'eau de la rivière. Même s'il était presque 1 h du matin, quelques fenêtres des maisons de Billerica Street étaient encore éclairées. Le jeune homme n'avait pas su résister à la tentation d'allumer une autre cigarette. Son bras libre ceignait la taille de son amoureuse, assise contre lui sur le pont des Six Arches.

– À quoi tu penses?

La question le fit sourire. Elle ne se contenterait pas d'une réponse vague, aussi s'efforça-t-il de préciser ce qu'il avait en tête :

– Je me disais que j'allais peut-être passer au bureau de recrutement cette semaine…

– Tu songes encore à quitter la Garde nationale pour t'enrôler dans les marines ?

Il exhala une bouffée de tabac.

– Oui, j'y pense encore.

Elle se redressa et se tourna vers lui.

– Et tes études ?

– On en a déjà discuté. Je pourrais prendre une pause.

La jeune femme fit de gros efforts pour garder son calme.

– Mais pour quoi faire ? La guerre du Golfe est terminée.

– Justement. Mon unité n'a pas été déployée… Et il va y avoir des opérations militaires partout dans le monde dans les prochaines années. Être dans les marines, ce sera la meilleure façon de m'assurer de participer aux opérations sur le terrain.

– Ce sera aussi la meilleure façon de te faire tuer.

Le jeune homme sourit dans la pénombre et gonfla un torse déjà robuste pour ses vingt et un ans. Des mèches de cheveux jaillissaient en cascade désordonnée de sa casquette des Red Sox de Boston. On se sent au moins immortel quand on a la vie devant soi.

– Ça, c'est impossible.

– Ah oui ? Pourquoi ?

Il attira son visage vers le sien.

– Parce que si je meurs, je ne pourrai plus te voir. Et ça, je ne le supporterais pas…

Ils s'embrassèrent, puis le jeune homme reprit la parole :

– Et toi, tu comptes faire quoi ?

– Moi ? Si tu t'engages dans les marines ?

Elle répondit d'un ton faussement accablé :

– Moi, je resterai ici, à t'attendre dans un bungalow crade d'une base militaire quelconque, à élever notre ribambelle d'enfants. Et le soir, tandis que monsieur se baladera aux quatre coins de la planète, je me soûlerai avec des femmes d'officiers esseulées… Et nous regarderons *Ghost* en pleurant…

Ils pouffèrent de rire en même temps, puis elle désigna le sac à dos du jeune homme, posé près d'eux sur le tablier du pont.

– Tu as la carte avec toi ?

Il caressa doucement sa joue.

– Oui, attends…

Il attrapa son sac, y fouilla quelques secondes et en tira un carton. Puis, d'un geste vif du poignet et du pouce, il alluma son Zippo.

À la lumière de la flamme, ils contemplaient une carte postale de Paris.

– Un jour, on ira à la place des Vosges ensemble, hein ?

– Ça, c'est sûr, face de rat…

Un trait blanc déchira le ciel, dessinant un arc de cercle lumineux qui disparut aussitôt.

– Une étoile filante ! Vite, fais un vœu.

Il ferma les paupières un moment, puis les rouvrit. Pétillante, elle reprit :

– Je sais que d'habitude, pour qu'un vœu se réalise, on n'est pas censé en parler, mais...

La jeune femme mit un moment à poursuivre :

– Tant pis ! Moi, peu importe ce qui arrivera, je souhaite qu'on se retrouve ici, sur le pont, dans dix...

Le jeune homme allait répondre, mais elle le précéda :

– Non ! Disons plutôt dans vingt-cinq ans !

Il porta la main à sa poitrine et fit mine d'avoir une attaque.

– Vingt-cinq ans ! On sera sûrement morts d'ici là !

Elle roula les yeux au ciel.

– Mais non, idiot... Allez... arrête de dire des conneries et promets-le !

Le jeune homme leva la main en l'air et déclara d'une voix solennelle :

– Je te le promets...

Il prit la carte postale, la déchira en deux et lui tendit un des morceaux. La jeune femme lui jeta un regard horrifié et s'écria :

– Mais qu'est-ce que tu fais ?

– Comme ça, on devra tous les deux apporter notre moitié de Paris au rendez-vous. Qu'en dis-tu, face de rat ? Tope là ?

Elle tapa dans la paume tendue de son amoureux.

– Tope là...

La jeune femme avait posé sa joue contre la poitrine du jeune homme. Sous le porche de la maison où elle vivait avec sa mère, enveloppés par le halo d'un réverbère, ils s'étreignaient sans parler. Le temps de se dire au revoir pour la nuit devenait chaque soir un rituel plus douloureux. Dans quelques secondes, il allait partir et rentrer dormir chez lui, mais elle le retenait encore un peu pour prolonger la parenthèse, pour s'enivrer de son odeur.

Après un long moment, consciente qu'elle devait le laisser filer, elle lui rendit sa veste, puis releva la tête vers lui. Déjà, il faisait passer un casque audio par-dessus sa casquette des Red Sox et le branchait dans un walkman jaune.

– Qu'est-ce que tu écoutes?

– Un *band* qui s'appelle Nirvana.

– Connais pas. C'est bon?

– Vraiment! Faut absolument que tu voies la vidéo. Le chanteur est hallucinant.

Elle se hissa sur la pointe des pieds et déposa un dernier baiser sur les lèvres de son amoureux.

– On se voit demain?

Le jeune homme fit une mimique à la Arsenio Hall et prit une voix nasillarde:

– Bien sûr qu'on se voit demain...

Elle s'esclaffa.

– Je t'aime, idiot. Bonne nuit...

Il redevint sérieux, enveloppa son visage dans ses paumes et la dévisagea.

– Je t'aime aussi.

Alors qu'il s'éloignait dans la rue, il se retourna vers elle une dernière fois. Portant la main à ses lèvres, il souffla un baiser dans l'air à son intention, puis lui décocha un sourire.

– Bonne nuit, face de rat.

Pour rentrer chez lui, le jeune homme longeait la rivière Concord par le terrain vague qui s'étendait sur sa rive opposée, en face de Billerica Street. *Smells Like Teen Spirit* dans les oreilles, il avançait sur le sentier qui sinuait à travers les arbres. Les mains dans les poches, il ne pouvait s'empêcher de penser à elle : un tourbillon de lumière fit alors enfler son cœur, un large sourire irradia son visage. Avec Cobain qui martelait ses tympans, il se mit à chanter à voix haute.

Il venait de dépasser le pont des Six Arches lorsque, malgré la voix tonitruante du chanteur de Nirvana, il entendit un grand fracas et vit une lumière jaune vaciller entre les branches avant de disparaître. Il releva la tête, retira son casque d'écoute et regarda en direction de la rivière. Son cerveau mit quelques secondes à enregistrer les détails de la scène et à faire les recoupements : après avoir percuté le parapet du viaduc de Lawrence Street, une voiture s'enfonçait dans les eaux de la rivière Concord.

Des cris déchiraient le silence de la nuit. Une voix de femme, un appel à l'aide à glacer le sang. Les yeux plissés, le jeune homme crut reconnaître un visage par la lunette arrière. Après un moment d'hésitation, il se mit à courir en direction de la berge. Abandonnant son sac à dos et sa veste sur la rive, il allait se jeter à l'eau lorsqu'il vit deux silhouettes nimbées de vapeur émerger de la rivière.

Il y a toujours une dernière fois. Celle après laquelle vous ne retrouverez pas l'être aimé. Le jour où la vie — parfois la mort — se charge d'éloigner à jamais vos trajectoires. À moins d'un kilomètre de l'endroit où se joue le drame, la jeune femme se prépare à se mettre au lit. Elle ne pense qu'à son amoureux, fiévreuse à l'idée de devoir attendre de longues heures avant de le revoir. Elle n'a aucune raison de soupçonner qu'ils viennent de passer leur dernière soirée ensemble.

VINGT-CINQ ANS PLUS TARD
LUNDI 29 FÉVRIER

1.

JE NE CROIS PAS EN DIEU, MAIS JE PRIE

15 000 pieds au-dessus du Massachusetts

Je ne crois pas en Dieu. Évidemment, je ne pourrais l'avouer en public — ce serait un suicide politique —, mais les rares personnes qui me connaissent le savent. Pourtant, lorsque je ressens de la peur ou que je fais face à une épreuve, je me surprends plus souvent que ma raison ne voudrait le reconnaître à entretenir un monologue intérieur avec lui. Déjà, quand j'étais plus jeune, je lui adressais mes suppliques les plus désespérées:

«Faites que papa rentre à la maison. Faites qu'Heather Davis cesse de m'embêter à l'école. Et, surtout, faites que Chase Moore me remarque.»

Tout ça, c'est sans compter que, dès que les circonstances m'y obligent, je prononce la formule consacrée, les trois petits mots qui cimentent la fibre patriotique et l'identité de notre grand pays:

«God bless America…»

Ce soir-là, mes lèvres remuaient en silence tandis que, dans ma tête, je psalmodiais à Dieu de fiévreuses incantations:

«Faites que l'on s'en sorte vivants. Je vous en prie…»

Malmené par de violentes secousses, l'appareil fonçait à travers la cellule orageuse. La pluie claquait contre mon hublot et des éclairs lézardaient un ciel de cendres. Incapable de travailler, j'ai rabattu l'écran de mon ordinateur portable et enfoncé les doigts dans les appuie-bras de mon fauteuil. Puis, sans même hésiter, je me suis remise à prier avec ferveur ce Dieu auquel je ne crois pas.

Assise seule à l'arrière de l'avion, plusieurs rangées de sièges inoccupés me séparaient du groupe de passagers qui se trouvaient à l'avant. Parmi eux, en bras de chemise, cravate détachée, un homme de grande taille et de carrure athlétique se tenait debout dans l'allée. Tout dans le physique de cet homme de quarante-six ans contribuait à établir une aura d'autorité naturelle : sa mâchoire virile, ses lèvres pleines, ses dents immaculées et l'intensité qu'insufflaient à son regard ses yeux gris acier.

Depuis plusieurs minutes, sans paraître affecté par les turbulences, il répondait patiemment aux questions des journalistes assis devant lui. Pour eux, nul besoin de prières : l'homme leur apparaissait chaque jour un peu plus comme un dieu. Ou mieux encore : comme le futur président des États-Unis.

Cet homme s'appelait Patrick Adams et il était sénateur au Congrès.

À ce titre, il avait notamment présidé une commission sénatoriale sur l'environnement et s'était imposé comme l'architecte d'une réforme novatrice et audacieuse que les médias avaient surnommée « le plan Adams ».

Ce plan était en fait si prometteur que les Nations Unies voulaient l'intégrer dans un protocole appelé à succéder à Kyoto.

Propulsé à l'avant-scène par ce tour de force, Patrick était depuis devenu le candidat favori pour remporter l'investiture démocrate.

Un cliquetis inhabituel a détourné mon attention de la scène qui se jouait devant moi. Un malheur se préparait, j'en avais la conviction. Un coup d'œil par le hublot m'a confirmé que l'aile se trouvait toujours en place, mais je m'attendais à la voir se briser à tout moment. Qu'importe : j'étais la seule passagère qui semblait s'en inquiéter.

J'ai toujours eu cette impression de vivre en retrait du monde.

Les « assemblées de tarmac » — c'est ainsi qu'on appelle ces journées folles précédant le Super Tuesday[1] — se succédaient à un rythme infernal. Et, d'une ville à l'autre, le même manège se répétait sans discontinuer : atterrir et gagner un endroit situé à proximité de l'aéroport, où Patrick livrait une vibrante allocution devant une foule partisane et la presse locale. Par la suite, avant de plier bagage pour la prochaine destination, participer à des séances de poignées de main et de photos soigneusement planifiées.

1 Aux États-Unis, l'expression *Super Tuesday* désigne le mardi du début du mois de mars de l'année d'une élection présidentielle. C'est le jour où le plus grand nombre d'États votent simultanément pour désigner, parmi les candidats, ceux qui pourront se présenter à l'élection au début du mois de novembre. Pour cette raison, on estime que c'est le jour des primaires le plus important pour les candidats des deux principaux partis : le Parti démocrate et le Parti républicain.

À Denver, lors de la visite d'un restaurant populaire du coin, Patrick avait enfilé un tablier pour servir les clients, le temps de quelques photos. À Kansas City, nous avions fait un tour guidé de la chaîne d'assemblage de Ford et bu un café avec les travailleurs. À Saint Louis, un arrêt dans un parc avait permis à la procession de journalistes qui nous accompagnait de réaliser plusieurs clichés de Patrick tenant dans ses bras un bébé âgé de quelques semaines.

Nous avions quitté Minneapolis une heure plus tôt. Patrick y avait pris la parole devant un groupe de gens d'affaires influents. Lowell marquait la fin de la journée et l'endroit où nous passerions la nuit.

Nous avions pris l'habitude, depuis le début de la campagne, de proposer à la presse de partager les vols nolisés qui nous transportaient aux quatre coins de l'Amérique. L'offre ne relevait nullement d'une générosité désintéressée, mais plutôt d'un calcul opportuniste. À force d'évoluer dans l'entourage de Patrick, les scribes succombaient à son charme, tombaient sous son joug, s'engluaient dans sa rhétorique. Ils se chargeaient ensuite de propager la bonne parole comme de Saintes Écritures, obséquieux comme des disciples.

– Sénateur, votre père a été gouverneur du Massachusetts. C'était un homme influent, impliqué dans la communauté. Un démocrate convaincu, comme son père et son grand-père. S'il était encore là, il serait fier de vous, fier de savoir que vous êtes considéré comme le candidat vedette du Parti démocrate…

Patrick a esquissé un sourire malicieux et adressé un clin d'œil à son interlocuteur, un grand roux avec une dentition de cheval, célèbre journaliste à CNN dont je n'arrivais pourtant jamais à me souvenir du nom lorsque je le croisais.

Pour sa part, Patrick ne commettait jamais ce genre d'impair, il connaissait le prénom de tous les journalistes politiques qui gravitaient autour du Capitole.

– C'était une question ou simplement une observation, Bill?

Une clameur est montée du groupe de journalistes; des épaules ont tressauté. Fier de sa réplique, Patrick a exhibé ses dents d'une blancheur étincelante.

Les joues empourprées, le rouquin ne s'est pas laissé démonter.

– Vous savez bien ce que je veux dire, sénateur.

– Peut-être... Mais j'ai toujours pensé qu'il ne fallait pas répéter les erreurs de nos pères. Il n'y a rien de pire que de devenir le rêve de son père...

Une ombre a assombri le visage de Patrick, mais elle a aussitôt disparu.

– En passant, le rouge vous va bien, Bill.

Les rires ont de nouveau fusé parmi les journalistes. L'espace d'une seconde, il m'a semblé que leurs visages devenaient difformes, que leurs masques tombaient. Les parois de la carlingue se sont mises à osciller, les sièges à vibrer. J'ai eu envie de crier mais, après avoir chassé mes pensées délirantes, je me suis contentée de vérifier une énième fois que ma ceinture était bien bouclée. Toute ma vie, j'ai vécu des catastrophes intérieures en donnant aux autres l'impression d'être en pleine possession de mes moyens.

– Sénateur, la planète traverse une grave crise environnementale. Le climat est déréglé, les catastrophes naturelles se multiplient. Plusieurs personnes voient en vous quelqu'un qui pourrait devenir un président marquant pour l'Amérique. Vous bénéficiez d'un important capital de sympathie dans le monde politique, même chez vos adversaires républicains. Certains vont plus loin: ils avancent que vous êtes la seule personne capable de convaincre tous les pays de ratifier un protocole qui remplacera celui de Kyoto. Croyez-vous que ce soit le cas?

– Assurément pas. Je crois plutôt le contraire. Si une seule personne avait le pouvoir de convaincre toutes les autres, cette personne serait Dieu. En fait, je pense que c'est tous ensemble, en unissant nos voix à celles des autres peuples, que nous devenons réellement convaincants.

– Sénateur, comment faut-il s'y prendre pour convaincre les États délinquants, le Canada et la Chine notamment, d'adhérer à l'entente?

– Je répète ce que j'ai déjà déclaré en Chambre. Il n'y a qu'une façon d'y arriver: le dialogue. Il faut se parler et savoir écouter. Et, par-dessus tout, il faut demeurer convaincu que tous les peuples aiment leurs enfants autant que nous aimons les nôtres.

– Sénateur, quel effet ça vous fait de revenir à Lowell? J'imagine que ce sera un moment émouvant pour votre épouse…

L'avion a chuté de plusieurs pieds. Un sifflement strident s'est fait entendre dans l'habitacle. Pour ne pas défaillir, j'ai fermé les yeux et cessé de suivre la conversation. De toute façon, je connaissais déjà la suite. Et je peux affirmer que tout le bien que ces gens pensaient de Patrick Adams était justifié. Je le sais car je le connaissais mieux que quiconque.

Patrick et moi étions mariés depuis presque vingt-cinq ans.

Et là, en plein cœur de la tempête, j'ai continué à prier ce Dieu auquel je ne crois pas pour qu'il fasse en sorte que mon mari remporte cette élection.

Parce qu'il avait vraiment le pouvoir de changer les choses.

Un homme assis parmi le groupe de journalistes s'est levé dans l'allée. S'agrippant aux dossiers des sièges, il a chancelé jusqu'à moi. Une main crispée sur le sac de papier que les compagnies aériennes mettent à la disposition des passagers ayant le mal de l'air, il s'est laissé choir dans le fauteuil voisin.

Après avoir inspiré profondément à quelques reprises, il s'est retourné vers moi, livide.

– Je te l'annonce en primeur, Leah : madame Gravol et moi, c'est terminé. La prochaine fois, j'invite mon ami Jack Daniel's à bord.

– C'est une super idée, ça, Gene. Tu me le présenteras.

Eugene Crawford était le directeur de campagne de Patrick. Affligé d'un handicap depuis la naissance —

son bras droit était atrophié et plus court que l'autre —, Gene était d'une maigreur extrême, et un lacis de veines apparentes courait sous la peau de son visage. Ses cheveux ébouriffés et des lunettes à l'ancienne lui conféraient, en outre, un air décalé.

Cela dit, Gene était prodigieusement doué, l'un des cerveaux les plus brillants qu'il m'ait été donné d'observer, un homme que je n'avais jamais vu douter de quoi que ce soit. Pince-sans-rire, il était de plus l'une des seules personnes capables de faire rire Patrick aux larmes.

Ces deux-là étaient amis depuis l'enfance. Ce qui signifie que, Gene et moi, on se connaissait depuis pas mal de temps.

– Tu plaisantes? Ce serait un comportement tout à fait inconvenant pour une *First Lady*.

Je m'attendais à cette réplique. Depuis le début de la campagne, c'était devenu un jeu entre nous. J'ai forcé un sourire.

– Va te faire voir, Gene.

Nous avons ri quelques secondes de plus que nécessaire. Un peu pour calmer l'angoisse, beaucoup pour nous rassurer mutuellement: il partageait ma peur maladive de l'avion.

Gene a enfourné une poignée de bonbons pris dans la poche de sa veste, une habitude qu'il avait contractée après avoir arrêté de fumer, dix ans auparavant. Depuis, la quantité de Skittles qu'il pouvait ingurgiter dans une journée était ahurissante.

Sans cesser de mastiquer, il a baissé les yeux vers l'ordinateur portable qui reposait sur mes genoux.

– Alors, il avance, ce discours, Leah?

Peut-être devrais-je préciser que je m'appelle Leah Hammett, que j'ai quarante-cinq ans et que je suis une femme ordinaire. Du moins, c'est ce que je me plais à penser. Parce que papa enseignait l'histoire américaine à l'Université McGill, j'ai passé une partie de mon enfance à Montréal, rue Durocher. Après sa mort, maman et moi sommes retournées vivre à Lowell. Au terme d'une adolescence sans histoire, j'ai obtenu un bac en littérature à UMass Lowell.

À la fin de mes études, j'ai été mannequin professionnel quelques années, puis je suis devenue écrivaine. J'ai publié trois romans qui ont connu un certain succès, mais un jour le fil s'est cassé et j'ai abandonné le manuscrit sur lequel je travaillais. Depuis, malgré les déjeuners auxquels m'a invitée mon éditeur et ses mots d'encouragement, je suis incapable de pondre la moindre ligne de fiction valable.

J'ai répondu à la question de Gene avec franchise:

– J'ai du mal à mettre en contexte les impacts économiques du plan Adams avec les chiffres de la Banque mondiale.

– Il faut seulement faire le point avec les incitatifs financiers que propose le plan pour l'atteinte des cibles par secteur d'activités. Ne va pas trop dans le détail, on va perdre monsieur et madame Tout-le-Monde.

Gene a laissé s'écouler quelques secondes.

– Tu penses toujours être en mesure de faire circuler une première version demain matin?

Je faisais partie de l'équipe de rédacteurs travaillant sur les discours de campagne de Patrick. Nous étions quatre, incluant Shane Murphy, le rédacteur en chef. D'origine afro-américaine, les mains et le visage potelés, «Murph» avait la curieuse habitude, lorsqu'il réfléchissait, de gonfler les joues comme s'il s'apprêtait à souffler dans une trompette.

C'est lui qui donnait aux membres de l'équipe les grandes orientations des politiques que chacun, dans son domaine d'expertise, avait ensuite la charge de développer. C'est aussi lui qui assurait la révision finale et la cohésion de l'ensemble.

Pour ma part, j'étais experte sur un sujet précis. Puisque je connaissais Patrick et ses idées sur le bout des doigts, j'étais celle à qui il incombait de pondre tout ce qui était relié à l'élément central de son programme, à savoir sa politique environnementale.

En théorie, Shane était la personne à qui je devais, ultimement, rendre des comptes. Dans la réalité, Gene ne cessait de s'ingérer dans le processus et se considérait à la fois comme mon mentor et mon supérieur hiérarchique. Cependant, contrairement aux autres rédacteurs qui devaient subir le même traitement sans se plaindre, notre amitié et le fait que j'étais l'épouse de Patrick me donnaient la liberté de le remettre à sa place.

– Ne me bouscule pas, Gene. Tu sais que je n'ai jamais raté une échéance.

J'étais peut-être incapable d'écrire de la fiction, mais lorsqu'il s'agissait de mettre en mots les idées des autres, j'étais imbattable. Et ça, Gene le savait. Sans compter que, sur les enjeux environnementaux, Patrick ne faisait confiance qu'à moi…

– Je ne te bouscule pas, ma chérie. Mais tu connais l'importance du discours de Boston…

J'ai grogné quelque chose d'inintelligible en guise de réponse. Pour être honnête, si je m'impliquais aussi activement dans la campagne, c'était uniquement par solidarité pour mon mari.

Parce que la politique et ce qui l'entoure me troublent.

Accompagner Patrick à ce rassemblement où, le lendemain soir, il prononcerait devant des milliers de personnes réunies au Boston Convention Center un discours qui serait retransmis en direct à la télé nationale, ça signifiait rencontrer des tas de partisans et de dignitaires, esquisser des sourires, faire la conversation et avoir le sens de la répartie.

Strictement entre nous : je suis nulle à ce jeu.

Ayant besoin de mon clavier pour m'escrimer avec les mots, incapable d'articuler ma pensée du tac au tac, j'aime m'abreuver de silence et prendre du temps pour comprendre les choses.

Et, plus que tout, parler pour combler le vide me fatigue…

Or, l'exercice le plus difficile durant ces soirées était de me transformer en magicienne, c'est-à-dire de faire surgir de ma bouche les bons mots au bon moment, pour ensuite les répéter aux bonnes personnes. Gene se faisait à cet égard un point d'honneur de me rappeler à l'ordre en insistant, comme il l'avait fait un peu plus tôt, sur le fait qu'il me fallait me comporter en tout temps comme une première dame.

«Avant de livrer le fond de ta pensée, songe à M. O., me répétait-il souvent. Qu'aurait-elle répondu à cette question?»

Cette consigne résumait à elle seule le problème: je n'étais pas Michelle Obama, je n'avais ni son charisme ni son envergure.

Mais comme le monde allait mal et que je croyais sincèrement que Patrick pouvait changer les choses, je m'efforçais d'être à la hauteur.

Tressautant, l'avion s'est brusquement incliné vers la droite. Persuadée que c'était la fin, que nous allions voler en éclats, j'ai agrippé le bras de Gene et planté mes ongles dans l'étoffe de son veston. Nous sommes restés silencieux jusqu'à ce que le pilote redresse l'appareil.

Devant nous, la conversation à bâtons rompus entre Patrick et les journalistes se poursuivait.

– J'ai quelque chose à te demander, Lee…

Je savais ce qu'il allait me dire. En l'occurrence, il souhaitait que je monte avec Patrick sur l'estrade, tout à l'heure, à l'université. Il savait très bien que je déteste les événements mondains et les foules, que je ne m'y suis jamais sentie à l'aise.

Qu'importe, même les plus mauvais cabinets de relations publiques vous le diront: montrer à la nation qu'on entretient toujours une relation harmonieuse avec sa femme après presque vingt-cinq ans de mariage, afficher en public sa complicité comme on exhibe un trophée, tout ça constitue un passage obligé pour un candidat à la présidence des États-Unis. Le foudroyer du regard n'a donc pas empêché Gene de prononcer les mots que j'appréhendais.

– Ce sera comme un défilé, Lee. Tu n'auras pas à parler. Tu sais qu'il faut…

J'ai complété la phrase à sa place, d'un ton qui n'admettait aucune réplique :

– … mettre toutes les chances de notre côté. Arrête, Gene. Tu n'as pas à me dire quoi faire. Il y a longtemps que j'ai saisi mon rôle.

Aussi paradoxal que ça puisse paraître, me retrouver sur scène ne m'a jamais intimidée lorsque je travaillais comme mannequin. Sous le feu des projecteurs, on ne voit pas les visages dans la foule, on devine à peine la présence des gens. Insensible à tout, sauf au rythme de la musique, j'aimais sentir ces regards anonymes se promener sur mon corps. Cela dit, ma carrière avait été de courte durée : j'ai débuté sur le tard, à vingt-deux ans, et à vingt-sept j'étais déjà une mamie dans les défilés. Mon plus haut fait d'armes dans le domaine demeure sans contredit la séance de photos que j'ai faite pour l'édition et le calendrier de maillots de bain 1993 du magazine *Sports Illustrated*, un shooting qui a fait les manchettes à plusieurs reprises depuis l'entrée en politique de Patrick, en 1998.

Un bruit assourdissant s'est fait entendre. Un choc a secoué la carlingue, et l'avion s'est mis à perdre de l'altitude. Patrick a regagné sa place et bouclé sa ceinture. Gene, qui avait lu la terreur sur mon visage, a calmé mes inquiétudes :

– Ne t'inquiète pas, ce n'est que le train d'atterrissage qui vient de s'ouvrir. On va se poser dans quelques minutes.

J'ai relâché mon emprise sur son bras au moment où les roues ont touché la piste, juste avant que le pilote n'inverse les réacteurs. Alors que nous roulions vers le terminal, j'ai rallumé mon cellulaire. La sonnerie indiquant l'arrivée de messages a retenti.

– Ça te fait quoi de revenir à Lowell, Lee?

Pourquoi Gene me posait-il cette question, après toutes ces années à faire semblant qu'il ne s'était rien passé? J'ai consulté le registre de mon téléphone : j'avais reçu un message texte durant le vol. En le lisant, mon cœur s'est mis à bondir dans ma poitrine.

J'avais sans doute l'air bouleversée, puisque Gene m'a regardée d'un œil inquiet.

– Mon Dieu, Lee, tu es toute pâle. On dirait que tu viens de croiser un revenant. Ça va?

Le cellulaire vacillait dans ma main : je tremblais comme une feuille. Sans le savoir, Gene avait visé en plein dans le mille. Je venais de me heurter à un fantôme.

Me levant d'un bond, j'ai descendu l'allée en vitesse. Toujours sanglée à son siège, l'agente de bord m'a jeté un regard perplexe.

Dans les toilettes, j'ai relu le message texte. Puis j'ai demandé à Dieu de me venir en aide.

RDV 13 h demain sur le pont des Six Arches
T'as encore ta moitié de carte postale, face de rat ?
Tendres baisers
Chase

2.

LE RETOUR

Le temps passe et, à mesure que nos illusions se désagrègent, on a tous quelque chose à cacher. Lorsque le sommeil nous échappe, on espère que le matin tendra un voile sur nos remords. Mais quand on se réveille, la réalité tranche le monde en deux. Et tandis que mon passé enroulait ses doigts autour de ma gorge pour m'asphyxier, les coups répétés sur la porte des toilettes et la voix angoissée de Gene m'ont ranimée.

– Lee?! Est-ce que ça va?

Mains à plat sur le lavabo, j'ai répondu d'un ton mal assuré:

– Oui, oui, ça va. J'arrive dans un instant...

Souffle court, j'ai relevé la tête et jeté un coup d'œil dans le miroir. Mes yeux rougis trahissaient le fait que j'avais pleuré. Après m'être mouchée un bon coup, j'ai essuyé le mascara qui avait coulé et retouché mon maquillage. Prenant une grande inspiration, je suis sortie des toilettes. Je m'attendais à croiser Gene, mais c'est plutôt contre Patrick que j'ai buté.

À l'avant, les journalistes franchissaient déjà la porte de sortie, sous le regard bienveillant d'une agente de bord. Patrick m'a attirée vers lui tout doucement et m'a serrée dans ses bras.

– Gene m'a dit que tu avais eu un malaise. Mon Dieu, mais tu trembles… Qu'est-ce qui se passe?

Le lendemain, le Super Tuesday constituerait un moment décisif dans la campagne. Celui où un des candidats risquait de se détacher du lot et de forcer les autres à abandonner la course. La lutte était si serrée que ce n'était ni le moment ni l'endroit pour lui confier mes états d'âme. D'autant plus que, dans moins d'une heure, il devait prendre la parole devant une foule partisane à UMass.

– Rien. C'est à cause de la tempête. Je ne supporte plus l'avion…

Patrick a caressé mon visage du bout des doigts.

– Je comprends. Tu as besoin de repos, mon amour. Mais c'est bientôt fini… Demain soir, tout sera fini…

Patrick a déposé un baiser sur mon front, puis il m'a souri. Le ton de sa voix était si rassurant qu'il m'a aussitôt apaisée. C'était le genre de pouvoir qu'avait mon mari sur les gens. Celui de vous convaincre qu'il y a toujours des solutions et que tout va finir par s'arranger. J'ai appuyé ma tête contre son épaule. Le fil du temps s'est suspendu et, l'espace de quelques secondes, je suis presque parvenue à oublier ce qui venait de se passer.

Une voix grave dans notre dos a rompu le charme:

– Nous allons devoir nous dépêcher, monsieur.

Esprit vif, gestes secs et calculés, peu loquace, Solomon Briggs était à la tête de l'équipe d'agents spéciaux du Secret Service qui assurait la protection de Patrick. Sans que l'homme soit un colosse, son visage dénué d'expression donnait à penser qu'il valait mieux ne pas lui chercher noise.

– Donnez-nous une seconde, mon vieux.

Patrick m'a embrassée, puis, boutonnant le col de sa chemise, il a rajusté sa cravate. Par la suite, il s'est dirigé vers son siège pour récupérer son veston. Le temps de ramasser mon sac et mon ordinateur et je lui emboîtais le pas. Briggs et un autre agent nous attendaient à la porte. Patrick et moi nous sommes placés derrière eux. Après quelques secondes de silence, l'oreillette de Briggs a crépité.

– La voie est libre. On peut y aller.

Nous avons quitté l'avion d'un pas rapide. Briggs et son collègue ouvraient la marche. Dans le corridor articulé menant au terminal, deux agents en costume sombre nous ont rejoints.

À l'intérieur de l'aéroport, j'ai surpris le regard de Gene qui parlait au téléphone. À le voir me dévisager ainsi, j'ai eu l'impression que j'avais attrapé la lèpre. Je devais avoir l'air vraiment secouée. Au même moment, une mitraille de flashs nous a accueillis tandis que le bourdonnement de la foule parvenait jusqu'à mes oreilles.

Les partisans de Patrick et la presse locale nous attendaient… Des dizaines de personnes se sont mises à converger vers nous, à nous prendre en chasse. Du coude, les agents du Secret Service nous ont fendu un passage à travers la marée humaine. Rompu à l'exercice, Patrick répondait aux questions et serrait les mains sans ralentir le pas. Pour ma part, je jouais mon rôle mécaniquement, comme un pantin: j'avançais dans ce maelström de sons et de voix, je souriais en touchant les mains tendues tandis que les mots se mélangeaient les uns aux autres pour former de sinistres borborygmes.

Derrière la foule, au-delà des portes vitrées qui donnaient sur le débarcadère, un long véhicule noir venait de se garer. Journalistes et partisans sur les talons, nous nous sommes dirigés aussi vite que possible vers cette limousine qui nous servirait de refuge.

Quand nous sommes sortis, j'ai repensé au message texte que j'avais reçu dans l'avion et mon niveau d'anxiété a de nouveau atteint son paroxysme. J'avais une envie folle de griller une cigarette. Évidemment, je ne pouvais me permettre de succomber à mon vice. Non seulement le temps nous pressait, mais la voix de Gene résonnait dans ma tête:

«Pense à M. O., Lee. Quelle opinion auraient eu les électeurs s'ils l'avaient aperçue en train de fumer au bulletin télévisé?»

Patrick a salué une dernière fois la foule qui l'acclamait, puis nous sommes montés dans la limousine. Encore pendu au téléphone, Gene nous a rejoints. Tandis que Briggs et son collègue prenaient place devant, les deux autres agents se sont engouffrés dans une seconde voiture. Le chauffeur a lancé le véhicule. Les deux voitures de police qui nous précédaient de vingt mètres ont actionné leur gyrophare. Notre cortège s'est ébranlé.

Gene a rempoché son cellulaire et s'est tourné vers Patrick.

– Je viens de parler à Suzanne. Elle dit qu'il y a beaucoup, beaucoup de monde. Plus que prévu. C'est Peter Hillman qui va te présenter. J'adore ce type. Il est brillant et aussi drôle que Seinfeld, quand il s'y met. S'il est aussi bon que d'habitude, la foule va être chauffée à bloc quand tu vas faire ton entrée.

Patrick a relevé la tête, acquiescé, puis il a replongé les yeux dans son texte, qu'il récitait à voix basse en travaillant ses intonations et sa gestuelle.

Sur place, il bénéficierait d'un télésouffleur, mais il avait l'habitude de mémoriser les éléments clés pour mieux se les approprier.

La limousine fendait la nuit à haute vitesse, malgré la pluie et la chaussée trempée. La tête posée contre la vitre constellée de gouttelettes, je regardais défiler les blocs de béton du terre-plein qui séparait les voies de l'autoroute. À mesure qu'ils se rabattaient pour nous céder le passage, les automobilistes allumaient, en freinant, un kaléidoscope de feux de position. Un bruit de mastication a brisé le silence, une forte odeur de fraise et d'orange s'est répandue dans la voiture. Entre deux bouchées de Skittles, Gene m'a questionnée :

– On va nous attaquer sur le coût des mesures transitoires. Qu'est-ce qu'on a prévu pour contrer ça ?

J'ai répondu mécaniquement, sans quitter la route des yeux :

– J'ai inséré quelques lignes qui expliquent que ça équivaut au coût d'une tasse de café par habitant par jour durant cinq ans, soit huit cents millions de moins que le coût des crédits d'impôt que Stavanger veut consentir aux sociétés privées.

Gouverneur charismatique du Tennessee, Colin Stavanger était l'un des six candidats démocrates engagés dans la course, et sans doute l'adversaire le plus sérieux de Patrick.

Gene a paru apprécier mon argument.

– Impeccable, Lee. Beau boulot.

J'ai souri et continué à regarder dehors. La pluie avait cessé, mais de fortes bourrasques malmenaient les arbres. De temps à autre, un éclair isolé crevait les nuages. Patrick m'a posé quelques questions sur son texte. Pour l'aider, j'ai suggéré une formulation différente pour un passage où il trébuchait à répétition sur les mêmes mots.

Mon cœur s'est serré comme un poing quand nous avons emprunté l'autoroute inter-États 495 et que le premier panneau annonçant Lowell est apparu. À mesure que nous approchions du centre de la ville, les maisons de planches colorées cédaient la place à des immeubles de brique de quelques étages qui abritaient boutiques, restaurants et autres commerces.

Lowell est à mille lieues de la petite ville rurale de carte postale comme on en voit tant en Nouvelle-Angleterre : la peinture de nombreuses maisons s'écaille, les jardins sont négligés, les gazons, parsemés de mauvaises herbes, les rues, rapiécées, et plusieurs façades d'immeubles commerciaux, délabrées. À quarante-cinq minutes de voiture de Boston, bordée par le fleuve Merrimack, Lowell a été, au dix-neuvième siècle, le pôle de la révolution industrielle. D'abord envahie par les *Mill Girls*, jeunes campagnardes venues travailler dans les usines de textile, elle a ensuite attiré nombre d'Irlandais et de Canadiens français qui avaient reniflé l'odeur du *American Dream*. La ville est traversée d'un lacis de canaux qui ont servi, à son zénith, à alimenter les pales des usines de la région. Avec le déclin du textile, elle a vécu une grave crise financière. Depuis la reprise, la zone industrielle a été rénovée et plusieurs usines ont été converties en condos ou annexées au réseau de parcs historiques.

Outre le fait que j'y ai vécu, Lowell constitue par-dessus tout, en ce qui me concerne, le berceau de Jack Kerouac, un de mes auteurs fétiches. Peut-être plus que tout autre, *On the road* a compté parmi les romans qui m'ont incitée à devenir écrivaine.

Juste avant d'arriver à Kearney Square, où Kerouac tuait le temps en fumant avec ses amis, nous avons traversé les ponts qui enjambent le confluent du fleuve Merrimack et de la rivière Concord et, peu après, le canal Merrimack. Un monument commémoratif érigé à la mémoire du romancier se dressait un peu plus loin, à notre droite, sur le bord de l'eau.

Suis-je la seule à croire que son âme plane encore au-dessus de cette ville?

Dans la rue Pawtucket, après avoir traversé le canal du même nom, j'ai été assaillie par des sentiments contradictoires. Regardant autour de moi, j'avais l'impression que tout avait changé, puis, lorsque je reconnaissais un édifice, le sentiment que tout était resté figé dans le temps.

Patrick était lui aussi natif de Lowell. Je l'avais rencontré la veille du jour de l'An, quelques mois après la tragédie. Il m'avait demandé ma main en juin 1992, après la fin de mon baccalauréat. J'avais accepté sous réserve d'une condition:

le jour du mariage, au terme d'une cérémonie civile, nous avions quitté la ville pour aller vivre à Manhattan. Si Patrick y revenait de temps en temps depuis, je n'avais pour ma part jamais remis les pieds à Lowell.

À l'entrée du campus universitaire, nous avons aperçu un large panneau illuminé qui dévoilait le visage sculptural de mon mari. Sous la photo, on pouvait lire le slogan que nous avions choisi ensemble pour sa campagne:

Stand up for America
Stand up for Planet Earth
Vote for Adams

La limousine s'est arrêtée devant l'entrée du pavillon principal. Gene trépignait d'excitation.

– Allez, les enfants, dernier tour de piste de la journée! Montrons-leur de quel bois se chauffe l'équipe Adams!

Le doyen et une pléthore de professeurs titulaires, pour la plupart très âgés si je me fiais au nombre de têtes blanches, nous ont accueillis en grande pompe dans la salle du conseil. Des serveurs en uniforme proposaient du champagne et des canapés, tandis qu'un trio de jazz jouait *So What*, de Miles Davis, en sourdine dans un coin.

Les murs de la pièce étaient décorés de cocardes bleu-blanc-rouge et de pancartes de la campagne de Patrick. Plusieurs personnes me parlaient en même temps. Submergée par le flot de leurs paroles, je me suis, comme à l'accoutumée, retirée en moi-même. Mais j'ai à l'intérieur un volcan qui bout et laisse parfois échapper une bulle de lave. Alors que je distribuais à la ronde les sourires et les «merci, ma chère», des pensées inconvenantes défilaient dans ma tête et j'avais peur d'en lâcher une à un moment inopportun, du genre: «T'as l'air d'un boudin dans ta robe, miss Piggy.»

Patrick a serré des mains jusqu'à ce que Gene indique au doyen qu'il était temps de nous rendre à l'auditorium. Flanqués de Briggs, d'agents spéciaux et de gardiens de sécurité de l'université excités comme des gamins, nous avons débouché, après avoir parcouru un dédale de couloirs, dans les coulisses de l'amphithéâtre. J'ai eu un moment d'hésitation quand mon mari s'est engouffré dans l'escalier qui menait à l'arrière-scène.

Au moment où j'allais m'esquiver, Gene m'a tendu le bras et m'a raccompagnée jusqu'au bas des marches.

– N'oublie pas, ma chérie: il faut mettre toutes les chances de notre côté…

J'ai baissé la tête comme une gosse prise en faute et j'ai rejoint Patrick.

Nous avons attendu un moment derrière le rideau noir. Talkie-walkie à la ceinture et casque d'écoute sur les oreilles, une femme qui travaillait à la régie a levé un index en notre direction.

– C'est à vous dans une minute, monsieur Adams...

Tandis qu'il présentait Patrick «comme un fils de Lowell», la voix de Peter Hillman tonnait dans l'enceinte. L'auditoire saluait avec enthousiasme la fin de chacune de ses phrases. Une boule s'est formée dans mon estomac. L'atmosphère électrique et l'énergie de la foule m'intimidaient...

– Mesdames et messieurs...

Patrick s'est penché à mon oreille et m'a demandé, d'une voix assez forte pour percer les clameurs:

– Ça ira?

J'allais lui répondre que non quand la dame aux écouteurs nous a fait signe d'y aller.

– Je vous demande d'accueillir chaleureusement le prochain président des États-Unis...

Un frisson a traversé mon corps.

– Patrick Adaaaaaaaaaaams...

Tout a explosé quand nous sommes entrés sur scène sous un tonnerre d'applaudissements.

Cinq mille voix se sont mises à scander à l'unisson:

– Adams, Adams, Adams...

Aveuglée par les projecteurs et dégoûtée par tant d'exubérance, j'ai brusquement eu envie de voir l'assistance périr dans les flammes d'un énorme bûcher.

Tout le monde croit que je suis douce et réservée, mais en vérité je suis la femme la plus violente que je connaisse. Si seulement vous pouviez vous tenir tapi dans un coin de mon cerveau, pour observer mes pensées, vous sauriez...

Je me suis avancée avec Patrick pour saluer la foule en liesse. Pensant à M. O., j'ai forcé des sourires à en avoir des crampes aux mâchoires. Puis, quand mon mari s'est avancé vers le lutrin, je me suis retirée et j'ai rejoint la rangée de chaises alignées sur le côté de la scène, où avaient déjà pris place le doyen et les dignitaires. Là, je me suis assise à la place que Gene avait réservée pour moi, à ses côtés. Faisant mine de suivre avec attention l'allocution de Patrick, j'ai posé mon sac sur mes genoux et, discrètement, j'ai glissé ma main à l'intérieur. Dans la limousine d'abord, puis durant le cocktail, j'avais réprimé si fort l'envie de consulter de nouveau le message texte qu'à présent je ne pouvais plus me contenir. À tâtons, j'ai fouillé jusqu'à ce que mes doigts rencontrent mon cellulaire.

Tandis que je soulevais imperceptiblement le rebord de mon sac pour mieux voir l'écran, Gene s'est penché vers moi et m'a glissé à l'oreille une remarque à propos d'une personne qu'il venait de repérer dans les premiers rangs :

– Tiens, les charognards sont en ville. Ça pue.

J'ai relevé la tête et jeté un coup d'œil dans la direction qu'il indiquait du doigt. Fin trentaine, peau café-au-lait, cheveux courts, regard magnétique, j'ai aussitôt reconnu Francis Powers, l'un des plus proches conseillers de Colin Stavanger.

Que diable Francis faisait-il là ?

J'ai mis un moment à me remettre de ma surprise. La voix de Patrick me transperçait, comme si les mots qu'il prononçait s'adressaient directement à moi.

– … notre survie est menacée. On ne peut plus fermer les yeux et espérer que ça passe sans avoir à changer radicalement notre façon de vivre…

Après m'être assurée que Gene et le vieux professeur qui somnolait à ma droite ne se rendaient pas compte de mon manège, j'ai fait réapparaître le texto. Je l'ai relu plusieurs fois. J'avais beau essayer de l'assimiler, de comprendre ce que ce message représentait, j'étais incapable de me défaire de l'idée que j'étais en train de rêver.

Le nom de l'expéditeur n'était pas affiché et quelques clics m'ont confirmé qu'il provenait d'un numéro que je ne connaissais pas. Prenant soin de ne pas être remarquée, j'ai tapé la première chose qui me passait par la tête et j'ai appuyé sur la touche d'envoi :

Qui que vous soyez, vous êtes malade !

Presque aussitôt, j'ai reçu un message d'erreur : « Échec d'envoi du message ». J'ai appuyé sur la touche de rappel et pressé mon pouce contre l'émetteur afin d'assourdir le bruit de la sonnerie. La ligne s'est coupée après quatre coups sans qu'on décroche. Au même moment, j'ai relevé les yeux avec la sensation désagréable que l'on m'épiait. Pour cause : sourire aux lèvres, Francis Powers me dévisageait. Nous avons échangé un long regard, puis, portant une main à son front, il a esquissé un simulacre de salut militaire à mon intention.

Mon cœur s'est mis à battre à tout rompre : dans sa main, il tenait un cellulaire...

Francis était-il assez stupide et assez cruel pour avoir monté un tel canular?

Car s'il y avait une chose dont j'étais certaine, c'est que Chase Moore ne m'avait jamais envoyé de SMS pour me donner rendez-vous le lendemain, sur le pont des Six Arches.

Chase n'honorerait jamais notre vieille promesse pour une raison simple :

Il était mort vingt-cinq ans plus tôt en essayant de sauver une jeune femme de la noyade.

3.

UN SÉJOUR AU KEROUAC

Nous sommes descendus à l'hôtel Kerouac, un bâtiment somptueux situé en plein cœur du centre historique de Lowell. Sur la façade de briques rouges, la bannière étoilée flottait de chaque côté des portes d'entrée.

Je n'y avais jamais séjourné mais, adolescente, alors que je flânais au centre-ville avec des amies, la curiosité nous avait à quelques reprises poussées à nous faufiler dans le hall où, le temps d'être virées par un chasseur, nous avions été éblouies par le charme suranné de l'établissement et les portes de cuivre de ses ascenseurs.

Précédés par le garçon d'étage qui transportait nos bagages sur un chariot, escortés par Briggs et les agents spéciaux, Patrick et moi sommes montés à notre chambre, un penthouse faste, où nous avons pris quelques minutes pour nous rafraîchir.

Par la suite, nous sommes descendus pour souper en compagnie de Gene. Accueillis par le directeur de l'hôtel et le chef du restaurant, nous avons pris place dans un salon privé, à l'écart de la salle à manger. La pièce offrait les splendeurs d'antan caractéristiques des vieux hôtels: planchers de marbre, lourds rideaux de velours bourgogne, luminaires de laiton poli en forme de chandelier, mobilier en acajou, épaisse moquette foncée ornée d'armoiries.

En pleine conversation téléphonique, Gene se prélassait dans un fauteuil de cuir patiné par le temps. Au bout de la pièce, une table avec trois couverts avait été dressée à notre intention.

Après les politesses d'usage, le directeur et le chef se sont retirés. Comme s'il attendait leur départ, Gene a raccroché et plongé la main dans la poche intérieure de son veston. Souriant béatement, il en a sorti un long cigare. D'épaisses volutes de fumée dansaient autour de nous lorsque, quelques instants plus tard, un garçon en smoking est venu prendre notre commande d'apéritifs.

– Désolé, mais on ne peut pas fumer ici, monsieur.

Gene s'est penché à son oreille et lui a murmuré quelques mots. Le garçon est sorti en rougissant. Il est aussitôt revenu avec un cendrier.

Après avoir commandé une bouteille de pinot noir de Californie, nous avons entrepris de faire le point sur la journée qui venait de s'achever. Gene pompait son havane en balayant de temps à autre de sa main atrophiée les cendres refroidies qui se déposaient sur le revers de son veston.

– Denver a été un succès. La *spin* qu'on voulait donner à ton passage au restaurant a commencé à être reprise dans plusieurs médias. Le *Denver Post* parle de toi comme d'un «homme du peuple», un type qui n'a pas peur «de se salir les mains». La réaction à Kansas City a été plus mitigée. Mais ça, on s'y attendait. Le plan Adams y est perçu, à juste titre, comme une menace pour plusieurs emplois de l'industrie automobile. Par contre, notre message a été entendu : tu leur as donné l'heure juste et, surtout, tu as démontré que tu voulais faire partie du dialogue. La photo du bébé prise à Saint Louis, c'est du bonbon : elle est en train de devenir virale sur les médias sociaux. Résultat des courses : on a eu une très bonne journée.

Dans son fauteuil, Patrick a écouté le compte rendu de Gene la tête renversée en arrière, les paupières closes, l'arête du nez pincée entre le pouce et l'index.

– Et les sondages ?

– Je viens juste d'avoir les derniers résultats. Un demi-point d'avance sur Stavanger. Encore quelques heures et on devrait perdre cet enculé dans la brume.

Nous avons ponctué le repas de bavardages anodins, sans aborder le boulot. Je parlais peu, tentant de dissimuler ma détresse du mieux que je pouvais. Caviar russe, tartare de cerf et crème brûlée expédiés, Gene a posé un dossier sur la table. Attrapant quelques feuilles à l'intérieur, il les a étalées devant lui avec soin avant de s'adresser à Patrick :

– Demain matin, l'avion décolle à 5 h 45. Tu vas d'abord te rendre à New York et à Philadelphie. Après, on te ramène ici. Les journalistes vont t'accompagner au bureau de scrutin et quand tu iras porter des boîtes de pizzas à nos bénévoles. On a recruté un vétéran de la guerre d'Irak, qui a perdu ses jambes au combat. Ça devrait donner de bonnes *photo ops*. Ensuite, tu repars pour Albany et tu reviens te poser à Boston pour le rassemblement.

Gene s'est tourné vers moi, puis il a posé sa main sur mon genou.

– Toi, ma chérie, tu es attendue à Pollard Memorial à 14 h 30, pour ta conférence. Ça te donne amplement le temps de te préparer et de travailler sur le discours de Boston dans la matinée.

Gene partait du principe que ce qui avait été bon pour M. O. l'était aussi pour moi. Puisqu'il estimait utile de multiplier mes apparitions publiques, son adjointe avait pris des arrangements avec la fondation de la bibliothèque plusieurs semaines plus tôt.

– Une voiture nous emmènera rejoindre Patrick au Convention Center en début de soirée.

Une ombre est passée sur le visage de mon mari. Sourcils froncés, il a relevé les yeux vers son vieux complice.

– Quoi, tu ne m'accompagnes pas sur la route?

Gene a esquissé une grimace.

– Murph et le reste de l'équipe iront avec toi. Il faut que…

Il s'est éclairci la voix.

– Je rencontre l'Irlandais en fin de matinée.

Influent directeur de la frange catholique du Parti démocrate, Kyle Fitzgerald opérait à partir de Lowell.

– Qu'est-ce qu'il veut?

– Rien de particulier… Simplement qu'on montre patte blanche.

– Je n'aime pas ça, Gene. Si Fitzgerald a demandé à te voir, c'est qu'il a quelque chose derrière la tête. Ils nous épient?

L'appréhension que manifestait Patrick tenait au fait que, durant les primaires, chaque parti surveille étroitement ses propres candidats — certains vont jusqu'à parler d'espionnage — afin de s'assurer que, le cas échéant, tous les squelettes seront sortis des placards avant la présidentielle, là où un seul des candidats d'un parti est en selle.

– Tu t'inquiètes pour rien. De toute façon, tu sais que Fitzgerald a toujours eu un *a priori* favorable à ton égard: il avait beaucoup de respect pour ton père...

Patrick s'est levé et s'est mis à arpenter la pièce. À la fenêtre, il a observé les lumières de la ville dans les ténèbres bleues avant de se retourner.

– Et s'il te questionne sur l'avortement, tu vas lui dire quoi?

Gene a soupiré.

– Que nous allons continuer à défendre le droit à l'avortement, mais pas le geste en tant que tel. Comme l'a fait Obama face à Palin en 2008. Écoute, Patrick... je croyais qu'on avait réglé cette question depuis longtemps...

– Je sais... Mais je me disais que si on prend une bonne avance demain, on pourrait peut-être se montrer plus incisifs...

– Regarde les campagnes qu'on a menées pour te faire élire gouverneur, puis sénateur. Tu m'as toujours fait confiance et tu sais que je peux accomplir des miracles, ou presque…

Avec David Axelrod, l'ancien conseiller de Barack Obama, Gene était considéré comme l'un des plus grands *spin doctors* à avoir œuvré pour le Parti démocrate. Durant la présidentielle de 2004, il avait été appelé en renfort par l'équipe de John Kerry quand les républicains avaient mis en doute les états de service de ce dernier dans l'armée. D'aucuns affirmaient que s'il n'était pas arrivé si tard dans le portrait, Gene aurait réussi à faire élire Kerry.

– Mais il y a une chose que tu sembles oublier, bonhomme : aux dernières nouvelles, je n'étais pas encore magicien ! Je peux te faire élire avec ton plan environnemental ou encore sur la base d'une position pro-choix clairement affirmée. Mais pas les deux en même temps. Tu sais aussi bien que moi qu'être trop progressiste est un piège… Rappelle-toi, c'est ce qui a coulé Dukakis…

– Dukakis s'est fait lessiver à cause de ces photos ridicules où on le voyait casqué sur un char d'assaut !

– Ne sois pas de mauvaise foi, Patrick. Stavanger est habile… Il a axé sa campagne sur un programme conservateur, il joue la carte de la stabilité. Depuis le début des primaires, il essaie de faire peur aux délégués en martelant que, s'ils t'élisent sur la base du plan Adams, tu mèneras le parti à sa pire défaite depuis le Duke… Si on va plus loin sur l'avortement, même si tu creuses une avance confortable demain, tu vas te faire canarder de tous les côtés. Et pendant qu'on sera occupés à esquiver les coups, Stavanger passera sous le radar et se faufilera en tête...

Mains dans les poches, Patrick est retourné à la fenêtre. Dehors, la pluie avait repris et martelait les vitres.

– Oublie ce que j'ai dit... De toute manière, ça n'a plus d'importance...

Gene a sorti un nouveau barreau de chaise et l'a mis dans sa bouche pour l'humecter.

– Si, ça en a. Je suis là pour te faire élire, bonhomme. Pas pour te sucer les orteils. Si tu veux gagner, tu vas devoir sauter dans tous les cerceaux que je te propose.

Même si l'anxiété me rongeait de l'intérieur, le reste de la soirée s'est déroulé dans une atmosphère plus détendue. Le temps de quelques scotchs, Gene a raconté pour la énième fois ses frasques en compagnie d'Al Gore. À l'aide de grands gestes, il mimait comment ils se tenaient debout sur des plateaux de plastique lors de certains décollages, utilisant la poussée de l'avion pour «surfer» sur quelques mètres dans l'allée; Gene a aussi relaté de quelle manière, lorsque John Wayne Bobbitt s'était fait trancher le pénis par sa femme Lorena, il fournissait à Gore un rapport quotidien sur l'état de santé de Bobbitt, rapport avec lequel le vice-président, pince-sans-rire, avait pris l'habitude de commencer ses briefings au Bureau ovale. Même s'il connaissait déjà ces pitreries, Patrick croulait de rire chaque fois.

Perdue dans mes pensées, j'écoutais la conversation d'une oreille distraite. Une question m'obsédait : devais-je leur mentionner l'existence du message texte ?

Après avoir envisagé la situation sous tous ses angles, je ne savais toujours pas quoi en penser. S'agissait-il d'un canular ou essayait-on de me manipuler? À cause de l'imminence du vote, je craignais que l'équipe de Stavanger se serve de mon passé pour causer du tort à la candidature de Patrick. Chose certaine, la présence de l'un des principaux conseillers de Stavanger dans l'assistance à UMass n'était pas fortuite.

À moins que Francis Powers n'ait décidé d'assouvir une vengeance personnelle...

Après mûre réflexion, j'ai décidé d'attendre le lendemain pour leur en parler. D'une part, je ne voulais pas les inquiéter avec ce qui n'était peut-être qu'une sinistre plaisanterie. D'autre part, je préférais essayer de tirer les choses au clair moi-même avant de sonner l'alarme. Ma décision était prise : je questionnerais Francis Powers directement.

L'image d'un visage à la peau café-au-lait est apparue dans mon esprit. Francis faisait partie de ces rares personnes qui, lorsque vous leur parlez, concentrent toute leur attention sur vous, comme si le monde extérieur cessait d'exister. J'ai secoué la tête et aussitôt chassé cette vision.

Nous quittions le salon privé lorsque le chef est venu nous retrouver. Après lui avoir offert nos compliments pour la qualité du repas, nous avons discuté un moment.

L'homme a ensuite tendu son cellulaire à Gene, qui l'a photographié en compagnie de Patrick.

Alors que nous allions regagner nos chambres, Gene et Patrick ont fait un arrêt aux toilettes. Je les attendais devant les ascenseurs, sous l'œil impassible de Briggs, lorsque Gene est sorti en trombe et m'a attrapée par le coude.

– Parle-lui à propos de l'avortement, Lee. Il n'est pas dans son assiette, mais, toi, il t'écoutera. S'il persiste avec cette idée, on va frapper un mur. Et on ne s'en remettra pas…

Toute trace du sourire qui animait son visage quelques instants plus tôt avait disparu. En fait, il y avait longtemps que je ne l'avais pas vu aussi sérieux.

– Je crois que tu surestimes mon pouvoir, Gene.

Il m'a transpercée du regard, l'air grave.

– Non. Pour toi, il a toujours été prêt à tout, Lee…

4.

LOWELL, LA NUIT

Patrick et moi avons abandonné Briggs à la porte de notre suite, un penthouse où s'intégrait avec élégance le moderne à l'ancien. À notre arrivée, un feu crépitait dans le foyer en marbre du séjour, et la lueur des flammes dansait sur le plancher de bois franc. J'ai abandonné mes talons hauts et mes bas au milieu de la pièce, puis je me suis approchée de la porte vitrée. La terrasse donnait sur la ville et le fleuve Merrimack. Patrick s'est débarrassé de sa cravate et de son veston en les balançant sur le canapé. Debout derrière moi, il a passé un de ses bras puissants autour de mes épaules. Nous sommes restés un moment ainsi, sans parler, nos regards perdus dans les lumières de Lowell. Le temps n'avait rien effacé : j'éprouvais toujours le même malaise qu'autrefois à me retrouver dans cette ville, cette sensation de suffoquer, cette impression que quelqu'un me maintenait la tête sous l'eau.

– Ça va? a murmuré Patrick.

– Pourquoi me demandes-tu ça?

Il a eu un mouvement de recul. Fidèle à lui-même, il me parlait avec douceur, pour ne pas me brusquer. J'avais épousé un homme plein d'égards et d'attention pour moi, un roc qui s'était imposé comme une force tranquille, qui m'avait ramenée à la vie après la mort de Chase. Malgré toute l'affection et l'admiration que j'éprouvais pour lui, j'ai toujours été distante. Peut-être qu'avoir des enfants aurait pu nous rapprocher, mais deux fausses couches m'avaient permis de comprendre que je ne désirais pas être mère.

– Tu semblais préoccupée durant le repas.

Il y a toujours eu deux forces en moi. Deux personnalités diamétralement opposées. Leah, la femme douce et effacée, cette façade que je présente en public. Et puis, il y a Lee, ce démon qui m'habite et que je m'efforce de contenir, cette femme dure et impitoyable. Cette femme au cœur de glace.

– Je suis fatiguée, c'est tout...

M'attirant à lui, Patrick s'est fait rassurant:

– Ce serait parfaitement normal que tu ressentes des émotions contradictoires... On peut en discuter, si tu veux...

Je me suis braquée de nouveau.

– Je ne comprends pas ce que tu veux dire.

– Tu le sais très bien, Leah... Revenir ici, à Lowell, vingt-cinq ans après ce qui s'est passé...

– Je préfère ne pas en parler.

Je me suis dégagée de son étreinte. En entrant dans la chambre, mes orteils se sont enfoncés dans l'épaisse moquette de laine. J'ai allumé la télévision à écran plat. Une chaîne d'informations locale donnait la météo pour les prochains jours. Patrick est arrivé à son tour, il a retiré sa chemise. Ma rebuffade n'avait laissé aucune trace de frustration ou de colère sur son visage.

– Si tu as du temps demain, j'aimerais que tu participes à la révision de la version intégrale de mon discours. Pas seulement la partie reliée à l'environnement…

Sa demande m'a surprise. Normalement, Gene et Murphy s'acquittaient de cette tâche.

– Est-ce que je peux savoir pourquoi?

Après avoir mis sa chemise sur un cintre, il s'est retourné vers moi, puis il m'a regardée avec intensité.

– C'est mon discours le plus important des primaires, Leah. Peut-être mon dernier… Au fait, comment as-tu trouvé mon allocution à UMass?

J'aurais dû lui dire qu'il avait été parfait. Ce qui était vrai. Ou presque. Mais je voyais toujours la petite bête noire et ne pouvais m'empêcher de la pointer du doigt.

– C'était pas mal. Mais… tu avais l'air un peu crispé.

Patrick a hoché la tête, comme s'il approuvait. Il s'est approché de moi.

– Tu sais ce qui me ferait du bien?

Mettant mes mains à plat sur son torse nu, j'ai déposé un baiser sur sa joue.

– Il est trop tard pour faire l'amour. On doit se lever tôt demain. La journée va être longue.

Patrick a détourné la tête, puis il a souri.

– Je comprends…

Il n'y avait aucune déception dans son ton. Il ne se mettait jamais en colère, ne me reprochait pour rien au monde mes écarts de comportement ou mes sautes d'humeur. Patrick était un type épatant, beau, sensible, respectueux, supérieurement intelligent et d'une infinie patience. Il aurait mérité beaucoup plus de considération que ce que je lui offrais. Si seulement il m'avait sauté au visage à l'occasion, je me serais peut-être sentie moins méprisable.

– Veux-tu que je demande à Briggs de laisser un de ses hommes t'accompagner dans tes déplacements demain? Ça me rassurerait de te savoir en sécurité.

Patrick posait la question, mais il connaissait déjà la réponse...

La loi prévoit qu'un candidat à l'élection présidentielle et son épouse doivent recevoir une protection du Secret Service cent vingt jours avant le vote, qui se tiendrait en novembre. Dans les faits, les candidats les plus importants reçoivent cette protection beaucoup plus tôt.

Patrick avait été le premier, au début de février, à se voir octroyer une couverture. Stavanger avait reçu la sienne quelques semaines plus tard.

Je bénéficiais déjà de cette protection par ricochet lorsque j'accompagnais Patrick dans ses déplacements. En théorie, j'aurais droit à une protection individuelle quelque part en juillet. Cela dit, j'avais l'intention de la décliner, comme l'avait fait Ron Paul, le colistier de Mitt Romney à la présidentielle de 2012.

– Non, Patrick. Je suis une citoyenne ordinaire et je tiens à préserver ce statut.

Un téléphone a sonné. Patrick s'est précipité dans le séjour, où il avait laissé son veston. Je l'ai entendu demander à son interlocuteur d'attendre une seconde. Il est apparu dans l'entrebâillement en couvrant le microphone d'une main.

– Je vais en avoir pour quelques minutes... C'est Murph...

Mon patron voulait certainement valider certains éléments des directives qu'il donnerait demain à l'équipe de rédacteurs. Ce devait être important. D'habitude, Shane ne dérangeait pas Patrick à une heure si tardive. J'ai fait signe que j'allais sous la douche.

Avec sa série de boutons pour actionner le chauffe-serviettes, ajuster la température du plancher et rabattre le siège de toilette, la salle de bains ressemblait presque au cockpit d'un engin spatial. J'ai essayé de comprendre comment ça fonctionnait, puis je me suis impatientée et j'ai tout laissé tomber. La douche comportait aussi son lot de complexité, avec des réglages permettant d'obtenir des jets de puissance variable ou de la vapeur.

Les yeux fermés, les bras croisés sous mes seins, je suis restée là au moins une minute pour chaque année où je n'avais pas remis les pieds à Lowell. Peu à peu, la chaleur de l'eau me débarrassait des tensions que j'avais emmagasinées durant la journée.

D'abord cette course insensée à travers le pays, ces points de presse, ces décollages et ces atterrissages en série, puis cette tempête où j'avais craint le pire.

Et, pour couronner le tout, ce message texte...

En sortant, je me suis enroulée dans une serviette, puis j'ai attrapé mon glucomètre dans ma trousse. J'avais besoin de m'injecter de l'insuline seulement le matin, mais je devais vérifier ma glycémie quatre fois par jour.

J'ai inséré une bandelette à l'endroit prévu, piqué mon index et approché la bandelette de la goutte de sang. La mesure affichée sur le lecteur étant normale, j'ai rangé mes affaires et pris un certain temps pour me sécher les cheveux, appliquer mes crèmes et me préparer à aller au lit.

Quand je suis revenue dans le séjour, Patrick était affalé sur le canapé, la tête entre les mains. Je le connaissais assez pour le savoir préoccupé. Vêtue d'une culotte et d'une camisole, je suis allée me blottir près de lui en frissonnant. J'étais curieuse de savoir de quoi il avait discuté avec Murphy.

– Et puis?

Patrick a tourné la tête vers moi. Son regard paraissait totalement absent. J'ai insisté.

– Ton appel...

– Mon appel, a-t-il répété dans un murmure.

– Tu parlais avec Shane quand je suis allée prendre ma douche...

Les limbes ont semblé le recracher à ce moment.

– Shane... Euh... nous avons passé en revue quelques éléments du discours de Boston.

– Lesquels?

Patrick s'est enfoui le visage dans les paumes, a lentement laissé ses mains glisser vers sa bouche, puis il a joint les doigts sous son menton.

– Je n'ai pas la tête à en discuter de nouveau... Ce n'est rien de majeur. Tu verras dans le texte demain.

J'ai haussé les épaules.

– Si tu le dis... Qu'est-ce que tu faisais?

– Je réfléchissais.

– À quoi?

– À cette rencontre entre Gene et Fitzgerald. Le timing est mauvais…

Patrick s'est raclé la gorge. Je me suis tue pour le laisser préciser sa pensée.

– Fitzgerald a beaucoup d'influence. Gene et lui sont comme le feu et l'eau. Ces deux-là ensemble, ça risque de mal se passer.

J'ai adopté un ton qui se voulait empathique:

– Cesse de te faire du mauvais sang. Fitzgerald t'aime bien, non?

– Ces types-là n'aiment personne, ils n'ont aucune allégeance, Leah. Ils peuvent se retourner contre toi à n'importe quel moment.

J'ai réfléchi quelques secondes à ce qu'il venait de dire avant de reprendre la parole:

– As-tu parlé de tout ça à Gene?

Patrick s'est levé et il a fait quelques pas dans la pièce. Puis, les mains derrière la nuque, il s'est étiré le cou.

– Non. Je sais déjà ce qu'il va me dire.

Une inflexion dans sa voix m'a donné l'impression qu'il y avait autre chose. Il semblait à fleur de peau, très mélancolique, ce qui n'était pas dans ses habitudes.

– Qu'est-ce qui se passe, Patrick?

Sa réponse a soufflé un vent froid dans la pièce.

– Tu sais que je t'aime, Leah, non?

– Pourquoi tu me dis ça maintenant?

Il s'est retourné vers moi.

– Est-ce qu'il y a un bon ou un mauvais moment pour dire à sa femme qu'on l'aime?

Mes démons dansent la nuit, quand tout le monde dort. Ils me torturent, me tiennent éveillée, l'anxiété m'étouffe et tout paraît lugubre. La chambre était plongée dans l'obscurité et, malgré les somnifères que j'avais avalés, je n'arrivais pas à trouver le sommeil. J'ai enlevé les bouchons de mes oreilles. Je dors systématiquement avec depuis l'adolescence. Ils créent une bulle où je me sens en sécurité, un rempart contre le monde extérieur. J'ai regardé Patrick un instant. J'ai écouté le bruit de sa respiration. Sa cage thoracique se soulevait à intervalles réguliers. Quand le sommeil m'évite, je peux rester des heures ainsi à le fixer.

Et, chaque fois, la même question me hante: la vie est-elle un miracle ou une malédiction?

Je me suis levée et, sans bruit, j'ai pris ma robe de chambre, mon sac et mon cellulaire, puis je suis sortie sur la terrasse. Assise dans un fauteuil, j'ai regardé de nouveau le message texte. Et là, j'ai retenu un hurlement, les doigts crispés dans les boucles de mes cheveux.

Après m'être calmée, j'ai fouillé dans mon sac. Sortant mon paquet de cigarettes, j'en ai allumé une avec le vieux Zippo plein d'éraflures qui ne m'avait pas quittée depuis vingt-cinq ans. Celui que j'avais récupéré dans les effets personnels de Chase.

La main tremblante, j'ai extirpé un objet de mon portefeuille. Perdue dans mes pensées, j'ai fumé nerveusement en regardant la moitié de carte postale jaunie de la place des Vosges que je gardais depuis sa mort.

JOUR DU SUPER TUESDAY
MARDI 1ER MARS

5.

FRANCIS POWERS

J'ai ouvert l'œil avec peine, j'ai flotté encore un moment dans les vapes, éparpillée entre les brouillards nocturnes et la clarté qui inondait la pièce. Puis un déclic s'est opéré dans mon cerveau. J'avais dormi beaucoup plus longtemps que prévu. Je me suis redressée. Le lit était un désert blanc et moite. J'ai appelé deux fois. Pas de réponse. Patrick était déjà parti.

Repoussant les couvertures, je me suis assise sur le bord du lit. J'ai pressé mes tempes avec mes doigts, pour essayer d'atténuer les élancements. Mon cerveau tournait au ralenti, je me sentais engluée. Avaler une seconde dose de somnifère à 3 h du matin avait été une grossière erreur.

J'ai saisi mon cellulaire. Pas étonnant que l'alarme n'ait pas sonné : la pile était à plat. Je me suis levée et j'ai branché l'appareil.

Écartant une mèche de cheveux de mon visage, je me suis traînée jusqu'au séjour : une note et une rose étaient posées sur une table basse. Pauvre Patrick… Toute cette gentillesse que je ne méritais pas et que je ne lui rendais jamais. Je n'ai pas lu la note. J'étais en retard et, de toute manière, je connaissais par cœur ce qu'elle devait contenir.

Je me suis maquillée légèrement. Par la suite, j'ai vérifié ma glycémie, je me suis fait une injection et j'ai enfilé à la hâte un tailleur et des escarpins.

Après avoir pris mon ordinateur et mon cellulaire — il avait déjà regagné un quart de charge —, je me suis élancée dans le corridor. Tandis que j'attendais l'ascenseur, j'ai envoyé un message texte à Francis Powers. S'il se trouvait encore à Lowell, il ne tarderait pas à voir de quel bois je me chauffe.

Dehors, tout était gris et morne : le ciel, les passants que je croisais, la rue où s'agglutinaient les véhicules, les fantômes derrière les vitres et les pigeons qui hantaient le trottoir. Je marchais dans le matin humide, et des rues familières défilaient dans mes rétines. Peut-être aurais-je dû ressentir quelque chose de particulier de me retrouver là après toutes ces années, pourtant ce n'était pas le cas. Alors que je remontais Merrimack Street, j'ai relevé la tête et remarqué que l'horloge Page marquait déjà 8 h 38.

Tu as rendez-vous avec Chase Moore dans moins de cinq heures, a murmuré une voix dans ma tête.

Les bureaux de l'équipe de campagne étaient situés au deuxième étage d'un immeuble anonyme de Prescott Street. Comme il n'y avait personne à la réception, je suis entrée. Guidée par les éclats de voix, j'ai remonté un corridor et débouché dans une salle blanche percée de longues baies vitrées. L'endroit fourmillait d'activité. Sur les murs, des affiches électorales martelaient les slogans de la campagne de Patrick. De grandes tables couvertes de monticules de paperasse occupaient un coin, tandis que des bureaux munis d'ordinateurs et de postes téléphoniques étaient disposés près des fenêtres. Déjà à l'œuvre, des bénévoles multipliaient les appels aux électeurs pour «faire sortir le vote». D'autres discutaient près d'une cafetière de métal cylindrique. Comme personne n'avait remarqué ma présence, je me suis éclairci la gorge.

– Pardon... Excusez-moi...

Près de la cafetière, les conversations se sont arrêtées net. Après une seconde d'indécision, les visages se sont éclairés de larges sourires. On m'avait reconnue... J'ai rencontré les responsables du bureau, serré la main de quelques bénévoles et échangé avec eux les banalités d'usage, puis une adjointe m'a conduite jusqu'à l'espace qu'on avait mis à ma disposition. Sur la droite, il y avait une pièce avec une paroi vitrée dont on avait relevé le store. Le manteau de Gene avait été négligemment jeté sur la chaise, et sa mallette était posée en travers du plan de travail. La fenêtre donnait sur la rue. Le principal intéressé brillait quant à lui par son absence.

Un peu plus loin dans le couloir, l'adjointe a ouvert une porte sur la gauche et tourné un interrupteur. Des néons se sont mis à crépiter, éclairant une salle de conférences rectangulaire, sans fenêtre. Une grande table occupait presque entièrement la pièce. L'adjointe m'a remis une enveloppe que Shane Murphy lui avait confiée à mon intention, puis elle s'est éclipsée. Je me suis assise et j'ai disposé mon attirail devant moi : ordinateur portable, enveloppe et téléphone.

Avant de le brancher, j'ai consulté la messagerie de mon cellulaire. Francis Powers n'avait pas encore répondu à mon message texte.

L'enveloppe contenait les directives que Shane avait préparées pour préciser la direction qu'il souhaitait donner aux aspects environnementaux dans le discours et, surtout, les messages clés qu'il voulait passer. Mon travail consistait à décrire ces orientations en langage courant, à l'aide de formulations simples, d'énoncés accessibles et efficaces. Je devais proposer des images marquantes, qui frapperaient l'imaginaire des électeurs si fort qu'elles les toucheraient droit au cœur, qu'ils auraient envie d'y croire ou, mieux encore, qu'ils les prendraient pour la vérité.

En toute humilité, j'excellais à cet exercice.

Je suis incapable d'écrire sans musique. J'ai pris mon casque d'écoute dans mon sac, ouvert iTunes et cherché Bon Iver dans ma bibliothèque. J'ai cliqué sur *Flume*, ouvert le fichier qui contenait mes notes sur le discours. J'ai lu quelques lignes, puis, les yeux fermés, je me suis laissé bercer par la voix haut perchée de Justin Vernon. J'ai attendu que les mots viennent. Et comme toujours, ils sont venus.

Après un moment, je suis passée « de l'autre côté », un point où l'écriture devenait automatique, où j'oubliais que j'étais en train d'écrire. J'étais alors si absorbée par ma tâche que je n'ai pas vu le temps passer.

Quand j'ai réalisé que Francis avait répondu à mon texto, un coup d'œil à ma montre m'a appris que j'allais être en retard au rendez-vous que j'avais moi-même fixé.

J'ai remonté Prescott Street à toute vitesse et je suis arrivée à l'angle de Merrimack. Le café était situé au cœur de Kearney Square, au rez-de-chaussée d'un immeuble que les habitants de Lowell avaient surnommé le Sunscraper, parce qu'il avait longtemps abrité les bureaux du journal local. Ainsi, sur le toit, la nuit, des néons illuminaient encore les immenses lettres formant le mot *Sun*.

Une serveuse est venue à ma rencontre et m'a demandé si je désirais une table. J'ai scruté la salle bondée et aperçu un bras levé : Francis Powers était déjà installé au fond, sur une banquette. Je l'ai rejoint en quelques enjambées.

Déposant son verre de jus d'orange devant lui, le conseiller de Stavanger s'est levé en me tendant la main pour m'accueillir, mais je l'ai ignoré et me suis assise.

– C'était vraiment minable de m'envoyer ce message texte hier, Francis…

Il m'a regardée un instant, décontenancé, l'air de se demander si j'étais sérieuse ou si je blaguais. Puis il est parti d'un grand éclat de rire qui m'a presque ébranlée.

Je n'allais pas me laisser démonter aussi facilement. J'ai enchaîné :

– Je ne vois vraiment pas ce qu'il y a de drôle.

Après avoir pris un moment pour retrouver son sérieux, Francis a approché, au-dessus de la table, son visage du mien.

– Leah, ça fait des mois qu'on ne s'est pas parlé, des mois que tu ne me rappelles plus, des mois que tu m'ignores chaque fois qu'on se croise. Là, tu m'envoies un message texte pour me donner rendez-vous. Tu mentionnes que c'est urgent. J'accepte de venir te rencontrer sans poser de questions, j'annule une rencontre, je fais des pieds et des mains pour arriver à l'heure... Toi, tu te présentes avec dix minutes de retard et tu me traites de minable. Je m'excuse mais, à défaut de me mettre en colère, tout ça me donne envie de rire.

– Ne joue pas à ça avec moi, Francis. Lorsque, dans l'auditorium de UMass, j'ai essayé de rappeler le numéro de l'expéditeur, la communication a été coupée après quatre sonneries. Quand j'ai relevé la tête, tu me fixais et, au même moment, tu m'as saluée avec ton téléphone à la main : tu venais juste de rejeter mon appel.

Francis a affiché un air étonné ma foi assez réussi.

– Quoi ? Je m'excuse, mais c'est franchement ridicule, Leah. Je ne sais pas de quoi tu parles. Si je tenais mon téléphone, c'était simplement parce que j'étais en train d'enregistrer l'allocution de Patrick.

Il a plongé la main dans la poche de son veston, saisi son cellulaire. Me dévisageant, il l'a posé sur la table, devant moi.

– Si ça peut te faire plaisir, vérifie le registre des messages. De toute manière, tu aurais reconnu mon numéro, non ?

J'ai repoussé l'appareil vers lui. J'avais réfléchi à ça une bonne partie de la nuit, alors ses arguments n'ébranlaient pas ma conviction.

– Ne me prends pas pour une idiote, je connais les vieux trucs, Francis. Évidemment, tu n'es pas assez stupide pour avoir envoyé le SMS de ton téléphone personnel. Tu l'as envoyé d'un autre cellulaire. Probablement un prépayé que tu as jeté après. On a tous écouté *24 heures chrono*, tu sais. Mais, dis-moi, qu'est-ce que tu faisais à UMass?

– Tu sais comme moi que c'est de pratique courante de garder un œil sur les autres candidats durant la campagne. Ne me dis pas que vous ne faites pas la même chose…

Le regard de Francis était devenu fuyant, son ton, évasif: il me mentait en plein visage.

– Si, mais on envoie des subalternes, jamais un conseiller principal. Je te connais, Francis. Je sais très bien ce que vous manigancez. Vous êtes en train d'essayer de ressortir de vieux squelettes des placards pour ébranler la campagne de Patrick à travers moi.

Il a froncé les sourcils et paru réfléchir.

– Ah bon? Tu me l'apprends…

– Vous allez jouer ça comment, hein, Francis? Non, attends, attends… laisse-moi deviner… Vous allez d'abord rappeler que Chase a été mon amoureux. Par la suite, vous prendrez bien soin de souligner que même si le coroner a conclu qu'il s'est noyé en essayant…

J'étais si émotive que j'ai dû marquer une pause pour reprendre mes esprits.

– ... que même si le coroner a conclu que Chase s'est noyé en essayant de sauver Amanda Phillips, son corps n'a jamais été retrouvé. Et là, vous allez toucher le fond du baril et ressortir les bonnes vieilles rumeurs, hein? Chase conduisait-il la voiture le soir fatidique? S'est-il enfui après avoir abandonné Amanda à son sort? La version que j'ai donnée aux policiers à propos de l'heure de ma dernière rencontre avec lui sur le pont était-elle véridique? Ai-je menti pour couvrir sa fuite?

– Leah, tout ça est grotesque... Tu ne vas pas...

La colère m'aveuglait et me donnait du courage. Je lui ai coupé la parole.

– Laisse-moi finir! Et vous allez vous faire un devoir de rappeler le reste, hein? Qu'en dis-tu, Francis? Je brûle?

Son visage affichait un air oscillant entre l'agacement et la surprise, mais il s'est abstenu de dire quoi que ce soit. Une serveuse est venue me demander si je désirais commander quelque chose. Je l'ai renvoyée d'un geste de la main.

– Mais il y a une question qui me tracasse, Francis... Le message texte... Est-ce que c'était bien nécessaire d'être aussi cruel?

Francis m'a observée avec attention. Il paraissait sincèrement stupéfait.

– Lee, je te jure que je ne vois pas de quoi tu parles.

L'espace d'une seconde, j'ai hésité. Sautais-je trop rapidement aux conclusions? J'ai aussitôt rejeté cette idée.

Je n'allais plus me laisser convaincre par ses yeux immenses et son air angélique.

– Et dis-moi, comment as-tu su pour la carte postale et le rendez-vous, hein? Te serais-tu abaissé au point de fouiller dans mon portefeuille? Après tout, c'est peut-être Gene qui avait raison: tu n'es qu'un charognard.

J'ai senti que ma remarque l'avait piqué au vif, mais Francis ne semblait pas pour autant disposé à cracher le morceau.

– Quelle carte postale? De quoi parles-tu? De toute façon, tu sais très bien que si je voulais sortir une histoire pour ébranler la campagne de Patrick, j'en ai une bien meilleure en réserve…

J'ai souri: un rictus amer et méprisant.

– Mon pauvre Francis, vous êtes vraiment désespérés… Tu diras à ton patron qu'on ne va pas en rester là.

Je me suis levée. Certains clients des tables voisines avaient cessé de parler, d'autres, de mastiquer. Vingt personnes nous regardaient, embarrassées et interloquées. Vingt étrangers dont plusieurs m'avaient sans doute reconnue.

– Tu me déçois, Francis. Tu me déçois tellement. Et dire qu'à une certaine époque, j'ai cru que…

Les mots sont morts dans ma gorge, étranglés.

J'ai ramassé mon sac, puis j'ai quitté précipitamment le restaurant, laissant derrière moi Francis et la collection de souvenirs douloureux qu'il incarnait.

Francis Powers sortit dans la rue et regarda Leah Hammett disparaître au carrefour. Sans se presser, il composa un numéro sur son cellulaire. À la tonalité, il laissa un message dans la boîte vocale de son interlocuteur.

– C'est moi. Je viens de voir Leah. Elle se doute de quelque chose. Elle m'a parlé de Chase…

6.

LA CARTE POSTALE

J'ai traversé Kearney Square en courant sous un concert de klaxons. Sans réfléchir, j'ai remonté Bridge Street jusqu'au parc où se trouvait le monument érigé à la mémoire de Jack Kerouac. Là, j'ai repris mon souffle, effondrée sur un banc. Quelques secondes ont passé, puis une main s'est posée sur mon épaule et m'a fait sursauter. Je me suis retournée. Ravalant ma misère, j'ai tenté de donner le change.

– Gene ! Tu m'as fait une de ces peurs ! Qu'est-ce que tu fais ici ?

Soufflant comme un bœuf, il a dénoué son nœud de cravate.

– Figure-toi que je rentrais au bureau quand j'ai vu ton sosie sortir du Sunscraper à toute vitesse et manquer de se faire frapper par une automobile. Je me suis dit que tu n'aurais pas gardé l'existence de ta sœur jumelle secrète toutes ces années sans me la présenter…

Il a avalé une goulée d'air avant de reprendre :

– Alors, je t'ai suivie. J'ai crié ton nom à quelques reprises, mais le bruit de la circulation a sans doute couvert ma voix.

Gene s'est assis à côté de moi sur le banc, puis il a pris ma main dans la sienne.

– Qu'est-ce qui ne va pas, Leah? Depuis hier, tu es l'ombre de toi-même.

J'ai eu envie de tout lui déballer, mais je me suis retenue. Comment expliquer ce mutisme? Peut-être que je ne voulais pas être porteuse de mauvaises nouvelles, celle par qui le scandale arrive? Quoi qu'il en soit, quelque chose de plus fort que ma raison m'empêchait de tout lui raconter. Alors, j'ai préféré mentir:

– C'est cette ville, Gene... Il y a trop de fantômes, trop de mauvais souvenirs... Je n'aurais jamais dû remettre les pieds ici.

Entourant mes épaules avec son bras, il m'a attirée doucement vers lui.

– Ce que tu éprouves est tout à fait normal, Lee. Revenir à Lowell aurait pu être une bonne chose pour toi, ç'aurait pu te permettre d'exorciser le passé. Mais ça ne s'est pas produit et ce n'est pas la fin du monde. Dans quelques heures, nous serons à Boston et tout ça sera définitivement derrière toi.

Je suis restée un moment ainsi, blottie contre lui. Gene était peut-être mon seul véritable ami. Je me sentais à la fois apaisée et comprise. J'ai levé les yeux au ciel. Le soleil perçait les nuages. Le mercure devait osciller autour de vingt-cinq degrés; des feuilles commençaient à éclore aux branches de certains arbres. Le climat était vraiment déréglé.

Nous sommes rentrés bras dessus, bras dessous au bureau. Sans me faire la morale, Gene m'a fait comprendre que je devais m'atteler à mon discours. J'ai fait oui de la tête. Il avait tout à fait raison. Je devais me ressaisir.

À Kearney Square, quand j'ai aperçu les clients à travers la baie vitrée du café où j'avais rencontré Francis, je n'ai pu m'empêcher de penser que Gene nous y avait, peut-être, surpris en grande conversation. Je savais que si c'était le cas, je courais à la catastrophe. Et, à partir du moment où cette idée s'est insinuée dans mon esprit, je n'ai pu m'en défaire.

J'ai laissé Gene remonter au bureau. J'avais envie de griller une cigarette et d'être seule un moment. Des pensées ont commencé à rouler dans ma tête : qu'arriverait-il si je ne retournais pas écrire mon discours ? Qu'arriverait-il si je quittais cette ville et le pays sans avertir, sans ne plus jamais regarder en arrière ? Quel sentiment étrange devait-ce être de pouvoir tout recommencer à zéro dans un lieu où on ne connaît personne, où on n'a aucune attache. On doit à la fois se sentir seul et se sentir revivre.

Est-ce que je pourrais monter dans cette voiture, là, et partir ? Je pourrais retourner à Montréal, où l'on habitait avec papa, et m'y louer un appartement.

Notre destinée se résume à la somme des possibles. Je regardais les gens déambuler sur le trottoir et me demandais combien d'entre eux ne réalisaient pas la chance qu'ils avaient d'être en vie. Pour ma part, je vivais la mienne comme une épreuve. Pourquoi Patrick m'aimait-il et restait-il avec moi ? Qu'est-ce que je lui apportais? Ces questions tourbillonnaient sans cesse dans ma tête.

J'ai écrasé mon mégot contre la brique de l'immeuble et l'ai glissé dans le cendrier mural. J'allais rentrer lorsque le ciel s'est voilé. Et, tout à coup, des grêlons se sont mis à tomber. Les gens couraient dans la rue, cherchant un porche pour s'abriter. On entendait les claquements sourds des impacts sur la tôle des voitures. Un vieil homme qui se protégeait la tête avec un journal est venu se cacher sous l'auvent où je me tenais. Le déluge a duré trois minutes. Après, la rue luisait, couverte de perles brillantes.

J'ai grimpé l'escalier et traversé la salle commune, rendant des sourires aux bénévoles qui me saluaient. Lorsque je suis passée devant son bureau, Gene avait les pieds posés sur sa table de travail. Renversé en arrière sur sa chaise, il parlait au téléphone. La porte était fermée, mais je savais à sa gestuelle qu'il avait Patrick en ligne.

Étreinte par un sentiment d'urgence, je me suis enfermée dans la salle de conférences avec l'idée bien arrêtée de terminer le discours. J'ai enfilé mon casque d'écoute pour me créer une bulle. J'avais besoin d'un électrochoc. J'ai sélectionné Foo Fighters. Mes doigts se sont activés furieusement sur le clavier dès les premières mesures de *Best of You.*

Le premier refrain à peine entamé, j'étais passée de l'« autre côté », dans la zone. Après plus de quatre-vingt-dix minutes de travail ininterrompu, j'avais une première version solide.

À ce moment, j'aurais dû me secouer les puces, me lever pour aller me chercher un café, mais la vérité, c'est que je m'enfonçais dans mon spleen comme un corps qui chute dans un puits sans fond. J'espérais trouver dans ma mélancolie une source de réconfort. Étrangement, quand le mal-être peuple votre quotidien, l'impression de s'y sentir en terrain connu devient parfois un sentiment rassurant.

J'ai commencé à revoir des images anciennes dans ma tête, salies par le temps. Le passé s'est mis à défiler sous mes yeux comme un film muet. Sans pouvoir m'en extirper, je revivais ma dernière rencontre avec Chase sur le pont des Six Arches. Excellent nageur, Chase était alors robuste, fort et si plein d'enthousiasme.

Pendant des jours, j'avais refusé de croire à sa mort. Je m'accrochais à l'espoir qu'il allait soudain réapparaître et qu'à ce moment son absence s'expliquerait. Pendant des semaines, je n'avais pas su me résoudre à accepter l'idée que ce jeune homme que j'avais aimé follement s'était éteint, que sa vie s'était subitement arrêtée, que sa voix s'était tue à jamais, que je n'entendrais plus jamais la musique de son rire.

Le souvenir de la descente aux enfers qui avait suivi m'est revenu. Et aussi les relents de l'enquête qui n'avait fait qu'accroître ma douleur et tourner le couteau dans la plaie en m'abreuvant de détails sinistres.

Parce que la mort avait fauché deux jeunes personnes, la presse s'était emparée de l'affaire. Les ragots les plus incongrus avaient circulé. Si, pour certains, Chase était mort en héros en essayant de sauver Amanda Phillips, d'autres avaient suggéré qu'il avait lui-même provoqué la mort de la jeune femme. Cette théorie du drame passionnel voulait que Chase ait eu une relation avec Amanda.

J'ai dit à tout le monde — la police, les enquêteurs, le coroner et les journalistes — que c'était impossible, que Chase et moi étions amoureux et qu'il n'aurait jamais fréquenté quelqu'un d'autre. Probablement attirées par la perspective de vivre leurs quinze minutes de gloire au bulletin télévisé, deux étudiantes avaient affirmé qu'elles les avaient souvent aperçus ensemble, l'une d'elles allant même jusqu'à prétendre les avoir vus s'embrasser. C'étaient des foutaises, bien évidemment. Sans être des amis, Chase et Amanda s'étaient côtoyés au collège. À ma connaissance, ils avaient fait équipe le temps de quelques travaux scolaires, sans plus.

À mesure que les souvenirs défilaient dans ma tête, j'en suis inévitablement venue à repenser à madame Peggy Carson. Et là, d'autres images de cette nuit fatidique me sont revenues en mémoire. Tout à coup, c'était comme si j'y étais de nouveau.

* * *

Lowell, Massachusetts, 20 octobre 1991

Cette nuit-là, deux heures après que Chase l'a laissée devant chez elle, Leah se réveille en sursaut. Frissonnante, elle a fait un mauvais rêve dont elle n'arrive pas à se souvenir. Incapable de se rendormir, elle monte au rez-de-chaussée. Sa mère dort. En prenant un somnifère dans la pharmacie, elle aperçoit, de l'autre côté de la rive, près du viaduc de Lawrence Street, la lueur des gyrophares. Mue par la curiosité de ses vingt et un ans, elle s'habille et sort pour voir ce qui se passe.

Croyant avoir entendu des bruits, c'est Peggy Carson qui, trente minutes plus tôt, réveille son mari et sonne l'alarme en composant le 9-1-1. En maugréant, celui-ci met ses bottes et son manteau. Il arrive en même temps que les patrouilleurs sur les lieux. Les trois hommes découvrent des traces de freinage et constatent que le parapet de métal du viaduc est tordu et marqué de stries rouges.

La maison des Carson est la plus proche de l'endroit où la voiture a plongé dans la rivière Concord. Les policiers tentent d'éclairer cette dernière, mais, à la lumière du faisceau combiné de leurs lampes, ils ne voient rien d'inhabituel. Madame Carson et son mari sont connus dans le voisinage en raison de leur amour pour la dive bouteille. Non seulement on les regarde de travers parce qu'ils ne se présentent pas à l'office religieux du dimanche, mais leur maison négligée et leur jardin en friche détonnent parmi les bungalows soignés du quartier. Il n'est d'ailleurs pas rare que les policiers soient appelés à reconduire monsieur Carson chez lui après l'avoir trouvé endormi sur le terrain d'un voisin, fortement imbibé d'alcool.

Ceci expliquant cela, les patrouilleurs traitent d'abord l'appel des Carson avec un certain scepticisme. Puis, alors qu'ils s'apprêtent à partir, l'un des policiers traverse le pont des Six Arches et découvre, sur l'autre rive, un sac à dos, un walkman jaune, une veste à carreaux et une casquette à l'effigie des Red Sox de Boston.

– Centrale? Ici l'agent DeWalt. On va avoir besoin de la patrouille nautique et des plongeurs ici.

À 4 h 30 du matin, l'endroit grouille de policiers, d'ambulanciers et de pompiers. Réveillés tantôt par les gyrophares, tantôt par le va-et-vient des véhicules d'urgence, une poignée de résidants du voisinage — la plupart ont enfilé leur manteau directement par-dessus leur pyjama — sont massés autour du cordon installé par les policiers.

Le vieux Lamar Mitchum a sorti une cafetière sur son balcon et distribue du café aussi bien aux secouristes qu'aux curieux. À ce moment, les effets personnels de Chase sont ramassés et rangés dans le coffre d'une voiture de police. Aussi, quand Leah arrive sur les lieux, elle est loin de se douter qu'elle va être impliquée dans la tragédie. Le vieux Mitchum lui tend un gobelet de café.

– Les policiers pensent qu'il y a une voiture dans la rivière.

Vers 5 h, un plongeur remonte à la surface. Happé par le faisceau d'un projecteur, l'homme-grenouille annonce en recrachant son détendeur:

– Il y a une auto… Avec un corps dedans.

À 5 h 20, les plongeurs remontent un cadavre à la surface. Les ambulanciers et le médecin légiste ont beau agir rapidement pour couvrir le corps, les badauds voient la peau blanche de la morte et ses cheveux noirs avant qu'elle soit hissée sur une civière. Sirène éteinte, roulant aussi lentement qu'un cortège funèbre, l'ambulance emporte le corps.

Un murmure secoue d'abord le petit groupe qui assiste à la scène, puis le téléphone arabe fait circuler la nouvelle comme une traînée de poudre. Une grosse femme qui lui a enseigné en troisième année se penche à l'oreille de Leah. Elle sent le tabac, la bière et la teinture à cheveux.

– C'est la petite Phillips...

Leah chuchote la même chose à l'homme qui se trouve à côté d'elle. Plusieurs personnes se mettent à prier à voix basse. Le vieux Todd Edler arrive avec son camion plateforme muni d'un treuil. Un câble d'acier est fixé par les plongeurs au châssis de la voiture. Puis, vers 6 h, tous voient apparaître, dans un grand bouillonnement, une Porsche 911 Turbo rouge.

Des jets d'eau giclent par les fenêtres que les plongeurs ont eu soin de briser au préalable.

La voiture est hissée sur la plateforme, qui repart pour l'emmener à l'entrepôt de la police scientifique. Par la suite, dans un ballet silencieux, les véhicules d'urgence s'en vont un à un, sirènes et gyrophares éteints. Les conversations flétrissent, puis meurent. Les flâneurs se regardent, hébétés, puis le groupe se dissout.

Le vieux Mitchum range sa cafetière et ramasse les gobelets sur le sol. Les lèvres crispées par la consternation, il prend Leah à témoin.

– Pauvre enfant... Lawrence Street, ce n'est pas un endroit pour faire de la vitesse. Ça non!

Leah rentre à la maison. En ouvrant la porte, elle regarde le ciel étoilé et sourit. Même si elle ne connaissait Amanda que de vue, sa mort l'attriste. Toutefois, une pensée plus forte que toute autre la transporte: il ne reste que quelques heures à patienter avant de revoir Chase.

À 9 h, Leah dort paisiblement, des bouchons enfoncés dans les oreilles, lorsqu'elle est réveillée par sa mère. Le visage plaqué de marques d'oreillers, les yeux plissés, elle monte au rez-de-chaussée. Deux des patrouilleurs qui étaient en service durant la nuit se trouvent dans la cuisine. L'un d'eux triture sa casquette, tandis que l'autre fait craquer nerveusement ses jointures. Leah regarde autour d'elle et constate qu'il n'y a pas seulement les policiers dans la pièce: l'air secoué, Ned Moore se tient debout derrière la table, vêtu d'une veste de daim. Moore est un grand gaillard aux cheveux argentés. Chaque fois qu'elle le voit, Leah ne peut s'empêcher de penser que Chase est tout le portrait de son père. Et qu'il fera un beau vieux. Les deux paumes de Ned Moore sont posées à plat sur les épaules de sa femme. Assise la tête entre les mains, Anita a le visage ravagé par les larmes. Le regard de Leah oscille de Ned à sa mère, puis se fixe sur les deux policiers. Elle ne comprend pas ce qu'ils font chez elle.

– Qu'est-ce qui se passe, maman? Monsieur Moore?

– Ma pauvre petite...

La mère de Chase prononce ces paroles d'une voix brisée par l'émotion. Leah sait qu'elle est très malade. Un tube à oxygène fixé en permanence sous les narines, elle quitte rarement son lit, sauf pour se rendre à l'hôpital où elle doit subir des traitements de dialyse.

Dès lors, la jeune femme comprend que quelque chose cloche. Elle s'affole.

– Chase… Où est Chase?

La mère de Leah passe un bras autour des épaules de sa fille. Un des policiers, celui qui tord sa casquette, lui parle de l'accident qui a eu lieu la nuit précédente, près de la rivière. Perplexe, Leah mentionne qu'elle était sur place, qu'elle a vu les plongeurs sortir le corps d'Amanda Phillips. Le policier lui apprend alors que les affaires de Chase ont été retrouvées en bordure de la rivière. Il laisse traîner la phrase.

L'information met un moment à se frayer un chemin dans le cerveau de Leah. Son regard passe de l'un à l'autre, guettant la moindre parcelle d'espoir. C'est impossible… Ce qu'ils laissent entendre est impossible…

– Il y a une erreur. Chase était avec moi hier soir. Il est rentré à pied vers…

Ses yeux sont exorbités, ses poings, serrés, ses ongles s'enfoncent dans la chair de ses paumes. Puis, brusquement, elle se rue vers la porte en criant:

– Non!

Les policiers et Ned Moore s'interposent.

Leah donne des coups de poing et des coups de pied dans le vide. Les trois hommes ne ménagent pas leurs efforts pour la maîtriser. Hors d'haleine, brisée, elle entraîne Ned dans sa chute et finit à genoux dans ses bras, où elle sanglote en gémissant.

– Non… Chase… Pas Chase… Non… Non!

Ce n'est qu'en début d'après-midi que le reste de Lowell apprend, par l'intermédiaire du bulletin télévisé, que la victime retrouvée dans la Porsche était Amanda Phillips, une jeune femme de vingt-deux ans, qui habitait South Lowell. Un jeune homme de vingt et un ans, Chase Moore, également de Lowell, est aussi porté disparu. On précise que la patrouille nautique continue de draguer la rivière Concord à sa recherche, mais que, à ce stade, la police considère qu'il s'agit davantage d'une opération de récupération que d'une opération de sauvetage.

À compter de cet instant, toute la ville cesse de respirer et, dans les épiceries, dans les salons de coiffure, dans les écoles, au bureau de poste et dans les cafés, on ne parle que de cette histoire.

* * *

Retirant mon casque d'écoute, chassant les images, je suis revenue à la froide réalité de la salle de conférences. Mon regard a glissé sur l'écran et retrouvé le curseur qui clignotait à la fin d'un paragraphe. Après avoir relu et révisé mon texte, je l'ai envoyé par courriel à Shane Murphy. Puis j'ai jeté un coup d'œil à ma montre et constaté qu'il était déjà 12 h 31. La mélancolie et la nostalgie m'ont de nouveau envahie. Une voix trop familière a résonné dans ma tête:

Tu as rendez-vous avec Chase Moore dans moins de trente minutes...

La vérité, c'est que, depuis la réception du message texte, la veille, je réprimais le désir de croire qu'il était encore vivant. Et, ne serait-ce que pour lui rendre un dernier hommage, je brûlais d'envie d'aller au pont des Six Arches, l'endroit où nous avions connu nos moments les plus heureux.

Toutefois, ma raison a repris le dessus et j'ai poussé mes fabulations dans un coin de mon cerveau. Il y avait encore une montagne de boulot à accomplir et je devais me préparer pour la conférence que je donnerais à Pollard Memorial dans moins de deux heures. Aujourd'hui, plus que tout autre jour, je devais me montrer à la hauteur de M. O.

J'ai ouvert la porte et passé la tête dans le corridor. Gene n'était pas là. Sans doute parti manger. N'ayant rien avalé depuis mon réveil, j'ai fouillé dans mon porte-monnaie pour vérifier si j'avais assez d'argent pour m'acheter un sandwich. Le déclic s'est fait à cette seconde, quand j'ai aperçu le coin racorni de la carte postale que j'avais tenue entre mes doigts la veille.

J'ai repensé à ma conversation avec Francis et un élément auquel je n'avais jusqu'alors pas réfléchi m'a sauté aux yeux comme une évidence. J'aurais dû m'en rendre compte avant, mais le choc émotif que j'avais subi à la suite de la réception du message texte et le stress relié à la campagne et à mon retour à Lowell m'avaient sans doute brouillé l'esprit : au moment de nous séparer cette nuit-là, j'avais distinctement vu Chase glisser sa moitié de la place des Vosges dans une chemise en carton, puis ranger cette dernière dans son sac.

Or, quelques jours après l'accident, Ned Moore m'avait remis les effets personnels que la police avait découverts sur les lieux. Si j'avais trouvé le Zippo de Chase dans la poche de sa veste à carreaux, j'avais eu beau fouiller le contenu de son sac avec minutie, je n'avais jamais retracé l'autre moitié de la carte postale.

Que s'était-il passé après le moment où Chase m'avait reconduite chez moi? Avait-il sorti son bout de carte postale pour le regarder, l'avait-il perdu en chemin? La carte avait-elle glissé sur le sol alors que les enquêteurs examinaient le contenu du sac? Avait-elle fini dans une poubelle du poste de police?

Quoi qu'il en soit, un fait d'importance capitale demeurait: je n'avais jamais parlé à quiconque de l'existence de cette carte, ni même évoqué le rendez-vous que Chase et moi nous étions fixé un quart de siècle plus tard sur le pont des Six Arches.

Pourquoi l'aurais-je fait? Dans les semaines ayant suivi son décès, j'étais trop assommée par les anxiolytiques que j'avalais pour me préoccuper de tels détails. Et quelle importance recelaient ces informations sans signification, qui ne me le ramèneraient pas? L'enquête était bouclée et Chase, parti pour un monde que certains avaient l'impudence de qualifier de meilleur.

Or, les événements des dernières heures me poussaient à m'interroger: en admettant que Francis Powers soit mêlé au canular dont j'étais victime et qu'il ait trouvé la moitié de carte postale dans mon portefeuille, comment aurait-il pu savoir qu'elle me liait à Chase?

Comment aurait-il pu apprendre que Chase et moi nous étions donné rendez-vous sur le pont des Six Arches vingt-cinq ans plus tard? Une seule autre personne le savait à part moi.

Un jeune homme présumé mort depuis 1991.

7.

COLIN STAVANGER

– C'est gros, ce que vous avancez, Powers. C'est énorme, même…

Colin Stavanger s'était extirpé de la pièce où, accompagné de son attaché de presse, il se préparait à livrer une allocution devant les membres de la chambre de commerce de la Caroline du Nord. Entrant dans un salon attenant, il referma la porte. Au milieu de la soixantaine, des lèvres minces comme un trait, Stavanger arborait des cheveux argentés plaqués avec du gel au sommet de son crâne. Le front constellé de taches brunes, très bronzé, ses dents trop parfaites paraissaient bleues, tant elles étaient blanches.

En cette journée du Super Tuesday, à l'instar de Patrick Adams, son principal adversaire, Stavanger multiplierait les apparitions publiques dans plusieurs États, serrerait des mains, adresserait des sourires et donnerait des discours. L'appel de son conseiller venait chambouler un horaire déjà chargé.

– J'en suis tout à fait conscient, monsieur.

– Et ces informations, que vous venez de me divulguer… quel est leur degré de fiabilité?

Stavanger parlait à voix basse, la main droite couvrant sa bouche de manière à ce qu'on ne puisse pas lire sur ses lèvres. Il s'agissait d'un truc que lui avait un jour enseigné un consultant en relations publiques pour éviter de se trouver dans l'embarras et que, depuis, il appliquait systématiquement, même lorsqu'il était seul.

– Il n'y a aucune marge d'erreur, monsieur. Ma source est sûre à cent pour cent.

– Et cette source dont vous refusez de me révéler l'identité... cette « gorge profonde[2] »... que veut-elle en retour? De l'argent? Des faveurs?

– Non, monsieur. Elle ne demande strictement rien...

Ni maintenant ni après l'élection.

– J'ai peur de ne pas vous suivre, Francis. Vous savez comme moi que, dans la vie, on n'a jamais rien pour rien.

– Disons que la récompense de cette personne, monsieur, sera simplement que vous soyez élu à la place de Patrick Adams.

Stavanger émit un petit rire canaille.

– Vous n'apprendrez pas à un vieux singe à faire des grimaces, Francis. Je mettrais ma main au feu que votre « gorge profonde » représente un lobby important... Un lobby dont les intérêts économiques sont menacés par l'adoption du plan Adams. Je me trompe?

– Cette personne ne représente aucun groupe, monsieur. Elle agit à titre personnel.

– Et les preuves qui corroborent vos informations, vous les aurez quand?

[2] Référence au surnom donné par les journalistes Woodward et Bernstein du *Washington Post* à leur informateur W. Mark Felt dans ce qui allait devenir le scandale du Watergate.

– On doit me remettre une enveloppe d'ici une heure, monsieur.

– La remise de cette enveloppe est-elle assujettie à des conditions?

– Aucune, monsieur. La seule demande formulée par ma source, c'est de garder le lieu de notre rencontre secret.

– De toute façon, je veux en savoir le moins possible.

– Je comprends, monsieur.

– Et cette source... vous lui faites confiance, Francis?

– Oui... j'ai pleinement confiance en elle, monsieur.

L'attaché de presse de Stavanger passa la tête dans l'entrebâillement. Le politicien couvrit l'émetteur de la main et chuchota à son intention:

– Donnez-moi une minute.

L'autre referma la porte derrière lui.

– Suis-je d'ordinaire quelqu'un qui sait exprimer sa reconnaissance, Francis?

– Vous l'êtes, monsieur.

– Très bien. C'est important, que vous le sachiez...

Stavanger marqua une pause.

– Mon cher ami... Vous n'êtes pas sans savoir que si des informations de la nature de celles que détient «gorge profonde» se retrouvaient entre les mains de la presse... ça pourrait coûter de précieux points à notre adversaire, ou pire. Je parle ici d'un cas purement hypothétique... Vous me suivez toujours, Francis?

– Tout à fait, monsieur.

– Dans un tel cas, vous comprenez que si vous décidiez d'aller de l'avant, ce serait uniquement sur une initiative personnelle de votre part?

– Je comprends parfaitement, monsieur.

– Vous comprenez aussi que je ne peux pas intervenir directement et que nous n'avons jamais eu cette conversation?

– Oui, monsieur.

– Et que si ça tournait mal, je devrais vous désavouer.

– Je sais très bien que vous n'êtes pas censé être au courant, monsieur.

– Bonne chance, Francis.

Dans sa chambre d'hôtel du Kerouac, Francis Powers rempocha son cellulaire et poussa un soupir. Des papiers jonchaient le lit défait et le téléviseur était resté ouvert sur un dessin animé dont il avait coupé le son. Plongeant la main dans le seau qui traînait sur la table, Francis prit une poignée de glaçons et l'enfourna dans sa bouche. Face à la fenêtre, le regard perdu dans le courant du fleuve Merrimack, il se mit à croquer les cubes qui lui gelaient les dents. Le vent soulevait de l'écume à la cime des vagues. Se secouant, il saisit son cellulaire et se prépara à passer un nouvel appel. L'appât était en place. L'appât ou le piège: tout était une question de point de vue.

8.

L'HEURE DU RENDEZ-VOUS

Maintes personnes vous diront qu'il est préférable de prendre le temps de réfléchir, de soupeser les options et de trouver, en toutes circonstances, des explications rationnelles avant de passer à l'action. Celles-là me reprocheraient d'avoir agi sous le coup de l'émotion. Je savais très bien que sauter dans un taxi et demander au chauffeur de me conduire au pont des Six Arches risquait de me mettre en retard pour ma conférence à Pollard.

Mais je vous le demande: qu'auriez-vous fait à ma place?

Pour ma part, quand un doute s'immisce dans mon esprit, je suis incapable de faire marche arrière et de prétendre qu'il ne s'est rien passé. Ça me gruge en dedans et je dois aller au fond des choses pour savoir à quoi m'en tenir.

Le chauffeur de taxi, un sosie de Morgan Freeman, a engagé la voiture dans Billerica Street. D'un calme olympien, il conduisait sur des feutres et fredonnait au rythme des airs de Duke Ellington qui filtraient des haut-parleurs. Sur la banquette arrière, mon attitude contrastait: en proie à une violente anxiété, je me rongeais les ongles et mon sang battait violemment dans mes tempes.

– On arrive, madame, a dit Morgan Freeman en se retournant doucement vers moi, sourire aux lèvres.

Le pont était là, tout au bout de la rue, derrière les arbres, au coin de Denton Street. J'ai consulté ma montre: 12 h 55. Mon esprit s'est mis à gamberger.

Et si Chase est au rendez-vous? a fait la voix dans ma tête.

La sonnerie de mon téléphone a coupé net mes tergiversations. Morgan Freeman a aussitôt éteint la radio. L'écran de mon cellulaire affichait le nom de Shane Murphy. Je n'avais pas le choix: j'ai pris la communication.

– Salut, *First Lady.* J'ai révisé le texte que tu m'as envoyé tout à l'heure…

J'ai pris une grande inspiration pour essayer de me calmer.

– Et puis?

– C'est pas mal! Vraiment pas mal, même…

Dans la bouche de Shane, «pas mal» voulait dire que la qualité de mon travail oscillait quelque part entre «excellent» et «génial».

– Par contre, il y a deux ou trois petites choses que j'aimerais que tu modifies dans les derniers paragraphes. As-tu le texte devant toi?

Dans la bouche de Shane, «deux ou trois petites choses», ça pouvait parfois impliquer quelques heures de réécriture. J'ai improvisé:

– Non. J'étais sortie m'acheter un sandwich. Je peux te rappeler un peu plus tard?

– Pas vraiment. On est sur la piste et on décolle dans quelques minutes pour rentrer.

Lorsque Shane partait dans ses grandes envolées, il me fallait être vraiment concentrée pour le suivre. J'avais mon ordinateur avec moi, mais le démarrer me ferait perdre un temps précieux. J'aurais probablement pu me défiler en jouant sur mon statut, mais Shane et moi n'avions jamais eu ce genre de dynamique et c'est précisément la raison pour laquelle il me faisait confiance : je respectais son autorité et il me considérait comme une rédactrice à part entière, non comme la femme de son patron.

J'ai fouillé dans mon sac à la va-vite en espérant trouver de quoi écrire. J'ai déniché un stylo, mais j'allais devoir me rabattre sur une autre option que le papier pour noter. J'ai mis mon iPhone sur mains libres et je l'ai déposé sur mes genoux.

– Vas-y.

Shane a commencé à m'expliquer la teneur des modifications qu'il voulait que j'apporte au texte. J'ai griffonné quelques mots clés sur le dos de ma main gauche tandis que Morgan Freeman garait sagement la voiture à l'intersection. La silhouette du pont, qui se profilait derrière la rangée d'arbres, me brouillait les idées.

L'horloge de mon cellulaire marquait 12 h 59.

T'as encore ta moitié de carte postale, face de rat?

J'ai fermé les yeux un instant pour faire taire la voix de Chase dans ma tête.

– Leah?

– Excuse-moi, Shane, j'ai perdu ta dernière phrase. La ligne était mauvaise.

Aimant s'écouter parler, Murph était toujours heureux de répéter. J'ai noté de nouveau quelques mots sur ma main.

– C'est tout?

– Oui, *First Lady*. Fais les corrections le plus rapidement possible, je vais les regarder dès qu'on se posera.

Shane ne voulait surtout pas m'entendre dire que je donnais bientôt une conférence et que mon emploi du temps était chargé. Je devrais me débrouiller.

– Parfait. Euh… Murph… je ne sais pas s'il t'en a parlé, mais Patrick voulait que je révise le discours intégral…

Silence à l'autre bout de la ligne. J'ai tout de suite senti que la demande de mon mari l'avait agacé.

– Oui, il m'en a parlé, a-t-il fini par lâcher en soupirant.

– Ça te pose problème?

– Ce n'est pas que je ne te fais pas confiance, Leah… Je vais te l'envoyer, mais on est déjà plusieurs à brasser la soupe avec la même cuillère de bois… Tu comprends?

– Sois sans crainte, je vais limiter mes commentaires à l'essentiel.

– Merci. J'apprécie.

J'ai entendu une voix familière derrière celle de Murph.

– Hé, attends, *First Lady*... Il y a le *big boss* qui veut te dire un mot...

La voix grave de Patrick a remplacé celle nasillarde de Shane.

– Salut, chérie. Je voulais simplement te dire que je t'aime et que je pense à toi.

– Je pense à toi aussi, ai-je menti en murmurant. Comment ça se passe?

– Bien. Très bien. On rentre sur Lowell pour aller voter. Tu seras là, à mon arrivée?

– Ça dépend à quelle heure je termine ma présentation à Pollard. Je t'appelle en sortant.

J'entendais les réacteurs de l'avion siffler.

– OK. Il faut que je raccroche. Je t'aime...

La communication a été coupée. Dans son sens propre comme figuré, tromper est une sensation désagréable, une vacherie qui dégage une odeur nauséabonde et laisse un goût amer dans la bouche. Tandis que mon mari s'échinait avec conviction à essayer d'améliorer le sort de notre pays et celui de la planète, je me précipitais comme une collégienne pour aller retrouver un mirage. Je me sentais coupable et stupide.

– Vous êtes Leah Hammett, madame, n'est-ce pas?

Morgan Freeman avait posé son coude sur le haut de son dossier et, tourné vers l'arrière, il me fixait d'un regard à la fois admiratif et bienveillant. J'ai baissé la tête, mal à l'aise.

– Votre mari, le sénateur Adams... c'est un homme bien... Vous lui direz que Rufus Alexander de

Walnut Street va voter pour lui. Et toute sa famille aussi! Vous le lui direz, madame?

La gorge nouée, j'ai acquiescé d'un signe de tête.

– Je le lui dirai, ai-je promis. Vous voulez m'attendre ici, Rufus? Je n'en ai que pour quelques minutes.

– Je vous attendrai aussi longtemps qu'il le faudra, madame.

Le vieil homme a étiré le bras et stoppé le compteur indiquant le prix de la course. J'ai relevé la tête et froncé les sourcils.

– Laissez-le tourner, je vous en prie!

– Non, madame. Le simple fait de vous avoir dans ma voiture est un honneur. Je ne suis pas un homme riche, mais je sais partager ce que j'ai. Et aujourd'hui, j'ai du temps à vous donner, madame...

Pauvre homme, s'il savait à quel point j'étais indigne de tant de bonté! Je suis sortie de la voiture et j'ai avancé dans la rue vers le pont des Six Arches. J'avais conscience que ce que je m'imposais était au-dessus de mes forces. Chacun de mes pas résonnait trop fort, comme un écho au fond d'une vallée et, à chaque enjambée, ma raison me dictait de rebrousser chemin. La tête pleine de vieux souvenirs qui éclataient comme des feux d'artifice, j'ai suivi la voie ferrée jusqu'au tablier du pont, les yeux rivés sur la rivière Concord.

Quelle était la place de ce lieu dans ma vie? Je reconnaissais tout et je ne reconnaissais rien. Ce pont et cette rivière composaient à eux-mêmes une réalité. Voilà des choses qui n'avaient pas changé, des choses auxquelles je pouvais croire, des bouées auxquelles je pouvais m'accrocher.

Le visage juvénile de Chase ne cessait de m'apparaître dans une succession d'images saccadées, comme dans un vieux film Super-8. Le cœur plein de folles espérances, j'ai attendu, scrutant toutes les directions en alternance, guettant le moindre mouvement, un signe, l'illusion d'un espoir.

J'ai fini par m'asseoir près de la voie ferrée, à l'endroit où nous avions dû nous trouver cette nuit-là. J'ai allumé une cigarette, puis regardé en amont de la rivière.

Je voyais la maison de planches de Lamar Mitchum. Et celle de madame Carson. Ils étaient sûrement morts à l'heure qu'il était. Avaient-ils connu une fin heureuse? Qui habitait là maintenant? Leurs enfants? De purs étrangers? Des questions sans réponse… C'est la nature des choses. La vie.

J'ai observé la courbe où la voiture avait percuté le parapet, là où elle était entrée dans l'eau, où s'étaient achevées la vie d'Amanda Phillips et celle de Chase Moore.

J'ai attendu. Et attendu encore. Les minutes ont passé et le miracle ne s'est pas produit.

À 13 h 22, il m'est apparu clairement que quelqu'un m'avait envoyé le message texte par pure méchanceté, simplement pour rouvrir mes plaies, pour me faire du mal. À moins que ce soit pour en faire à Patrick, pour l'atteindre à travers mon passé… À ma petite échelle, ce n'était rien de moins que la fin du monde.

Je devais me hâter si je voulais arriver à l'heure pour ma conférence à Pollard Memorial, mais c'était comme si on m'avait clouée sur place. De là où j'étais, j'apercevais l'endroit où se trouvait jadis la maison de maman. Après l'incendie qui l'avait rasée, l'incendie dans lequel elle avait péri, une nouvelle construction avait été érigée. Je me foutais complètement des gens qui avaient pris notre place sur cette parcelle de terre. Maman était ma seule famille. Depuis son départ, j'étais apatride.

Cherchant Chase, mon regard a ricoché une dernière fois sur la voie ferrée et s'est perdu dans l'horizon. La mort dans l'âme, j'ai rebroussé chemin.

Quand je suis arrivée près du taxi, Rufus Alexander était debout, le dos appuyé contre la portière du conducteur.

Il lisait la Bible en profitant du soleil. Il semblait tellement en paix, tellement serein que j'ai regretté de ne pas croire en Dieu.

Avoir la foi change votre rapport au monde, permet d'envisager les épreuves du quotidien avec beaucoup plus de sérénité et de détachement. Rufus m'a souri et nous sommes montés dans le véhicule. Après avoir fait démarrer le moteur, il m'a regardée dans le rétroviseur et a allongé le bras pour me donner quelque chose.

– Un homme a laissé ça pour vous lorsque vous étiez sur le pont, madame.

Mon sang s'est mis à bouillonner. Rufus me tendait une enveloppe.

– Qui ça? Quel homme?

– Je ne sais pas, madame. Il n'a pas dit son nom.

– Il ressemblait à quoi?

– Je n'ai pas bien vu son visage. J'étais ébloui par le soleil. Il était grand. La peau blanche. Il portait une casquette des Red Sox et une barbe, je crois.

Rufus s'est pris le menton entre le pouce et l'index un instant.

– Pour être honnête, je ne suis pas certain pour la barbe.

J'ai déchiré l'enveloppe à la hâte et plongé la main à l'intérieur. Mes doigts sont entrés en contact avec un morceau de carton. J'ai cru que j'allais défaillir en le voyant: il s'agissait de la moitié de carte postale de Chase.

La place des Vosges…

L'air s'est raréfié, le ciel s'est mis à tournoyer de plus en plus vite.

Entre les branches des arbres derrière lesquels il était dissimulé, l'homme à la casquette des Red Sox regarda Leah Hammett revenir vers le taxi. Les choses ne s'étaient pas déroulées comme prévu. Peu de temps après l'arrivée du taxi, une autre voiture était apparue. Une berline noire. Quand Leah s'était engagée sur la voie ferrée, un homme à la peau café-au-lait avait quitté la berline pour la suivre de loin, en prenant soin de ne pas se faire repérer. Qui était cet homme? Que voulait-il?

Son cœur se serra lorsque le taxi se mit à remonter Billerica Street. Comment réagirait Leah en ouvrant l'enveloppe qu'il avait donnée au chauffeur? Puisqu'elle était suivie, il n'avait voulu courir aucun risque.

Comprendrait-elle son langage codé? Il remit sa casquette des Red Sox et repartit vers son propre véhicule.

Leah était magnifique. Plus encore que dans ses souvenirs.

9.

L'IRLANDAIS

Précédé d'une secrétaire, Gene Crawford entra dans le bureau qu'occupait, au dernier étage du Sunscraper, le directeur du Parti démocrate, Kyle Fitzgerald. Les deux hommes avaient l'habitude de se côtoyer dans des congrès, des réunions ou des soupers-bénéfice à dix mille dollars le couvert, mais c'était la première fois que l'Irlandais le recevait dans son antre.

Assis derrière une table de verre, Fitzgerald parlait au téléphone. D'un signe, il invita Gene à s'asseoir et continua à émettre des grognements pour encourager son interlocuteur à poursuivre. Gene prit place dans un des fauteuils visiteurs et fit le tour de la pièce du regard.

Sur sa gauche, un mur vitré offrait une vue imprenable sur le fleuve Merrimack et le réseau de canaux qui serpentait à travers Lowell. Derrière lui, des écrans plats dont on avait coupé le son syntonisaient CNN, Fox News, MSNBC et Al Jazeera. Sur sa droite, une luxueuse bibliothèque de chêne occupait l'espace du plancher au plafond, regorgeant de livres aux reliures précieuses. Des fauteuils moelleux et une immense peau d'ours blanc étalée devant la bibliothèque complétaient l'ameublement.

L'Irlandais coupa la communication et se débarrassa de son téléphone, qui alla rejoindre les autres cellulaires alignés devant lui, sur la table. Des photos encadrées de Fitzgerald aux côtés de Jimmy Carter, de Bill Clinton et de Barack Obama traînaient sur le plan de travail, placées de façon à ce que les visiteurs les voient. Gene se leva et serra la main tendue.

– Crawford ! Comment allez-vous ?

– Je vais très bien, Kyle. Merci de me recevoir.

Les deux hommes se rassirent en même temps. Le souffle court et la respiration sifflante, Fitzgerald posa ses mains à plat sur le bureau. Il avait les cheveux blond cendré, un teint de roux, un nez couperosé, les traits tombants et les yeux trop enfoncés dans leurs orbites.

– Je vais aller droit au but, Crawford. Je vous ai demandé de venir parce que l'establishment du parti hésite encore entre Colin Stavanger et Patrick…

L'Irlandais parlait par saccades. Il saisit un casse-noix en acier inoxydable et prit une pacane dans un bol. D'un geste vif, il la fit éclater, enfourna le fruit et le mâcha en sapant. Gene fixa un moment les débris d'écales qui jonchaient la table.

– Je ne voudrais pas faire de jeux de mots faciles, Kyle, mais vous savez comme moi que Stavanger est une coquille vide. Il n'a aucune substance et ne propose aucune idée nouvelle.

Jouant de nouveau du casse-noix, Fitzgerald fit passer la bouchée d'une gorgée de Gatorade à l'orange.

– George W. Bush aussi ! Pourtant, ça ne l'a pas empêché d'être élu président deux fois…

Gene sourit et continua sur un ton obséquieux:

– Mais vous avez raison, évidemment… Alors, si vous me disiez ce qui vous préoccupe réellement, Kyle? S'il y a un problème, je suis certain que nous pourrons trouver un terrain d'entente.

L'avant-bras appuyé sur la table de verre, Fitzgerald balaya les écales dans le vide.

– On aime le plan environnemental de Patrick, Crawford. C'est sexy et dans l'air du temps. Ça plaît beaucoup aux femmes, comme sa belle gueule d'ailleurs. Et ça, c'est très bien. Comme vous le savez, le vote des femmes est primordial.

Gene inclina la tête sur le côté, tout dans son langage non verbal encourageait l'Irlandais à poursuivre. Il savait exactement ce qui allait suivre: le spectre de Dukakis…

– Ça peut être payant, mais vous comprenez, Crawford, c'est dangereux de paraître trop progressiste!

– Ne vous inquiétez pas, Kyle, nous n'avons pas l'intention d'imposer à Patrick une séance de photos sur un char d'assaut.

Destinée à détendre l'atmosphère, la boutade de Gene tomba à plat. L'Irlandais demeurait impassible.

– Adams veut-il encore faire de l'avortement un enjeu? C'est une question délicate, Crawford. Tant qu'à y être, qu'il relance donc le débat sur le mariage entre pédés!

Voilà, on y était. Gene allait montrer à Fitzgerald qu'il n'avait rien à craindre.

– Je vous assure que non, Kyle. Il y a renoncé.

– Vous êtes prêt à mettre vos couilles sur la table à propos de ça, Crawford?

– Absolument, Kyle. Je vous le répète: Patrick n'en fera pas un enjeu. Nous continuerons de promouvoir une position similaire à celle d'Obama en 2008.

– Bien... Ça me rassure...

Fitzgerald se tortillait sur sa chaise.

– Et sa femme... l'ancienne mannequin...

L'Irlandais avait prononcé ces derniers mots avec une moue de mépris. Gene Crawford n'en fut nullement décontenancé. Il s'attendait à être questionné à propos de Leah.

– Madame Hammett... Oui?

– On dit que tout le Capitole a envie de la baiser...

– On dit bien des choses, Kyle. Je ne sais pas si tout le Capitole a envie d'elle, mais Leah est une femme d'une grande beauté, c'est vrai. Je ne peux le nier.

– J'ai entendu dire qu'elle aurait eu parfois la cuisse légère dans le passé...

Gene Crawford afficha son plus beau sourire.

– Ce ne sont que des racontars, Kyle. Vous savez comme moi qu'une femme trop belle attire toujours ce genre de rumeurs.

– Si vous le dites...

Ses bras courts croisés contre sa poitrine, ses gros doigts boudinés entrelacés, l'Irlandais ne semblait pas prêt à lâcher prise. Gene lança un hameçon à l'eau:

– Il y a autre chose, Kyle, n'est-ce pas? Je vous sens encore hésitant...

L'Irlandais le dévisagea longuement.

– Peut-être... Il y a eu des rumeurs, Crawford...

– Quel genre de rumeurs?

– À propos de ce qui s'est passé en 1991...

Gene répondit sans perdre son flegme:

– Ah, ça... Patrick n'a rien à voir avec ces histoires. Vous le savez bien, Kyle.

– Je sais, Crawford, je sais... Le lendemain de l'accident, tout le monde a cru la version de Patrick. Mais vous savez comme moi qu'on peut dire ce qu'on veut dans une déclaration publique.

– Je vous rappelle que Patrick n'a jamais fait l'objet d'une enquête, Kyle.

Gene, qui s'enorgueillissait de toujours avoir un coup d'avance sur la vie, eut pour la première fois depuis le début de l'entretien l'impression qu'il s'aventurait en terrain inconnu. Une lueur sauvage dansait dans les pupilles de Fitzgerald. L'Irlandais avait l'assurance de celui qui s'apprête à assommer son adversaire.

– Puisque vous en parlez, Crawford... On dit aussi que certaines pièces auraient disparu du dossier d'enquête.

Gene ôta ses lunettes d'une main tremblante et se mit à les essuyer avec son mouchoir pour se donner une contenance. Ses yeux papillotaient.

– Qu'est-ce qui se passe, Crawford? Vous êtes encore plus blême qu'à l'habitude. Pas d'allergie aux noix, tout de même?

Lorsqu'il remit ses lunettes en place sur son nez, Gene avait retrouvé son sang-froid.

– Vous avez travaillé avec son père, Kyle. Vous connaissez Patrick depuis qu'il est enfant...

– Laissez-moi vous dire une bonne chose, Crawford : quand il y a de la merde, il faut qu'elle ait été bien enterrée... car il n'y a rien qui pue davantage que de la merde qui remonte à la surface.

– Je comprends, Kyle. Mais vous faites erreur, je vous l'assure. Vous avez été mal informé.

Le visage de l'Irlandais s'empourpra, mais il se contint et reprit d'une voix grave :

– Maintenant, vous allez m'écouter et cesser de faire le malin, Crawford. Vous suciez encore les tétons de votre mère que je faisais déjà élire des présidents !

Crawford ouvrit la bouche pour protester, mais Fitzgerald enchaîna :

– Je me tape de savoir ce qui s'est passé en 1991 comme de ma première branlette. Mais il y a une règle, une seule, et je vais vous la rappeler : si votre candidat a un squelette dans le placard, prenez tous les moyens nécessaires pour qu'il n'en sorte jamais. Parce que vous pouvez parier votre dernière chemise que si ces salopards de républicains le découvrent, ils vont couper les couilles de votre protégé et vous les servir en salade !

Après qu'un Gene Crawford cramoisi fut sorti en coup de vent, l'Irlandais fit entrer dans son bureau un homme à la peau café-au-lait qui était arrivé discrètement pendant l'entretien. Cet homme avait attendu patiemment dans une salle de conférences attenante que Fitzgerald se libère.

L'Irlandais jeta un regard noir à son visiteur.

– J'ai très peu de temps... J'espère que c'est important!

Francis Powers jeta une enveloppe sur la table de verre.

– À vous de juger...

L'Irlandais sortit un feuillet de l'enveloppe et commença à le lire. Au bout de quelques lignes, de la contrariété se peignit sur ses traits.

À la hâte, il consulta le reste des documents en diagonale.

– D'où sortez-vous ça, Powers?

– Je ne connais pas la source, monsieur. J'ai reçu par courriel l'information nécessaire pour récupérer l'enveloppe.

Powers soutint le regard inquisiteur de l'Irlandais.

– Vous avez mis Stavanger au courant?

– Bien entendu, monsieur.

– C'est lui qui vous envoie?

– Non, monsieur.

Fitzgerald le dévisagea de nouveau avec insistance.

– Qui vous envoie, Powers?

– Personne. Je suis ici de ma propre initiative, monsieur.

– Qu'attendez-vous de moi?

– Je suis venu vous demander conseil.

Fitzgerald se taisait.

– Le gouverneur Stavanger voudrait que je divulgue l'information à la presse, monsieur. Je ne sais pas ce que je dois faire.

L'Irlandais toussa dans son poing. Francis s'attendait à ce que son interlocuteur reprenne la parole. Celui-ci n'en fit rien. Le conseiller de Stavanger poursuivit:

– Je crains que rendre ces informations publiques n'ait pas seulement un impact sur la campagne du sénateur Adams, monsieur. En fait, j'ai peur qu'en essayant de couler Adams, le gouverneur Stavanger entraîne tout le Parti démocrate vers le fond.

– Pour tout dire, vos états d'âme m'intéressent assez peu, Powers. Vous devez bien avoir une idée derrière la tête. Sinon vous ne seriez pas ici.

Fitzgerald consulta sa montre, puis il commença à remettre les feuillets dans l'enveloppe.

– Malgré tout le respect que je porte au gouverneur Stavanger, je doute qu'il puisse arriver à la Maison-Blanche, monsieur. Il lui manque une carte maîtresse dans son jeu. Mais, cette carte, je crois qu'il y a un moyen pour le gouverneur de l'obtenir.

Francis commença à préciser sa pensée à l'Irlandais. Ce dernier saisit un bloc-notes sur le coin de son bureau et griffonna quelques lignes dessus. Puis, sans même lever les yeux de sa tâche, il prononça sa sentence:

– J'en ai assez entendu. Il n'y a rien que je puisse faire pour vous. Vous allez devoir trouver vous-même une solution à votre problème.

Francis mit quelques secondes à réagir. Relevant la tête, Fitzgerald déchira la feuille de son calepin. La tenant entre ses doigts, il fit un sourire forcé.

– Ce sera tout, Powers. Je ne vous reconduis pas. Vous connaissez le chemin.

L'entretien était terminé. Francis bredouilla des salutations contrites et se leva. Il allait atteindre la porte lorsque Fitzgerald le rappela :

– Vous avez déjà eu un chien, Powers?

Le conseiller de Stavanger fit volte-face, surpris par la question.

– Euh... oui, monsieur.

Fitzgerald désigna l'enveloppe qui était restée sur la table de verre.

– Dans ce cas, vous devriez savoir qu'il faut ramasser sa crotte avant de rentrer à la maison.

Francis Powers revint sur ses pas et récupéra l'enveloppe. Puis il sortit de la pièce et marcha vers la réception. Après avoir salué la réceptionniste, il franchit les portes vitrées en direction de la sortie et appela l'ascenseur. Plus tôt, il avait suivi Leah jusqu'au pont des Six Arches. Moins de trente minutes plus tard, alors qu'il attendait d'être reçu par Fitzgerald, Francis avait aperçu Gene Crawford quittant précipitamment le bureau. Perdu dans ses pensées, Crawford ne l'avait pas vu, mais ne paraissait pas dans son assiette. Francis aurait payé le prix fort pour assister à la discussion entre les deux hommes.

Les portes de l'ascenseur s'ouvrirent. Il s'y engouffra.

Francis attendit que la cabine s'ébranle, puis il attrapa le papier que Fitzgerald avait glissé discrètement dans l'enveloppe, juste avant qu'il la reprenne.

Jamais il n'aurait soupçonné que l'Irlandais était sous écoute.

Ne donnez rien à la presse.
Brûlez cette enveloppe et détruisez ce billet.
On s'occupe du reste.

10.

ADRIAN MITCHUM

– J'aimerais parler au lieutenant Santos.

L'homme qui avait pris la communication s'exprimait d'une voix grave, caverneuse:

– Le lieutenant Santos? C'est à quel sujet?

– C'est personnel. Et urgent...

Je me trouvais dans la salle de conférences du bureau de campagne. Le sosie de Morgan Freeman m'y avait déposée. Durant le trajet du pont des Six Arches jusqu'ici, nous n'avions pas échangé trois mots. J'étais en état de choc et le chauffeur de taxi avait respecté mon silence.

Ma conférence à Pollard Memorial devait débuter dans moins de trente minutes, mais j'avais besoin de tranquillité pour passer cet appel au bureau des inspecteurs de la police de Lowell. Santos avait mené l'enquête sur la mort d'Amanda Phillips et la disparition de Chase. Quand j'avais demandé à lui parler, une téléphoniste m'avait passé un poste sans rien dire.

– Ça, j'en doute, madame. Parce que si c'était vraiment urgent, vous sauriez que Santos est mort depuis au moins dix ans. Un cancer de la gorge... D'après ce qu'on m'a dit, il n'avait besoin que d'une allumette le matin pour fumer toute la journée...

J'ai accusé le coup en silence. Effectivement, pour les quelques fois où je l'avais rencontré, je gardais de Santos le souvenir d'un fumeur à la chaîne. Quoi qu'il en soit, sa disparition me compliquait drôlement la tâche. Alors qu'il aurait probablement pu me donner de mémoire l'information que je recherchais, j'allais devoir tout reprendre depuis le début avec quelqu'un d'autre.

– Qui le remplace?

– Personne en particulier, tout le monde... Écoutez, je suis l'inspecteur Mitchum. Adrian Mitchum. Comment puis-je vous aider, madame... Hammett?

Perplexe, je me suis demandé comment il avait appris mon nom. Puis j'ai réalisé que ce dernier devait tout simplement apparaître sur l'afficheur de son téléphone. J'étais si fébrile que je ne savais pas par où commencer. Ni même si j'avais envie de commencer.

Attrapant le bloc-notes que j'avais déposé sur la table, j'y ai écrit le nom et le grade de mon interlocuteur. En étirant la jambe, j'ai réussi à atteindre la porte avec le bout de mon pied et à donner une poussée suffisante pour la fermer. Je n'avais pas envie qu'on me surprenne en grande conversation avec la police.

– J'ai besoin d'un renseignement à propos d'un dossier qui remonte à 1991, inspecteur Mitchum. Étiez-vous en poste à ce moment-là?

– L'inspecteur qui compte le plus d'ancienneté, Rick Deslauriers, est ici depuis 1999. De toute manière, nous ne pouvons pas donner de renseignements par téléphone. Il faudrait passer remplir une demande et...

Je lui ai coupé la parole:

– La mort d'Amanda Phillips et de Chase Moore, en 1991. Une voiture qui a plongé dans la rivière Concord… Ça vous dit quelque chose?

Sans aucune hésitation, la réplique de Mitchum a fusé:

– Je me souviens très bien de cette affaire, en effet. Mon grand-père habitait juste à côté de là. Lui et mon père en parlaient souvent. Toute la ville était bouleversée.

J'ai eu une intuition…

– Êtes-vous le petit-fils de Lamar Mitchum?

– Oui, madame. Vous le connaissiez?

Je lui ai raconté que je me trouvais sur place la nuit de l'accident et que son grand-père, le vieux Lamar, m'avait offert un gobelet de café.

– Je me disais aussi… Votre nom de famille… Êtes-vous Leah Hammett?

J'ai hésité. J'aurais pu demander l'aide de Briggs pour obtenir l'information que je cherchais, mais, en le sollicitant, j'avais peur de braquer le projecteur sur des éléments qui auraient pu compromettre la campagne de Patrick.

– La Leah Hammett? La femme du sénateur Adams?

Sans doute parce que Mitchum était le petit-fils de Lamar, un homme qui était à mes yeux l'incarnation même de la bonté, j'ai décidé de ne pas raccrocher.

– C'est moi.

– Et Chase Moore était votre…

J'ai foncé. Je n'avais pas de temps à perdre en palabres inutiles.

– J'ai besoin d'une information. Rapidement. Pouvez-vous m'aider, Adrian?

– Je vais faire de mon mieux, madame.

– Je cherche à savoir si certains effets personnels de Chase Moore ont été découverts dans les années qui ont suivi la conclusion de l'enquête. Par exemple, des pièces qui auraient été versées au dossier après sa fermeture...

– Des effets personnels... Pensez-vous à quelque chose de précis, à un objet particulier?

– Une moitié de carte postale représentant la place des Vosges, à Paris. Est-ce assez précis pour vous, inspecteur?

Mitchum a mis un moment à répondre:

– Ça l'est. Je vais faire sortir le dossier des archives. Pouvez-vous me rejoindre au Kennedy Civic Center dans...

Je l'imaginais en train de tendre le poignet pour consulter sa montre.

– Disons aux alentours de 15 h 30?

– D'accord. Je vous appellerai quelques minutes avant d'arriver. Dans l'intervalle, pourriez-vous effectuer une vérification pour connaître l'identité d'un usager de téléphone cellulaire?

Le policier a répondu par l'affirmative. Je lui ai donné le numéro de l'expéditeur du message texte que j'avais reçu la veille.

– Inspecteur Mitchum?

– Oui, madame?

– Il y a un vote important aujourd'hui. Soyez très discret.

Du bureau de campagne jusqu'à la bibliothèque Pollard Memorial, il fallait compter environ dix minutes à pied. Je sais, j'aurais dû prendre un taxi. Au lieu de ça, je marchais à folle allure dans Merrimack Street. J'avais eu la mauvaise idée d'emporter mon ordinateur: la courroie de mon sac meurtrissait la chair de mon épaule et j'avais les pieds en charpie. Dire qu'à un moment de ma vie j'avais été aussi à l'aise en talons aiguilles qu'en pantoufles. Après avoir mis un terme à ma conversation avec l'inspecteur Mitchum, j'avais modifié en quatrième vitesse le discours en suivant les instructions que m'avait données Shane Murphy. J'espérais avoir réussi à capturer l'essence de ce qu'il m'avait dicté au téléphone.

Bien sûr, au lieu de me précipiter illico à Pollard, j'aurais pu marquer une pause et réfléchir à la situation. Qu'est-ce qui m'avait poussée à aller de l'avant? Était-ce l'importance de remplir mes engagements, de me montrer à la hauteur des standards qu'on m'imposait ou simplement une volonté de donner le change pour gagner du temps?

Quoi qu'il en soit, j'étais consciente que mon entêtement à vouloir prononcer à tout prix ce discours ressemblait à de la témérité: d'une part, je manquais de préparation; d'autre part, je n'étais absolument pas dans le bon état d'esprit.

Déstabilisée par ce qui s'était produit dans les dernières heures, je n'avais plus la force de porter ça toute seule;

j'avais besoin de remettre une partie du fardeau sur les épaules de quelqu'un d'autre. Sans ralentir l'allure, j'ai téléphoné à la seule personne en qui je pouvais avoir entièrement confiance.

Gene a décroché à la première sonnerie.

– Où es-tu?

– Je viens de rentrer au bureau de campagne. Et toi?

– En route vers Pollard Memorial pour donner ma conférence. Patrick est là?

– Non, mais il devrait arriver d'une minute à l'autre avec les boîtes de pizzas. Qu'est-ce qui se passe? Tu as l'air énervée.

– Écoute, il y a une chose importante qu'il faut que tu saches... Je pense que l'équipe de Stavanger essaye de ressortir une vieille histoire pour faire dérailler la campagne de Patrick, pour salir sa réputation.

J'ai senti la tension monter à l'autre bout du fil.

– Quelle histoire?

– Je crois que c'est à propos de 1991, Gene...

– Qu'est-ce que tu veux dire? Je ne comprends pas.

Je n'avais pas le temps de lui faire l'historique des événements. J'ai coupé au plus court:

– Ce serait trop compliqué de tout t'expliquer en détail au téléphone, mais j'ai reçu un drôle de message texte, hier. Quelqu'un essaie de me faire croire que Chase Moore est en vie. Je crois que Francis Powers est impliqué.

– Qu'est-ce qui te fait dire ça? C'est important que je le sache, Leah!

J'ai senti de l'urgence dans la voix de Gene.

– Je l'ai rencontré…

– Qui ça? Powers? Quand?

– Ce matin.

Gene est sorti de ses gonds, il a littéralement explosé:

– Lee, dis-moi que tu n'as pas couché avec lui de nouveau? Je t'avertis, je ne vais pas te torcher le cul comme la dernière fois. As-tu pensé à Patrick? Aux répercussions sur sa carrière si ça sortait? Et à quel point il serait anéanti? Je te rappelle qu'il t'aime…

– Je t'en prie, Gene! Francis et moi, c'est fini depuis longtemps et tu le sais très bien… C'est juste que j'ai l'intuition que Stavanger va ressortir des squelettes du placard.

– Quels squelettes?

– Tu sais bien, Gene.

– Mais pourquoi? C'est ridicule. Ils savent que Patrick n'a rien à voir avec 1991.

– Tu oublies un détail: la voiture…

Un souffle froid comme du givre a ponctué ma remarque.

– Tu lui as parlé de tout ça?

– À qui? À Patrick? Bien sûr que non. Il a d'autres chats à fouetter.

Un instant, j'ai songé à lui avouer que je venais de parler à la police de Lowell, mais je me suis abstenue: je n'avais aucunement envie de me farcir les remontrances qui ne manqueraient pas de s'ensuivre.

– Tu es le premier à qui j'en parle, Gene…

– Tu as bien fait. Effectivement, Patrick en a assez dans son assiette… Rentre au bureau tout de suite après ta conférence. On va tirer ça au clair ensemble, Lee. Dans l'intervalle, je vais parler à Powers.

Construite en blocs de granit, la façade robuste de la bibliothèque Pollard Memorial est apparue dans mon champ de vision et c'était comme si j'y étais venue la veille. J'ai arrêté de marcher un instant pour mieux détailler ses arches arrondies, ses vitraux, les fresques taillées dans la pierre, sa porte et ses fenêtres profondément en retrait, ses tourelles et les arêtes du toit couvertes de vert-de-gris. J'ai franchi les derniers mètres qui me séparaient de l'entrée principale, la gorge nouée.

C'est grâce à la fréquentation assidue de Pollard, où maman m'emmenait tous les samedis matin d'été, que j'ai pris goût à la lecture. Nous partions très tôt, prenions l'autobus et passions la matinée à bouquiner. Pourvu que je reste dans l'enceinte de la bibliothèque, j'étais libre d'aller et venir à ma guise.

Je découvrais un monde. Comme Kerouac, j'ai commencé à m'intéresser aux classiques : Shakespeare, Victor Hugo, William Penn et Walt Whitman. Certains livres étaient si usés qu'ils tombaient en lambeaux, que les pages se détachaient comme une pelure.

Maman me retrouvait souvent à genoux ou assise en tailleur en plein milieu d'une allée, complètement absorbée par un livre. Quand j'en sortais un de son rayon, je lisais quelques lignes et, la plupart du temps, la magie s'opérait : fascinée, incapable de bouger, je continuais ma lecture sur place, insensible à ce qui se passait autour de moi.

Nous prenions une pause à l'extérieur sur le coup de midi. Tôt le matin, avant notre départ, maman préparait un pique-nique que nous allions manger dans l'herbe, derrière la bibliothèque. Et là, en croquant dans mon sandwich, je continuais de tourner les pages. Je prie d'ailleurs ceux qui ont lu Whitman après moi de me pardonner: l'empreinte de pouce et d'index tachés de moutarde dans *Leaves of Grass* vient de moi.

Par la suite, vers 14 h, nous retournions poursuivre nos explorations littéraires et rentrions à la maison en fin d'après-midi, éreintées certes, mais les bras chargés de livres, le cœur léger et la tête pleine des terres nouvelles de l'imaginaire.

Si je suis devenue écrivaine, j'en suis entièrement redevable à maman et à Pollard, car c'est en ces murs que j'ai eu pour la première fois envie, à l'adolescence, de suivre les traces de Kerouac et de raconter à mon tour des histoires qui résisteraient à l'outrage du temps.

À la hâte, j'ai grimpé les marches qui menaient à la porte d'entrée. Je tirais sur la poignée lorsque j'ai aperçu les hiéroglyphes sur le dos de ma main gauche. Humectant mes doigts avec un peu de salive, j'ai frotté pour essayer d'effacer les notes que j'avais prises au stylo durant ma conversation avec Shane. Décidément, j'avais du chemin à faire avant d'avoir autant de classe que M. O.

Hors d'haleine, j'ai pénétré dans le hall d'entrée de la bibliothèque. Ma montre marquait 14 h 29. Envers et contre tout, j'y étais parvenue! Une petite dame coiffée d'un champignon de cheveux gris m'a accueillie. Martha

Smith était chargée de me conduire à l'endroit où mes auditeurs m'attendaient. Au moment où je lui serrais la main, j'ai éprouvé un vertige. Par chance, elle m'a rattrapée avant que je ne m'affaisse. J'ai alors réalisé que je n'avais ni mangé ni vérifié ma glycémie depuis le matin.

Martha a été parfaite. Elle m'a installée dans son bureau, une petite pièce attenante au lieu de mon allocution, puis elle m'a trouvé un sandwich, un jus et un muffin. Par la suite, elle m'a laissée seule pour me permettre de reprendre mes esprits.

J'ai avalé le sandwich en quelques bouchées et vérifié ma glycémie. Puis, essayant de réprimer le tremblement qui agitait mes mains, j'ai sorti les deux morceaux de carte postale de mon sac. Je les ai posés sur la table et approchés l'un de l'autre. Comme les pièces d'un puzzle, ils s'imbriquaient parfaitement. Des mots avaient été tracés à l'encre au verso de la moitié qui appartenait à Chase. Des mots qui ne s'y trouvaient pas vingt-cinq ans plus tôt :

Là où l'Irlandais d'Arabie boit.

J'avais beau me creuser les méninges, je n'avais aucune idée de ce que cela pouvait signifier. Devais-je y voir un lien avec Kyle Fitzgerald, celui qu'on surnommait l'Irlandais?

Quoi qu'il en soit, la voix dans ma tête ne cessait de répéter la même phrase :

Se pourrait-il, après tout, que Chase soit réellement en vie?

J'aurais tant aimé qu'elle dise vrai.

11.

DES FLEURS

La machine de campagne de Patrick Adams roulait au quart de tour. Tant sur CNN que sur MSNBC, on le désignait comme le candidat démocrate le plus susceptible de se détacher des autres à l'issue du Super Tuesday. Même la Fox News, réputée pour son penchant républicain et ses attaques vicieuses, commençait à parler de l'«effet Adams».

Les rassemblements de la matinée se révélaient fructueux. Patrick avait été accueilli en héros à New York, où il avait livré un discours enflammé sur la crise climatique devant un millier de personnes réunies à Central Park. Six mois plus tôt, l'ouragan Joaquin avait causé des dégâts qui s'élevaient à soixante-quinze milliards de dollars et coûté la vie à plus de cent personnes. À Philadelphie, le candidat Adams avait pris un bain de foule dans le quartier des affaires.

Le plan de la journée, précis à la minute, avait été respecté. À sa descente d'avion, à Boston, Patrick et son entourage avaient pris une voiture et mis le cap sur Lowell. Escorté par ses gardes du corps et accompagné des journalistes qui suivaient la course, il avait ensuite parcouru à pied les quelques pâtés de maisons qui séparaient Kearney Square de la pizzeria du coin. Enfin, il avait marché jusqu'au bureau de campagne les bras chargés de cartons de pizzas. Plusieurs photos avaient été prises en bas de l'immeuble de Prescott Street. Un comité d'accueil composé de bénévoles attendait le héros du jour dehors, devant l'entrée. Parmi ceux-ci se trouvaient un Afro-Américain, une Asiatique, des personnes âgées et le vétéran dans son fauteuil roulant.

Après s'être entretenu avec les bénévoles, après les traditionnelles poignées de main, les sempiternelles photos, après les conversations d'usage, qu'il avait ponctuées d'anecdotes drôles, Patrick fut conduit dans la salle de conférences où, plus tôt dans la journée, Leah s'était installée pour écrire son discours. Là, à l'abri des regards, il put souffler un peu en compagnie de Gene et de Shane Murphy.

– Je commence à avoir hâte qu'on en finisse. Je suis crevé… Pas toi, Murph?

Renversé sur sa chaise, les pieds posés sur la table et les mains croisées derrière la nuque, Patrick se retourna vers Shane Murphy qui regardait dans le vide, l'air absent. Des assiettes de carton contenant des retailles de pizza étaient empilées au milieu de la table. Murphy prit une gorgée de Dr Pepper avant de répondre:

– Je le suis aussi. Et moi je n'ai pas à parler à tous ces gens ni à serrer toutes ces mains.

Affichant une moue ironique, Gene déclara d'un ton professoral, l'index pointé vers Patrick:

– Personne ne t'a jamais promis que ce serait une partie de plaisir, bonhomme. Et j'ai des petites nouvelles pour toi: quand tu seras élu président, les journées comme celle d'aujourd'hui, tu les considéreras comme des jours de congé !

Un mince sourire se dessina sur le visage du candidat démocrate.

– Je ne dois pas avoir ce qu'il faut pour être président. Parce que tu sais ce dont j'aurais envie en ce moment? De boire une bonne bière autour de la piscine et de faire cuire des steaks épais comme ça sur le barbecue.

L'espace entre son pouce et son index aurait pu contenir un bottin de téléphone. Shane Murphy acquiesça :

– Moi, je suis partant.

Les deux hommes échangèrent un *high five* sonore tandis que Gene Crawford lâchait d'une voix sarcastique :

– Quelle image pour notre prochain slogan : « L'Amérique peut dormir tranquille ! Avec ses tongs et son tablier, le prochain commandant en chef monte la garde ! »

Les trois hommes rirent de bon cœur, puis Patrick reprit son sérieux.

– On a des nouvelles de Leah?

Gene consulta sa montre.

– Elle donne sa conférence à Pollard en ce moment même.

Patrick désigna d'un signe de tête le iPhone de Shane Murphy, posé sur la table.

– On va la manquer. Murph, sois gentil, demande-lui de me rappeler quand elle aura fini.

Tandis que Murphy parlait à la boîte vocale de Leah, Patrick dévisagea son directeur de campagne.

– Et puis?

– Et puis quoi?

– Comment s'est passée ta rencontre avec l'Irlandais?

Gene Crawford serra plus fort le papier qu'il tenait dans sa main.

– Impeccable.

– Vous avez parlé de quoi?

Crawford affecta un air désinvolte.

– Fitzgerald allait à la pêche. Il voulait connaître notre position sur quelques sujets et je la lui ai donnée.

– L'avortement?

– Par exemple. Écoute, si tu veux tout savoir, je lui ai confirmé que nous continuerions de défendre la même position que celle d'Obama en 2008.

– Et qu'est-ce qu'il a dit?

– Ce qu'il a dit? Eh bien, il était enchanté!

Le candidat sembla sur le point d'argumenter, mais il se tut.

– Un problème, Patrick?

– Fais ce que tu veux. Je m'en fous.

– Tu m'en vois ravi.

– Autre chose?

Gene répondit sans marquer la moindre hésitation:

– Rien d'important, je t'assure.

Ayant raccroché, Shane Murphy suivait depuis quelques secondes la discussion.

– Excusez-moi, tous les deux… mais j'aurais besoin de repasser certains points du discours de ce soir avec Patrick.

Crawford se leva et rangea sa chaise en la poussant contre la table.

– Je vous laisse, messieurs. Patrick, n'oublie pas qu'on va venir te chercher dans vingt minutes pour aller au bureau de scrutin.

– Tu nous accompagnes à Albany, Gene?

– Non, je vous laisse y aller. J'ai des trucs de dernière minute à régler ici.

Patrick le railla:

– T'as peur de l'avion, poule mouillée?

Crawford prit un air hautain.

– Peur, moi? Écoute, bonhomme: fais ton boulot et laisse-moi faire le mien. Je vous rejoindrai avec Leah à Boston, comme prévu.

À ce moment, l'air incrédule, Patrick se mit à renifler l'air autour de lui.

– Ça pue… C'est toi, Murph?

Shane Murphy rougit, ses épaules se mirent à tressauter. Les joues gonflées, il essaya de se contenir, puis, acquiesçant d'un signe de tête, il se vida de son air en sifflant comme un ballon qui se dégonfle. Les deux hommes riaient comme des gamins lorsque Gene sortit de la pièce. Briggs montait la garde près de la porte. Un autre agent du Secret Service était posté au bout du corridor. Affichant un large sourire, Gene fit un clin d'œil à Briggs.

– Vous leur avez filé un pétard ou quoi? Et vous? Ça va, mon vieux?

Briggs demeura impassible tandis que Gene refermait la porte de son bureau derrière lui. Il ne bougea pas davantage lorsque le directeur de campagne tira le store, voilant ainsi la cloison vitrée qui donnait sur le couloir.

À la fenêtre, contemplant la rue en contrebas, Gene triturait nerveusement un papier entre ses mains. Dès qu'il s'était retrouvé seul, son masque s'était effrité et une profonde inquiétude était apparue sur son visage. Pourtant, il aurait eu toutes les raisons du monde de se réjouir : la course se déroulait comme prévu.

La vérité, c'est que les insinuations de l'Irlandais l'avaient secoué. Depuis la fin de leur entretien, il ne cessait de ressasser la même question : qui savait ?

Gene regarda de nouveau le papier : il s'agissait d'une feuille qui provenait du bloc-notes que Leah avait laissé sur la table de la salle de conférences. De son écriture caractéristique, elle avait griffonné ces mots : « Inspecteur Adrian Mitchum ».

Intrigué, Gene avait arraché la feuille. Quelques minutes de recherche lui avaient suffi pour apprendre que Mitchum était inspecteur à la police de Lowell. Les paroles prononcées par l'Irlandais quelques heures plus tôt lui étaient alors revenues en mémoire :

– ... on dit aussi que certaines pièces auraient disparu du dossier d'enquête...

Leah lui avait parlé d'un message texte et précisé qu'on essayait de lui faire croire que Chase Moore était encore en vie. Elle avait cependant omis de lui dire qu'elle avait contacté la police.

Avait-elle joint Mitchum pour s'enquérir du dossier ?

Gene se releva et, passant les pouces sous sa ceinture, remonta son pantalon. Un sentiment d'urgence l'étreignit. Des mesures radicales s'imposaient. Il fallait à tout prix colmater les brèches et supprimer toute trace avant que Leah remonte la piste. Après, il serait trop tard…

Lorsqu'il fut convaincu qu'il avait envisagé toutes les possibilités, Gene sortit la carte professionnelle d'un fleuriste de son portefeuille et composa son numéro.

– Oui, j'aimerais commander deux bouquets…

12.

EMBARGO

Affalés dans les fauteuils d'un des salons privés du Kerouac, à l'abri des regards indiscrets, l'homme à la peau café-au-lait et une jeune femme dont l'allure évoquait les vamps des années cinquante conversaient depuis de longues minutes.

– Est-ce que tu peux faire ça pour moi, Mallory?

Les cheveux blonds, la lèvre supérieure charnue, Mallory Brown secoua la tête, l'air stupéfait.

– Je n'arrive pas à y croire... Ce que tu avances là, Francis, franchement, c'est...

– C'est gros... Je sais...

Francis Powers faillit mentionner à la journaliste qu'elle était la deuxième personne à lui en faire la remarque depuis le début de la journée, mais il se retint.

Mallory Brown éclata de rire.

– Gros? Non, mais tu rigoles? Ce n'est pas gros, Francis, c'est énorme! C'est une bombe! As-tu la moindre idée des réactions que ça va susciter?

Powers contempla le mur devant lui, puis il revint à la réalité.

– C'est certain que pour faire du bruit, ça va faire beaucoup de bruit.

– Francis, es-tu certain de vouloir aller jusqu'au bout avec ça?

Mallory marqua une pause, sembla chercher ses mots un moment, puis elle reprit:

– Je veux dire: as-tu réalisé le risque que tu prends? Pour toi, pour ta carrière... S'il s'avère que tes informations ne sont pas véridiques, que cette histoire ne tient pas la route, tout ça va te revenir comme un boomerang en plein visage.

Powers lui décocha un petit sourire.

– Ne t'inquiète pas pour moi, Mal, je sais ce que je fais... Tout ce dont j'ai besoin, à ce stade-ci, c'est de savoir que je peux compter sur toi.

Mallory entortillait une mèche de cheveux autour de son index.

– Écoute, considérant l'ampleur de la nouvelle, je ne peux rien te promettre. Ça va devoir passer par le rédacteur en chef. Et assurément par la direction. Tu comprends qu'avec les risques de poursuites...

– Je peux vivre avec ça. De toute manière, ils vont tellement baver à l'idée de publier un pareil scoop qu'ils ne pourront pas passer à côté. La seule chose que je te demande, ma seule condition en fait, c'est que vous attendiez qu'Adams ait fait son discours pour mettre sous presse. D'ici là, je ne veux rien voir apparaître sur votre site Web. Après, vous avez le feu vert: vous ferez ce que bon vous semble.

– Je te donne ma parole, Francis. Ce sera une des conditions que j'imposerai à la rédaction. Entre-temps, tu vas devoir me donner l'information nécessaire pour que je puisse vérifier tes allégations.

Francis Powers déposa une enveloppe sur les genoux de la journaliste.

– Tout est là-dedans…

Mallory Brown le fixa, essayant de percer le mystère qui flottait derrière son regard.

– Pourquoi moi, Francis?

– Parce que je sais que tu préférerais aller en prison plutôt que de divulguer une de tes sources, Mallory. Et aussi parce que j'ai toujours pensé que tu méritais un Pulitzer.

La journaliste essaya de le dissimuler, mais elle avait été touchée par la dernière phrase de Powers.

– Non, je te parle sérieusement, Francis. Pourquoi confier ton scoop à un journal de Lowell? Pourquoi pas au *New York Times* ou à un journal national comme le *USA Today*? Ou encore à une chaîne comme CNN?

Powers scruta son visage avec intensité, puis posa une main sur son genou, qui luisait à travers le nylon de ses bas.

– Je suis sérieux, Mallory. Je t'ai choisie parce que tu as vraiment du talent. Et que tu mérites de sortir de ce journal pour travailler là où tu en as envie.

Les yeux de la jeune femme devinrent brillants.

– Et aussi parce que t'es vraiment une femme magnifique, que j'ai été un con et que je t'ai fait du mal.

La journaliste posa un instant sa tête contre l'épaule de Powers. Celui-ci caressa ses cheveux du bout des doigts. Prenant son visage entre ses mains, il déposa ensuite un tendre baiser sur ses lèvres rebondies.

– Il faut que j'y aille.

Le conseiller de Stavanger se leva et marcha vers la sortie.

– Francis…

La main sur la poignée de la porte, Powers marqua une pause, puis il se retourna.

– Je m'inquiète pour toi, Francis. Tu joues un jeu dangereux…

Il sourit.

– Tu t'inquiètes pour rien, Mallory, je t'assure. Tu t'inquiètes pour rien.

13.

POLLARD MEMORIAL

Une note aiguë sifflait dans mes oreilles. J'ai entendu Martha Smith prononcer mon nom. Je me suis avancée dans un Memorial Hall bondé. Les applaudissements claquaient comme des crachats contre mon visage. J'aurais voulu être ailleurs, n'importe où ; j'aurais voulu être soluble et disparaître, me fondre dans le décor. J'ai marché d'un pas hésitant jusqu'au lutrin de bois et j'y ai déposé mes feuilles d'une main tremblante.

Les battements de mon cœur supplantaient la note stridente dans mes oreilles. J'ai relevé la tête. Mon regard s'est attardé aux arches surmontées d'armoiries, aux boiseries de chêne qui en épousaient les lignes arrondies, aux détails des vitraux, à l'alcôve et à ses rayons remplis de livres, puis il s'est posé sur la fresque monumentale qui, en surplomb, dépeignait des scènes de la guerre de Sécession.

J'ai baissé les yeux vers mon texte. À travers le brouillard, j'arrivais à distinguer les lettres, mais pas les mots qu'elles formaient. L'éclairage des lampes de verre blanc posées sur les tables m'aveuglait. Au moins cent personnes étaient entassées derrière ces tables. J'apercevais leurs silhouettes, mais mon malaise brouillait tout, je ne pouvais discerner leurs visages. J'ai levé la main pour calmer l'assistance. Les applaudissements se sont atténués, puis se sont dissous dans le silence.

Je me suis éclairci la voix : un coup de tonnerre a retenti dans l'enceinte. Amplifiés par les haut-parleurs, mes premiers mots m'ont semblé résonner comme des coups de canon.

– Bonjour, tout le monde. Merci d'être venus en si grand nombre. Je suis Leah Hammett et c'est un plaisir d'être parmi vous aujourd'hui...

Essayant de ne pas tomber en syncope et d'ajuster ma voix, j'ai lutté pour ne pas laisser place aux images sanguinaires et aux pensées inappropriées qui me fracassaient l'esprit.

Après la première phrase, j'ai enchaîné avec la suivante. Un paragraphe a succédé à un autre. Les mots coulaient de ma bouche, se déversaient dans le micro en un flot ininterrompu. Lorsqu'une première blague a fait mouche, les rires ont fait chuter la tension. Petit à petit, j'ai réussi à surmonter mon trouble, à gagner en assurance. La forme des visages a commencé à se préciser et j'ai même réussi à établir un contact visuel avec quelques personnes assises dans la première rangée.

Préparée avec l'aide de Shane Murphy, mon allocution reprenait les grandes lignes du plan Adams et décrivait, à grand renfort d'exemples concrets, les conséquences de son application sur la vie de tous les jours d'un Américain moyen.

Sans trop m'en rendre compte, j'ai fini par atteindre un rythme de croisière. J'ai bouclé mon exposé en une trentaine de minutes. Ne sachant si je la méritais ou non, j'ai reçu une longue ovation debout. Par la suite, Martha Smith a annoncé au public que j'allais répondre à quelques questions. J'appréhendais particulièrement cet exercice, car si j'excellais à l'écrit, alors que j'avais tout mon temps pour façonner mes réponses, il en allait autrement à l'oral où chaque mot me semblait un piège à éviter.

Heureusement, j'avais préparé des questions-réponses avec Shane, et les trois premières qui m'ont été posées y figuraient. J'ai donc répondu sans trop de mal. Martha Smith a alors précisé que j'allais en prendre une dernière.

Une jeune femme blonde qui était entrée au milieu de mon allocution a levé la main.

– Ma question ne concerne ni les primaires ni Leah Hammett à titre d'épouse de l'un des principaux candidats. Elle concerne plutôt la femme et l'écrivaine…

J'ai relevé la tête avec appréhension, me demandant si ces paroles étaient ou non chargées de mauvais présages.

– Madame Hammett, j'ai adoré vos romans. Je les ai trouvés à la fois magnifiques, tragiques et bouleversants. Un thème en particulier revient de façon récurrente dans votre œuvre : la peur d'être aimé. Par exemple, dans *L'effet placebo*, le narrateur finit par se suicider parce qu'il s'estime indigne d'être aimé. C'est un peu ce qui se produit aussi dans *La mort mérite d'être vécue*, où Laura passe le reste de sa vie seule après avoir saboté sa relation… Dans *Tu n'iras pas au ciel*, Vernon choisit de vivre une existence malheureuse avec une femme qu'il n'aime pas. À travers ces personnages, vous semblez avancer l'idée que tout est perdu d'avance. Vos personnages restent hantés toute leur vie par le souvenir de l'être aimé. Le processus de création est une chose qui me fascine. Aussi, je me posais la question suivante: quelle part de soi un écrivain met-il dans ses personnages pour en arriver à créer une œuvre aussi cohérente?

La réflexion de cette femme était brûlante de justesse. Toutefois, si je savais qu'elle avait parfaitement raison, je n'avais encore jamais envisagé mon œuvre sous cet angle. Alors, comment cette pure étrangère pouvait-elle en savoir plus que moi sur moi-même, comment pouvait-elle voir si clairement à travers ma carapace?

Secouée, je m'en suis tenue aux lieux communs que j'avais l'habitude de débiter durant mes rencontres d'auteur.

– Vous savez, madame, les lecteurs voient parfois dans ce qu'un écrivain a écrit des choses que lui-même n'avait pas imaginé dire. Vous êtes la première à souligner ce dénominateur commun entre mes personnages… Pour répondre à votre question, je dirais qu'un romancier met un peu de lui-même dans tous ses personnages. Même dans les plus cruels, même dans les plus méchants.

Après une nouvelle salve d'applaudissements, plusieurs personnes se sont regroupées en demi-cercle devant moi. On me serrait la main, on me félicitait, on me demandait de signer tantôt le billet d'admission émis par la Fondation pour assister à la conférence, tantôt une affiche électorale où figurait Patrick, tout sourire.

Dans la file de gens, j'ai aperçu la jeune femme blonde. Elle tenait mes trois romans sous son bras. Je lui ai fait signe de s'avancer. Me tendant les livres, elle m'a demandé de les lui dédicacer. J'allais m'exécuter lorsqu'elle a touché mon avant-bras et plongé ses yeux clairs dans les miens.

– Vous êtes vraiment une écrivaine exceptionnelle, madame Hammett.

Intimidée, j'ai senti le rouge me monter aux joues. J'avais l'étrange impression que cette femme me connaissait. J'ai rédigé les trois dédicaces avec application, puis je lui ai remis les livres.

– À quand le prochain? Bientôt, j'espère!

Prise au dépourvu, j'ai bredouillé une réponse qui tournait autour de la difficulté à trouver le temps et l'inspiration nécessaires. Je ne sais pas si c'est la chaleur que cette jeune femme avait manifestée à mon endroit, mais j'ai ressenti un sentiment que je n'avais pas éprouvé depuis des lunes: écrire de la fiction me manquait.

C'est à ce moment exact qu'il est apparu dans mon champ de vision.

Au fond de la salle, près de la porte d'entrée, un homme avait relevé la tête un instant, une casquette des Red Sox sur l'œil. Je n'ai pas croisé son regard, mais, malgré la barbe et la silhouette qui s'était affirmée avec le temps, j'ai su que c'était Chase. Subjuguée par cette vision, des frissons me parcourant l'échine, j'ai mis un moment à réagir. Puis, m'excusant, j'ai fendu le groupe de personnes qui m'entourait pour me frayer un chemin jusqu'à lui.

Sans même me regarder, il a tourné les talons et s'est engouffré calmement dans le corridor. J'ai pressé le pas et couvert à grandes enjambées la distance qui me séparait de l'endroit où il avait disparu.

Quand je suis arrivée dans le couloir, il était vide et, à l'autre extrémité, la porte qui donnait sur la rue se refermait. Je savais que toutes les têtes s'étaient tournées vers moi, je sentais les regards dans mon dos. J'essaie de cultiver l'image d'une personne réservée qui garde toujours le contrôle d'elle-même, mais, à ce moment, je vous prie de croire que je me souciais très peu de M. O., de la campagne et des foutues apparences. Je me suis mise à courir pour essayer de rattraper Chase.

Je crois même me souvenir que j'ai crié son nom.

14.

UN JOUR RÊVÉ POUR OFFRIR DES FLEURS

La main de son bras atrophié dans la poche de son veston, l'autre tenant un sac de papier froissé, Gene Crawford quitta le bureau de campagne et marcha jusqu'au parc où, plus tôt, il avait suivi Leah. Assis sur un banc, il contempla un moment les voitures qui filaient dans Bridge Street. Puis il prit un sandwich dans le sac posé à côté de lui et mordit dedans.

Une autre personne se trouvait déjà dans le parc lorsque Gene y était arrivé. Il s'agissait d'un homme, un géant noir de près de deux mètres. Un récipient en plastique posé sur la paume, l'homme y plongeait l'autre main de temps en temps et en ressortait une poignée de graines, qu'il balançait dans l'air devant lui, d'un geste fluide. Une traînée d'oiseaux marchait à sa suite, picorant sur le pavé en poussant de petits cris. Aucun des deux hommes n'avait jeté de regard en direction de l'autre. Continuant son bonhomme de chemin, le géant noir arriva bientôt à la hauteur de Gene.

– C'est une belle journée, hein, monsieur?

Comme s'il voulait s'en assurer, Crawford contempla le ciel cotonneux avant de répondre :

– C'est un jour rêvé pour offrir des fleurs, vous ne trouvez pas?

L'homme acquiesça d'un signe de tête. Gene le détailla: il portait un pantalon de jogging enfoncé dans des bottes noires, un imperméable sans manches gris ceint à la taille par une corde aux bouts effilochés, des gants de cycliste et une tuque noire à la Rocky Balboa. Sans qu'il soit vêtu de loques, sa tenue suggérait une condition modeste, donnait à penser qu'il pouvait s'agir d'un sans-abri. Un œil exercé aurait toutefois noté que les vêtements ne présentaient aucune trace d'usure et que l'homme était rasé de frais. Gene sourit en pointant du menton le récipient que l'autre tenait à la main et la colonie d'oiseaux qui l'encerclait.

– Vous êtes un homme populaire aujourd'hui!

– Bof… À vrai dire, ça les emmerde que je leur donne des graines. Ils préfèrent les frites!

Les deux hommes rirent à l'unisson tandis que Gene posait son sandwich sur le sac brun.

– Bonne journée, dit-il en se levant.

Le géant noir s'inclina, exécutant une révérence.

– Une bonne journée à vous, monsieur.

L'homme regarda Gene s'éloigner, puis il s'assit sur le banc. Saisissant le sandwich, il le renifla, puis le jeta aux oiseaux. Il resta ainsi un long moment immobile. On aurait pu croire qu'il méditait sur sa condition. Quand il fut certain que personne ne l'observait, le géant noir se leva et se mit à marcher en direction de French Street.

Discrètement, il avait glissé le sac de papier brun laissé sur le banc par Gene dans une des poches de son pantalon de jogging.

15.

VEILLE DU JOUR DE L'AN

Les jambes flageolantes, j'ai repris mon souffle sur les marches de Pollard Memorial. J'avais eu beau scruter Merrimack Street, marcher jusqu'à Colburn, arpenter le terre-plein de Cardinal O'Connell Parkway, je n'avais retrouvé nulle part la trace de mon mirage.

À mon retour à l'intérieur, Martha Smith et quelques auditeurs de la conférence étaient en conciliabule près du lutrin où je les avais laissés en plan quelques minutes plus tôt. Affronter leurs regards et leurs sourires gênés aurait dû être un supplice, mais Martha m'a accueillie le plus naturellement du monde, comme s'il ne s'était rien passé.

– Ah ! Vous voilà !

Rouge de honte, je me suis confondue en excuses, prétendant que j'avais cru reconnaître un ami que je n'avais pas revu depuis une éternité. Le temps d'échanger quelques mots avec les gens qui étaient restés pour me saluer et de remercier mon hôtesse, j'ai quitté Pollard Memorial vers 15 h 30. En sortant, ma priorité absolue n'était pas de me rendre à mon rendez-vous avec Mitchum, mais plutôt de trouver un endroit isolé des regards.

J'ai pris à gauche dans Merrimack Street. Marchant à pas rapides, j'ai contourné l'hôtel de ville. Et là, sous le couvert des arbres qui bordent l'édifice, j'ai allumé une cigarette. En consultant mon iPhone, j'ai remarqué que, pendant la conférence, on m'avait laissé un message vocal et envoyé un courriel. Les deux provenaient de Shane Murphy. Le courriel contenait la version intégrale du discours que je devrais réviser. Dans le message, il me demandait de le rappeler. Ça n'augurait rien de bon : il n'était sans doute pas satisfait des corrections que j'avais apportées au texte. Tirant sur ma cigarette, j'ai aspiré une longue bouffée. Après une sonnerie, Shane a répondu au téléphone en chuchotant :

– Leah?

– Salut. Tu voulais que je te rappelle?

– Moi? Euh... non.

– Tu m'as laissé un message pendant ma présentation à Pollard...

– Merde, c'est vrai! J'avais oublié. En fait, c'est Patrick qui voulait te parler.

J'ai expulsé un nuage bleuâtre dans l'air.

– Il est avec toi en ce moment?

Murphy continuait de parler à voix basse :

– Oui, mais nous sommes au bureau de vote. Il fait son petit numéro devant les journalistes et, tout de suite après, nous filons à l'aéroport prendre l'avion pour Albany.

– Il y avait quelque chose de spécial?

– Non. Je crois juste qu'il aurait aimé que tu sois dans les parages pour passer quelques minutes avec toi avant de repartir.

J'ai menti:

– Ça va être difficile. J'ai pris du retard. Je viens tout juste de terminer ma présentation à Pollard et j'ai devant moi une file de gens qui attendent pour me rencontrer. Dis-lui que je l'aime et que je vous rejoins à Boston ce soir. Et qu'il peut m'appeler s'il y a quoi que ce soit.

– Pas de problème. Je vais lui faire le message. En passant, j'ai approuvé tes corrections. Elles vont être intégrées dans la prochaine version. *Good job!* C'était impeccable.

J'ai poussé un soupir de soulagement.

– Super! De mon côté, j'ai reçu ton courriel avec le discours intégral. Je te reviens là-dessus dans la prochaine heure...

– Attends, Leah, j'ai Gene ici qui voudrait te parler.

– Pas le temps. Dis-lui que je l'appelle dans quelques minutes.

J'ai raccroché sans attendre la réponse. Par la suite, j'ai appelé Mitchum pour lui annoncer mon arrivée. Il m'a donné rendez-vous dans le stationnement arrière du poste de police. De toute évidence, l'inspecteur avait compris le message quand je lui avais demandé d'être discret.

Après avoir fumé une autre cigarette, j'ai piqué par la cour et parcouru les deux cents mètres qui me séparaient du poste de police de Lowell, situé dans le John F. Kennedy Civic Center.

– Madame Hammett?

J'ai relevé la tête. Marchant entre les voitures de police alignées en rangées, un homme venait à ma rencontre en souriant. Adrian Mitchum ne correspondait ni à l'archétype du policier ni à l'image que je m'en étais faite. Il avait plus l'air d'un professeur de littérature que d'un enquêteur. Grand, mince, la peau blanche, des traits fins et des lunettes à monture foncée, il était vêtu d'un jean et d'un cardigan passé sur une chemise à carreaux.

– C'est un plaisir de vous rencontrer, madame Hammett.

La poignée de main de Mitchum était franche et énergique.

– Leah. Plaisir partagé.

Je l'ai regardé droit dans les yeux. Il a soutenu mon regard. Je pouvais évidemment me tromper, mais mon intuition me disait que je pouvais faire confiance à cet homme.

J'ai souri, il a souri. Un malaise aurait pu s'installer, mais Mitchum a enchaîné aussitôt :

– Venez, suivez-moi. On va passer par l'arrière. Ça nous évitera de croiser quelqu'un.

De la main, il m'a indiqué une porte métallique. Un coup de carte magnétique sur le lecteur, un déclic et nous sommes entrés. Prenant les devants, Mitchum me guidait dans un couloir de blocs de ciment peints en beige.

– Par ici.

– Vous avez trouvé le dossier?

– Oui. Je l'ai fait venir des archives. Et je vous prie de me croire, ils ont battu un record de vitesse qui m'a coûté quelques dollars.

– Vraiment? Je peux vous rembourser si vous voulez!

Sans s'arrêter, Mitchum s'est retourné vers moi, affichant tout à coup l'expression d'un vieux baroudeur revenu de tout, comme le personnage de Humphrey Bogart dans *Casablanca*.

– Non, ce n'est pas la peine. Je vais les récupérer samedi soir. On se fait un poker entre amis, et le commis des archives à qui j'ai filé cinquante dollars est l'une de mes victimes favorites.

– Je vous remercie, Adrian. J'apprécie.

– Pas de quoi. J'ai fait installer les cartons dans une salle de conférences désaffectée. Nous serons plus à l'aise qu'à mon bureau et certains de ne pas être importunés.

J'ai cru à un moment que nous allions traverser la salle des inspecteurs, dont je percevais le fourmillement au bout du corridor, mais Mitchum s'est arrêté devant une porte.

– C'est ici. En passant, la vérification sur le numéro de cellulaire n'a donné aucun résultat. Forfait prépayé. Impossible de retracer son détenteur.

Le dossier se limitait à trois boîtes d'archivage qui contenaient des piles de chemises de classement. Mitchum a sorti quelques feuillets jaunis et les a étalés devant nous, sur la table. Une odeur de vieux livre poussiéreux flottait dans la pièce. La sonnerie de mon cellulaire a signalé l'arrivée d'un message texte. Gene m'enjoignait de le rappeler. J'ai mis l'appareil en mode silencieux pour ne plus être dérangée. Quand j'ai réalisé que, vingt-cinq ans plus tard, la mort de Chase se résumait à ces quelques papiers écornés, un grand frisson m'a parcourue.

Mitchum me regardait, interdit et immobile.

– Ça va, madame Hammett?

J'ai fait oui d'un signe de tête. Le policier a gardé le silence un temps.

– Bon... qu'est-ce qu'on cherche, au juste? Cette fameuse moitié de carte?

Prenant une profonde inspiration pour chasser le cafard et me donner un peu de courage, je lui ai tout expliqué depuis le début: ma dernière rencontre avec Chase sur le pont des Six Arches le jour de l'accident et la moitié de carte postale qu'il avait rangée dans une chemise en carton avant de glisser celle-ci dans son sac.

Mitchum m'écoutait d'un air dubitatif.

– Et quel est le problème?

– Après l'enquête, les parents de Chase ont offert de me remettre ses effets personnels.

– Ceux que la police avait retrouvés sur la berge cette nuit-là...

– Il y avait sa veste, son Zippo, son walkman et son sac à dos...

– Et la carte postale n'était pas dans la chemise où il l'avait rangée. C'est ça?

– C'est exact.

– Il y a une foule de raisons logiques qui peuvent expliquer ça. Chase l'avait sur lui au moment où il s'est noyé, ou encore la carte est tombée de la chemise chez ses parents ou dans le bureau des inspecteurs, qui, ne réalisant pas sa signification, l'ont jetée. Si on y passait une heure, on pourrait dresser une liste d'une vingtaine d'explications plausibles.

– Vous ne comprenez pas...

Parce que j'avais la conviction que je pouvais m'en faire un allié, j'ai décidé de jouer franc jeu avec Mitchum. Je lui ai parlé du rendez-vous que Chase et moi nous étions fixé jadis, puis je lui ai montré le message texte que j'avais reçu la veille.

Une lueur s'est allumée dans les yeux du policier.

– Ce texto... il provient du numéro que vous m'avez demandé de vérifier?

J'ai acquiescé. Mitchum a froncé les sourcils.

– Quelqu'un d'autre que vous deux savait à propos du rendez-vous et de la carte postale?

J'ai fait non de la tête. Après lui avoir parlé de l'enveloppe qu'on avait remise au chauffeur de taxi, j'ai déposé devant lui les deux morceaux de la place des Vosges.

Perplexe, Mitchum examinait les deux fragments, les emboîtait ensemble, les tournait.

– Quelqu'un d'autre était forcément au courant, madame Hammett. Chase pouvait avoir parlé de la carte postale à un parent, ou encore à un ami avant de vous en remettre un morceau lors de votre dernière rencontre. Comment cette personne a-t-elle réussi à mettre la main sur la moitié qui appartenait à Chase? Ça, c'est une autre histoire...

Je me suis tue. Chase et moi nous étions promis de ne parler de tout ça à personne. Aussi, jamais je n'avais envisagé la possibilité qu'il ait pu trahir notre secret. J'ai réfléchi quelques secondes. Chase s'était-il confié à un tiers? Cette personne en avait-elle ensuite parlé à quelqu'un d'autre? À Francis Powers, par exemple...

– Pour moi, la question importante, c'est de savoir pourquoi on veut vous faire croire qu'il est en vie, madame Hammett...

J'ai hésité à prononcer ces mots, de peur qu'il me prenne pour une cinglée:

– Je crois que j'ai aperçu Chase tout à l'heure, à Pollard Memorial.

Je me suis enfoui le visage dans les mains. S'il avait l'impression que je déraillais, Mitchum n'en a rien montré.

– Admettons un instant que Chase soit en vie. Ça voudrait dire qu'il s'est caché ou qu'il a fui pendant toutes ces années.

– Je sais, ça ne tient pas debout... Mais comme tout ça survient le jour du Super Tuesday, je ne peux m'empêcher de penser qu'en ressortant cette vieille histoire, quelqu'un essaie de causer du tort à la candidature de mon mari.

Mitchum s'est redressé sur sa chaise.

– Vous croyez qu'on veut ramener sur le tapis le fait que le sénateur Adams était le propriétaire de la voiture qui a plongé dans la rivière?

Les mots du policier ont résonné dans ma tête et, aussi sûrement que s'il avait prononcé une formule magique, ils m'ont projetée dans le passé.

* * *

Lowell, Massachusetts, 21 octobre au 31 décembre 1991

Le lendemain de la disparition de Chase, la première chose que fait Leah est d'acheter un paquet de cigarettes. Une semaine plus tard, alors que la jeune femme est hospitalisée après un coma diabétique, sa mère décède dans l'incendie de leur résidence. À sa sortie d'hôpital, Leah n'a plus aucune famille, plus aucune ressource. Elle est recueillie par Ned Moore et sa femme. Mais habiter avec les parents de Chase, c'est comme vivre en permanence avec un fantôme.

À la fin de novembre, avec l'argent de l'assurance qu'elle a touché après la mort de sa mère, Leah s'installe seule dans un petit appartement meublé, près de UMass. La veille du jour de l'An, postée à la fenêtre, elle regarde la poudrerie danser sous la lumière d'un réverbère lorsqu'on sonne à la porte. Un jeune homme se tient sur le seuil, les cheveux et les sourcils couverts de flocons.

Une expression peu amène se peint sur le visage de Leah.

– Salut. Je suis…

– Je sais qui tu es. Je t'ai vu à la télé. Tu es le fils du gouverneur.

Fils de Frank K. Adams, l'influent gouverneur du Massachusetts, Patrick fréquente alors l'Université de Yale, où il entame sa deuxième année à la faculté de droit. Comme George W. Bush et John Kerry avant lui, il fait partie des Skulls and Bones, l'une des plus prestigieuses sociétés secrètes américaines. À l'époque, ses frasques sont nombreuses : à l'été 1990, il a été arrêté pour désordre sur la voie publique et, à l'hiver, pour conduite avec facultés affaiblies. L'influence du paternel a-t-elle un lien avec le fait que les charges pesant contre lui sont par la suite abandonnées ? Dans la presse, on le décrit alors volontiers comme une tête brûlée, le parfait spécimen du fils à papa : il traîne une réputation de fêtard, collectionne les conquêtes féminines et semble avoir un goût immodéré pour la cocaïne.

Tandis que Patrick baisse la tête, Leah fronce les sourcils.

– Qu'est-ce que tu veux ?

– Je suis... Est-ce que je peux entrer ?

– Qu'est-ce que tu veux ?

– Je voulais... Je voudrais m'excuser...

– J'ai entendu la déclaration que ton avocat a lue à la télé. Tu peux partir.

Leah s'apprête à refermer la porte, mais Patrick la retient.

– Attends... Laisse-moi entrer. Je t'en prie.

La jeune femme croise fermement les bras contre sa poitrine.

– Je te donne une minute.

Patrick se tord les doigts, fixe le bout de ses bottes.

– Je voulais te dire… Je voulais…

Il relève la tête et plonge ses yeux remplis de larmes dans ceux de Leah.

– Je me sens responsable de la mort de ton petit ami.

– Il s'appelait Chase.

Une larme roule sur la joue de Patrick.

– Leah, je voulais te dire que je me sens responsable de la mort de Chase… Et aussi de celle de cette jeune femme, Amanda Phillips. Si j'avais verrouillé les portières de ma voiture, ils seraient encore tous les deux en vie, rien de tout ça ne serait arrivé. J'aimerais que… J'aimerais que tu me pardonnes.

Le lendemain du drame, la presse a révélé que la Porsche rouge qui s'était abîmée dans les eaux de la rivière appartenait au fils du gouverneur Adams. Dans les jours qui ont suivi l'accident, dans une déclaration publique lue par un des avocats de la famille, Patrick Adams a confirmé qu'après avoir laissé la Porsche en bordure de Lawrence Street avec les clés sur le contact, il s'était introduit dans le cimetière de Lowell après les heures d'ouverture, en compagnie d'amis, pour « boire un coup et rigoler ». Il a affirmé ne s'être aperçu de la disparition du véhicule que le lendemain parce que, fortement intoxiqué et n'étant plus certain de l'endroit où il avait laissé la voiture, il était rentré chez lui à pied. Le jeune homme a en outre reconnu qu'il était déjà soûl au moment d'abandonner le véhicule et qu'il avait continué à consommer de l'alcool et des stupéfiants dans le cimetière.

Leah ne dit rien. Sa lèvre inférieure tremble.

– J'ai appris pour ta mère aussi. Je suis désolé. Si je peux faire quoi que ce soit pour toi, pour t'aider...

Depuis la mort de Chase et de sa mère, Leah a fui son chagrin et sa douleur en se lançant à corps perdu dans ses études et dans l'écriture. Le psychologue du campus, que l'administration l'oblige à consulter, lui explique que son déni est un mécanisme de défense, qu'il faudrait qu'elle se livre, que sa peine éclate, mais, durant leur rencontre hebdomadaire, il est le seul à parler. Leah le toise, les bras croisés contre la poitrine, et fait des bulles avec sa gomme à mâcher. Elle attend que les minutes passent, puis elle se lève et part sans dire un mot.

Plusieurs fois par semaine, elle marche de son appartement jusqu'au lieu où la voiture a disparu dans la rivière et, là, elle fume cigarette sur cigarette en frissonnant. Parfois, elle ferme les paupières et lorsqu'elle les rouvre, elle espère voir Chase surgir de l'eau. Ensuite, invariablement, elle hante le terrain où se dressent les ruines de son ancienne maison.

Leah essuie ses larmes et force un sourire.

– Tu veux m'aider? Non mais, pour qui tu te prends, le fils à papa? Tu débarques ici avec tes gros sabots et tu dis que tu veux m'aider?!

Elle éclate d'un rire nerveux, puis un cri meurt dans sa gorge. Et pour la première fois depuis le jour où elle a appris la disparition de Chase, Leah cède, sa cuirasse se fissure et, tombant à genoux sur le plancher, elle éclate en sanglots. Patrick se penche vers elle et la serre dans ses bras jusqu'à ce qu'elle s'apaise.

16.

RETOUR EN ARRIÈRE

Mitchum passait sa pile de documents en revue à une vitesse folle en prenant des notes dans un calepin à spirale. Il remuait sans cesse la jambe et mordillait le rebord de styromousse de son gobelet de café. L'inspecteur s'était gardé de me le dire, mais je soupçonnais qu'il trouvait improbable l'éventualité que Chase soit toujours en vie. Sans doute par acquit de conscience, il avait toutefois accepté d'éplucher en ma compagnie les liasses de documents contenues dans les cartons. Qu'espérais-je y découvrir? Un élément qui avait échappé à Santos, n'importe quoi qui pourrait m'aider à comprendre ce qui m'arrivait.

La première chemise que j'ai consultée contenait une trentaine de photos de la Porsche tandis qu'on la sortait de l'eau et, plus tard, alors qu'on la hissait sur le camion plateforme. Les regardant une à une, j'ai eu la curieuse impression de revivre un moment de ma vie en différé.

J'ai ensuite lu le rapport du médecin légiste et le compte rendu des policiers qui étaient arrivés les premiers sur les lieux de l'accident. Non seulement je n'y ai rien appris, mais, après une vingtaine de minutes, une grande lassitude m'a envahie. J'ai vérifié la messagerie de mon cellulaire et constaté que Gene avait tenté de me joindre à plusieurs reprises. Soupirant bruyamment, je me suis levée. J'avais ma dose. Mitchum a fait la grimace en avalant une gorgée de café refroidi, puis il a relevé la tête et m'a regardée par-dessus ses lunettes.

– Amanda Phillips... vingt-deux ans, a séjourné en foyers d'accueil... Casier judiciaire bien garni... Méfaits, vol à l'étalage, possession de stupéfiants. La jeune femme retrouvée dans le véhicule n'était pas ce qu'on pourrait appeler un ange...

Sur la table, l'inspecteur a fait glisser une photo vers moi. Amanda avait de longs cheveux de jais et des lèvres peintes en noir; elle portait une robe foncée qui lui descendait à mi-mollet et des Dr. Martens aux bouts usés. Une jolie fille au look gothique.

– Personnellement, je ne lui ai jamais parlé, je la connaissais seulement de vue. C'était juste une fille un peu paumée...

Le regard de Mitchum s'est attardé encore plusieurs secondes sur le portrait de la jeune femme décédée, qu'il tenait maintenant entre le pouce et l'index.

– Dans votre souvenir, est-ce que Santos est parvenu à établir les motifs ayant poussé Amanda à voler le véhicule?

– Je n'en ai aucune idée. Pour être honnête, c'était la dernière de mes préoccupations à l'époque. J'étais sous le choc. Je n'ai rencontré Santos qu'une fois. Il m'a posé quelques questions à propos de ma dernière nuit avec Chase. C'est tout.

Des images se bousculaient dans ma tête : je revoyais ma mère qui préparait du café ; Santos qui était assis à la table de la cuisine et qui me tendait son mouchoir.

– Vous savez, les faits parlaient d'eux-mêmes… Très rapidement, la police en est venue à la conclusion que Chase avait été témoin de l'accident. Et qu'il était sans doute mort noyé alors qu'il tentait de secourir Amanda. Cela dit, faut-il se surprendre qu'une fille avec ce genre de casier judiciaire fasse un truc pareil ?

Songeur, Mitchum paraissait hésiter.

– Non. J'imagine que non. Mais il y a quand même une chose qui me tracasse. Est-ce que Santos a déjà fait allusion à la possibilité que Chase ait été dans la voiture avec Amanda ?

Voilà, on revenait en arrière. Mitchum allait me poser les mêmes questions que son prédécesseur.

– Jamais en ces termes. Santos m'a appelée une fois pour contre-vérifier l'heure à laquelle Chase et moi nous étions quittés. Mais toutes sortes de rumeurs ont circulé.

J'ai baissé la tête. Même vingt-cinq ans après les faits, je refusais toujours d'envisager la possibilité que Chase ait pu avoir une quelconque responsabilité dans la mort d'Amanda. Le simple fait d'y penser m'emplissait à la fois de honte et de colère.

– Et il y a eu ces deux filles qui fréquentaient UMass, ai-je ajouté. Elles ont prétendu avoir déjà vu Chase et Amanda s'embrasser à la cafétéria du campus.

Mitchum a dû sentir mon désarroi, car il a posé sa main sur mon avant-bras.

– Oui, j'ai lu ça dans les notes de Santos tout à l'heure. Si ça peut vous rassurer, je ne crois pas qu'il y ait accordé beaucoup de crédibilité.

L'inspecteur a enlevé ses lunettes pour se frotter les yeux.

– Cependant, si Chase est vivant, il y a forcément une raison pour laquelle il a disparu, quelque chose qui explique qu'il ne se montre pas au grand jour.

Les implications d'une telle affirmation m'effrayaient. J'ai répondu d'un filet de voix :

– Il pourrait avoir quelque chose à se reprocher dans la mort d'Amanda…

– Oui, c'est une possibilité qu'on ne peut malheureusement pas écarter. Craindre d'être arrêté pour homicide involontaire ou meurtre est une raison suffisante pour rester dans l'ombre. Mais, rassurez-vous, ce n'est pas la seule. Chase pourrait avoir fui parce qu'il avait peur de quelqu'un…

Je me suis calée contre le dossier de ma chaise. J'étais interloquée par la logique carrée de Mitchum. Il a repris la parole au bout d'un moment :

– Dites-moi, madame Hammett, est-ce que, à l'époque, le lieutenant Santos a entretenu des soupçons concernant Patrick ?

J'ai froncé les sourcils, surprise par la question.

– Patrick ? Sur quelle base ?

– Lui aussi aurait pu être dans la voiture en compagnie de cette fille… Rappelez-vous l'incident impliquant Ted Kennedy à Chappaquiddick, en 1969…

De mémoire, la chute de la voiture de Kennedy dans une rivière et la mort de sa passagère avaient mis un terme à ses ambitions de devenir président des États-Unis. Pourquoi l'inspecteur évoquait-il cette affaire ? À la différence de Kennedy, Patrick n'était pas en politique au moment de l'accident. C'est ce que je lui ai dit. Puis j'ai ajouté du même souffle :

– Écoutez, Adrian, j'ignore si la police a déjà soupçonné Patrick de s'être trouvé dans la Porsche, mais si c'est le cas, cette piste a été rapidement abandonnée. De toute façon, il avait un alibi !

Prenant une pile de documents qu'il avait déposée à sa gauche sur la table, Mitchum a fait défiler les feuilles avec son pouce.

– Oui, j'ai lu la déclaration préparée à l'époque par les avocats de votre mari : les deux amis avec qui il se baladait dans le cimetière...

– C'est exact.

– Si vous voulez mon avis, c'est quand même un peu bizarre. Il me semble que Santos aurait dû creuser cette question davantage. À part une copie de la déclaration, je ne vois rien d'autre dans le dossier qui suggère qu'il a rencontré ces deux garçons pour valider leur témoignage.

– Probablement que ça s'est fait de façon informelle...

Mitchum a paru réfléchir.

– Vous avez sans doute raison. Mais je vais vous dire une chose. Et je nierai vous l'avoir dite si vous la répétez à mes supérieurs, car ça pourrait m'attirer des ennuis...

– Ça restera entre nous, vous avez ma parole.

– Les méthodes ont beaucoup évolué depuis 1991... Malgré tout, si je me fie uniquement à ce que j'ai sous les yeux aujourd'hui, je dirais que cette enquête a été bâclée.

Mitchum me dévisageait.

– Et il y a autre chose. Je crois qu'il manque un feuillet d'interrogatoire dans le dossier.

Mon rythme cardiaque s'est accéléré.

– Comment ça?

– Regardez ici. C'est la nomenclature des éléments que contient le dossier d'interrogatoire. Là, dans l'index, on a les noms et les coordonnées des personnes qu'a rencontrées Santos dans le cadre de son enquête. C'est indiqué qu'il a vu un certain Taylor Riley le 23 octobre 1991. Or, j'ai retrouvé les transcriptions de tous les interrogatoires dans cette chemise, sauf celui de Riley.

– Il y en a des copies quelque part?

– Je ne sais pas. Ça remonte à loin. Je ne suis pas certain que le dossier ait été informatisé. Avec un peu de chance, peut-être sur disquette ou sur microfilm. Je vais devoir vérifier ça.

– J'ai une question, Adrian. Ce dossier, est-ce que n'importe qui pouvait le consulter?

– Non, mais je crois que vous pensez à la même chose que moi. Je vais réviser le registre d'emprunt avec mon collègue des archives pour savoir qui y a eu accès.

– J'espère que ça ne vous coûtera pas encore cinquante dollars.

Mitchum et moi avons échangé un sourire complice. Tandis qu'il rangeait les feuillets dans les cartons, j'ai consulté la messagerie de mon cellulaire.

Je venais de recevoir un texto de Francis Powers :

Il faut que je te parle d'urgence
RDV au café du Sunscraper dans 20 min

Ce message a ravivé mes inquiétudes à l'égard de Francis. De quoi voulait-il me parler? Qu'y avait-il de si urgent? L'idée qu'il trempait dans une machination visant à faire dérailler la campagne de mon mari au profit de celle de Colin Stavanger a refait surface dans mon esprit. Et soudain, en repensant à ce que Mitchum avait dit à propos de Chappaquiddick, j'ai compris comment ils allaient s'y prendre pour faire tomber Patrick.

17.

LA VALSE DES MENSONGES

Je remontais Merrimack Street, en proie à une vive excitation. Les idées se bousculaient dans ma tête, mais le portrait de la situation m'apparaissait enfin clairement. Le but des adversaires de Patrick était aussi simple que machiavélique. C'est Mitchum qui m'avait mis la puce à l'oreille avec ses questions: le clan de Stavanger allait tenter de discréditer mon mari en ressortant la vieille histoire de la mort d'Amanda Phillips. Mais, cette fois-ci, plutôt qu'exhumer son passé de fêtard et l'imprudence qu'il avait commise en laissant les clés sur le contact de sa voiture, ils allaient laisser entendre que Patrick était dans la voiture avec Amanda lors de l'accident. Le temps de retrouver les deux amis qui l'accompagnaient dans le cimetière cette nuit-là et que ces derniers réaffirment son innocence, le mal serait déjà fait dans l'opinion publique et le doute semé dans l'esprit des électeurs.

Je ne comprenais pas quel rôle on voulait me faire jouer dans toute cette histoire, mais je comptais bien sur le rendez-vous que Francis m'avait fixé pour le découvrir.

Que contenait le feuillet qui manquait au dossier? Probablement un témoignage qui prouvait l'innocence de Patrick, une pièce du dossier que quelqu'un dans l'équipe de Stavanger avait subtilisée. Bien évidemment, je soupçonnais Francis de faire partie de l'opération.

Mon téléphone a sonné. Merde ! J'avais complètement oublié de rappeler Gene. Je n'avais pas le temps de lui faire la conversation, mais je ne pouvais plus me défiler.

J'ai fermé les yeux et rentré la tête dans les épaules en proférant mon premier mensonge :

– Excuse-moi, j'ai été retenue plus longtemps que prévu…

– Mais bon sang, Lee ! Qu'est-ce qui se passe ? Où es-tu ? Je croyais qu'on devait essayer de tirer cette histoire au clair ensemble.

Sans la moindre hésitation, je lui ai servi mon mensonge numéro deux. Si je lui parlais de ma rencontre avec Francis, il était bien capable de rappliquer sur-le-champ.

– Je suis en route pour le bureau. As-tu parlé à Powers ?

– Non. Je n'ai pas encore réussi à le joindre. J'attends qu'il me rappelle.

Je savais pertinemment que j'allais l'effrayer, mais si je voulais freiner la cabale orchestrée par Stavanger et son équipe, je ne pouvais pas garder l'information que j'avais recueillie lors de ma rencontre avec Mitchum éternellement secrète.

– Je pense que j'ai compris ce qu'ils comptent faire, Gene. Ils vont relier Patrick à la mort d'Amanda Phillips…

– C'est ridicule. Tout le monde a pardonné à Patrick son erreur de jeunesse. Ils ne feront pas de millage avec ça...

– Tu ne comprends pas! Ils ne vont pas se contenter de rappeler au public l'incident des clés et du cimetière. Ils vont prétendre que c'était comme Kennedy à Chappaquiddick! Ils vont dire que Patrick était avec Amanda dans le véhicule au moment de l'accident. Peut-être même qu'ils affirmeront que c'est lui qui était au volant!

Je m'imaginais, à l'autre bout du fil, l'incompréhension, puis la surprise se peignant sur le visage de Gene.

– Oh, mon Dieu... Qu'est-ce qui te fait croire ça?

J'ai esquivé la question.

– Réfléchis... Ils n'ont pas à le prouver. Ils vont simplement propager la rumeur... Et il y a plus...

– Quoi?

– Il manque des pièces dans le dossier d'enquête...

Gene a marqué une longue pause avant de poursuivre:

– Quel dossier d'enquête?

– Le dossier d'enquête sur l'accident qui a coûté la vie à Amanda Phillips et à Chase.

– Comment le sais-tu?

J'ai hésité, dégluti avec peine.

– Je le sais, c'est tout.

– As-tu été à la police, Lee?

Si je lui avais avoué la vérité, Gene m'aurait reproché de ne pas lui avoir parlé avant d'agir. Je n'avais ni le temps ni le courage de me farcir ses jérémiades. Alors, comme je commençais à y prendre goût, j'ai débité mon mensonge numéro trois :

– Voyons, Gene, pour qui me prends-tu ? Je n'aurais jamais fait ça sans d'abord te consulter.

J'espérais qu'il avale cette couleuvre, mais j'ai senti dans son silence qu'il n'avait pas cru mon mensonge.

– Patrick n'a rien à se reprocher, mais la dernière chose dont nous avons besoin, c'est que cette histoire revienne dans l'actualité... Je veux que tu ramènes tes jolies fesses ici le plus rapidement possible, Lee. Il faut mettre un terme à cette affaire avant que ça devienne un gros ballon rempli de merde et qu'il nous explose en plein visage.

– J'arrive. Je serai là dans une trentaine de minutes.

– Pas dans trente minutes, bon sang, maintenant !

– Je m'excuse, Gene, je t'entends mal. Je crois que je vais perdre le signal.

– Lee ? Pas de ça avec moi ! Où vas-tu, Lee ? J'ai besoin de toi ici, maintenant ! Lee ?!

J'ai raccroché, puis j'ai éteint la sonnerie de mon téléphone. La silhouette du Sunscraper se profilait dans mon champ de vision. À ce point, j'avais épuisé ma réserve de mensonges.

J'avais menti à Gene, mais raconté la vérité à Mitchum. J'avais toutefois omis de parler au policier du texto que venait de m'envoyer Francis. Pourquoi ? Tout simplement parce que je pourrais le mettre au courant plus tard si quelque chose d'important transpirait de cette rencontre. Même si j'entretenais de sérieux doutes à l'endroit de Francis, je n'avais aucune certitude. Mais si tout ça concernait effectivement la campagne de Patrick et qu'il était impliqué, je voulais me garder la discrétion de ce que j'allais divulguer à la police. Bien entendu, je n'arrivais pas à la cheville de M. O. quand il s'agissait de relations publiques, mais j'avais quand même acquis suffisamment d'expérience au cours des dernières années pour savoir qu'en politique la vérité n'est pas toujours bonne à dire.

De son côté, Mitchum m'avait fait la promesse de me tenir au courant des vérifications qu'il comptait effectuer pour retrouver le feuillet d'interrogatoire manquant. Alors que je m'apprêtais à partir, le policier m'avait dit quelque chose qui m'avait mis les nerfs en boule :

– Soyez prudente, madame Hammett. J'ai le sentiment que quelque chose cloche dans cette affaire.

En arrivant devant la façade du café situé au rez-de-chaussée du Sunscraper, j'ai approché mon visage de la vitrine et j'ai regardé à l'intérieur. Comme j'avais quelques minutes d'avance et que Francis n'était pas encore arrivé, j'ai fouillé dans mon sac. J'avais tout juste le temps de fumer une cigarette. Je venais de l'allumer quand je me suis rendu compte qu'on m'avait laissé un message. J'ai accédé à ma boîte vocale : c'était l'inspecteur Mitchum.

– Je viens de vérifier le registre d'emprunt, madame Hammett. Une seule personne a consulté le dossier récemment. Un certain Francis Powers.

18.

SOUS UN CIEL REMPLI D'ÉTOILES

Le ciel crachait, il crachait une pluie trop chaude. C'était la fin de l'après-midi à Lowell, et la fin de l'après-midi s'accrochait aux pas de Francis Powers. Des gouttelettes sinuaient sur son visage, mais il marchait sans se presser en direction du Sunscraper. Une heure plus tôt, la voix de Colin Stavanger avait grésillé dans son cellulaire.

– Vous avez rencontré « gorge profonde », Francis?

– Oui, monsieur.

– Avez-vous obtenu les documents qui prouvent vos allégations?

– Je les ai, monsieur.

– Bien.

Francis avait entendu quelqu'un chuchoter en sourdine. Visiblement, Stavanger avait mis l'appel sur mains libres et n'était pas seul dans la pièce.

– Écoutez, petit changement de programme, Francis: plutôt que de divulguer l'information à la presse, faites-moi parvenir une clé USB contenant certaines pièces et conservez l'enveloppe en lieu sûr. Surtout, pas de courriel: ça laisse des traces...

Powers n'avait pu réprimer un sourire. D'une part, parce qu'à l'insu de son patron l'enveloppe se trouvait déjà entre bonnes mains. D'autre part, parce que l'Irlandais avait vraisemblablement passé le coup de fil escompté.

– Puis-je vous demander pourquoi, monsieur?

Stavanger avait hésité. Powers avait posé la question pour donner le change : il savait très bien ce qui se passait dans la tête de son patron.

– Parce que j'ai changé d'idée. Je crois qu'il y a une meilleure stratégie.

– Vous allez contacter l'équipe Adams, monsieur? Pour convenir d'un arrangement?

Les quelques secondes de silence qui s'étaient écoulées avant que Stavanger ne réponde avaient confirmé à Powers qu'il avait touché dans le mille.

– Ne le prenez pas mal mais, à ce stade, il est préférable que vous en sachiez le moins possible, Francis. Attendez mon appel avant de faire quoi que ce soit. Suis-je clair?

– Très clair, monsieur.

Francis regarda l'heure sur sa montre. Plus que quelques minutes avant le rendez-vous qu'il avait fixé à Leah. Il arrivait à l'intersection de Kearney Square et de Prescott Street quand, de l'autre côté du carrefour, il aperçut sa silhouette longiligne. Elle grillait une cigarette devant la façade du café. Il siffla entre ses doigts pour attirer son attention.

– Hé, Leah!

Francis attendit que le feu passe au vert pour s'engager sur la chaussée. À mi-chemin, son cellulaire vibra. Le nom de Patrick Adams apparut sur son afficheur.

Le sénateur l'appelait de sa ligne officielle. Il le laissa filer dans sa boîte vocale.

Entendant quelqu'un crier mon nom, j'ai relevé la tête. Francis traversait la rue d'un pas nonchalant. Nos regards se sont croisés. Je ne pourrais le jurer mais, l'espace d'un instant, j'ai cru déceler de la tendresse et du regret dans les yeux de cet homme que j'avais jadis aimé. Le premier depuis Chase. Le seul depuis Chase...

Que s'était-il passé? La vie et ses règles immuables nous avaient rattrapés, voilà tout.

Francis me souriait et, un peu contre ma volonté, je lui ai souri à mon tour. Une seconde plus tôt, j'avais la conviction qu'il complotait pour nuire à Patrick et, là, ces regards échangés m'en faisaient douter. Tout cela relève du domaine de l'intuition, mais, encore aujourd'hui, je suis convaincue que cet instant recelait une signification particulière. En y repensant, j'en suis venue à croire qu'il s'agissait d'une façon de me faire comprendre qu'il était temps de faire la paix. Il franchissait les derniers mètres qui le séparaient du trottoir quand j'ai vu la voiture arriver.

Lorsque j'ai hurlé, Francis a tourné la tête, mais il était déjà trop tard: sortie de nulle part, une fourgonnette grise l'a frappé de plein fouet. Un bruit sourd a retenti, couvrant tous les autres: celui du corps de Francis se disloquant contre le pare-brise. Projeté dans les airs, il est retombé à plusieurs mètres du point d'impact.

Je suis demeurée interdite quelques secondes, puis je me suis précipitée vers lui. L'agrippant par le col, j'ai relevé sa tête et l'ai posée contre mes jambes. Du sang coulait de sa bouche et de ses narines; des passants nous encerclaient, la mine horrifiée. Un homme a enlevé son manteau pour le couvrir. Tenant la tête fracassée de Francis entre mes mains, j'implorais les gens pour que quelqu'un vienne nous aider. Dans le brouillard, en arrière-plan, mon esprit enregistrait: une femme appelait le 9-1-1 et, de l'autre côté de la rue, deux jeunes filles nous filmaient avec leur téléphone cellulaire. Je me suis penchée à l'oreille de Francis. Il a murmuré mon nom et autre chose encore que j'ai perdu dans le gargouillis et les raclements de sa gorge.

Son regard fouillait le ciel, au-delà de mes yeux. Il m'a souri une dernière fois.

Plutôt que sous la pluie, j'aurais souhaité qu'il meure sous un ciel rempli d'étoiles.

19.

CEUX QUI SAVENT

Le pinceau des phares glissait sur les murs de ciment du stationnement souterrain. Moteur tournant à bas régime, une fourgonnette grise aux vitres teintées descendait dans les entrailles de la terre. Au dernier palier, les feux d'arrêt s'allumèrent brièvement. Le véhicule décrivit un arc de cercle vers la gauche et vint se garer dans un coin sombre, derrière un pilier de béton. Le conducteur coupa le contact, éteignit les phares et, ses mains gantées posées sur le volant, resta un moment les paupières closes. À le voir ainsi, on aurait presque pu croire qu'il se recueillait, mais en vérité il tendait l'oreille, guettant une vibration ténue qui lui aurait indiqué l'approche d'un autre véhicule. Convaincu qu'il n'avait pas été suivi, l'homme ouvrit les yeux et observa longuement les autres espaces de stationnement autour de lui.

Outre quelques véhicules vides, ce niveau était désert.

À l'aide de mouvements vifs et calculés, il se pencha vers la boîte à gants et y prit deux objets métalliques. Visser le silencieux au pistolet ne lui prit que quelques secondes.

Il sortit de la fourgonnette et coinça l'arme entre sa ceinture et ses reins. Contournant le véhicule, il ouvrit la portière du côté passager et prit la photo qui se trouvait sur la banquette. Il y mit le feu avec son briquet. Les flammes léchèrent l'image de Francis Powers. Le papier glacé se consuma et se désagrégea en cendres noircies. L'homme les éparpilla sur le sol du bout de sa botte.

Avant de refermer la portière, il attrapa le sac de papier brun sur le siège et le fourra dans la poche de son imperméable. Il n'aurait pas besoin de regarder de nouveau le portrait qu'il contenait. Le géant noir connaissait déjà trop bien le visage du deuxième homme qu'on l'avait chargé d'éliminer. Arrivé à l'ascenseur, il appuya sur une touche de son cellulaire et laissa un message au bip sonore :

– Le premier bouquet a été livré.

Le passage aux urnes de Patrick Adams s'était déroulé conformément au plan établi, les journalistes faisant leurs choux gras d'une accolade qu'une dame très âgée avait donnée au candidat démocrate. Téléphone à l'oreille, Gene Crawford regarda la limousine s'éloigner. Le véhicule emportait Adams et son rédacteur en chef à l'aéroport. Ils se rendaient à la dernière « assemblée de tarmac » de la journée, à Albany. L'air contrarié, Crawford se mit à remonter le trottoir vers le carrefour, où il espérait trouver un taxi pour rentrer au bureau de campagne.

– Bon sang ! Écoutez, Seymour, je ne vous demande pas de me dévoiler les codes nucléaires ! J'essaie seulement de m'assurer que la ressource dont nous parlons soit assignée à des tâches... disons plus productives...

– Je comprends, Gene, mais je ne peux pas m'immiscer comme ça, sans raison, dans le travail de nos inspecteurs.

Le directeur de campagne explosa :

– Comment ? Qu'est-ce que vous me chantez là ? Mais bien sûr que vous le pouvez ! Et c'est ce que vous allez faire, Seymour, vous m'entendez ? Vous allez le faire et encaisser votre dû. Et dans quelques semaines, quand vous aurez les deux pieds dans le sable et votre gros cul bien calé dans une chaise de plage, vous me remercierez.

Crawford imagina l'adjoint du chef de la police de Lowell qui, à l'autre bout du fil, devait suffoquer dans son uniforme.

– Inutile d'insister, Gene, je ne le ferai pas. Pas cette fois...

Crawford répliqua d'une voix glaciale, dénuée d'émotion :

– Il ne me semble pas vous avoir donné le choix, Seymour. Mais peut-être convient-il de vous rafraîchir la mémoire ? Voulez-vous que nous reparlions de vos petites virées en Thaïlande ?

Désespéré, le fonctionnaire supplia :

– Mais vous aviez promis, la dernière fois !

Gene Crawford émit un petit ricanement.

– Je sais, Seymour, la vie est parfois injuste. Allons, rendez-moi ce dernier service...

– Sinon ?

– Ce serait à contrecœur, croyez-moi, cher ami, mais dans ce cas je n'aurais d'autre choix que de faire parvenir un jeu de photos à votre femme et un autre à la presse…

L'adjoint du chef de police semblait au bord des larmes.

– Mais ce que vous me demandez est impossible, Gene ! Comment voulez-vous que je m'y prenne sans éveiller les soupçons ? Mitchum est le meilleur inspecteur de notre brigade. Vous ne réussirez pas à l'acheter comme vous avez acheté Santos…

– Débrouillez-vous, Seymour. Je vous tiendrai pour personnellement responsable si Mitchum met son nez où il ne devrait pas. Tout le monde a son point faible. Trouvez le sien. Vous avez fait preuve d'imagination quand il s'agissait de pervertir ces jeunes garçons, non ?

Gene coupa la communication, puis il héla un taxi avec impatience. Se laissant choir sur la banquette, il s'admonesta en silence : il avançait à visage découvert et prenait des risques. À ainsi précipiter ses actions, il s'exposait à des erreurs fatales. Mais avait-il le choix ?

À ce point, il importait non seulement de faire taire ceux qui savaient quelque chose, mais également de colmater les brèches pour que ceux qui se trouvaient en position de découvrir la vérité passent à côté. Il n'y avait pas que la présidence qui était en jeu…

De l'autre côté du carrefour, posté à l'angle de l'immeuble qui faisait face au Sunscraper, l'homme à la casquette des Red Sox regarda Leah Hammett bercer le corps inanimé de Francis Powers. Il avait tout vu et savait que ce n'était nullement un accident. Faisant délibérément dévier la course de la fourgonnette de sa trajectoire, le conducteur avait accéléré juste avant l'impact. L'homme hésitait. Les choses ne devaient pas se passer ainsi. Une autre personne était morte à cause de lui, un autre cadavre venait alourdir sa conscience. Le temps qu'il se décide à venir en aide à Leah, les premières sirènes retentirent. Bientôt, un véhicule de police freina dans un crissement de pneus.

Peut-être s'agissait-il d'un signe, peut-être après tout valait-il mieux qu'il reste à jamais dans l'ombre, qu'il reparte d'où il était venu? Ils voulaient faire éclater la vérité, mais qu'est-ce que ça changerait?

L'homme tourna les talons et se mit à marcher vers le fleuve Merrimack.

Un VUS bleu sombre muni d'un gyrophare passa à sa hauteur. Le véhicule se dirigeait vers les lieux de l'accident. Par la fenêtre entrouverte, il surprit un visage.

Le visage d'un géant noir surgi tout droit du passé.

L'homme à la casquette des Red Sox fit brusquement demi-tour et pressa le pas. Sans s'arrêter, d'un geste vif, il prit le pistolet coincé entre sa ceinture et ses reins, retira la sûreté et dissimula sa main armée dans sa veste.

20.

UNE HISTOIRE DE FANTÔME

Tout s'est déroulé très vite. À peine quelques minutes après l'accident, le trottoir grouillait déjà de monde. À l'aide d'un ruban de plastique jaune, des policiers dressaient un périmètre de sécurité, éloignaient les curieux. Un ambulancier pratiquait des manœuvres de réanimation sur le corps de Francis. J'avais conscience de ces gens qui s'activaient autour de moi, mais je me sentais étrangement décalée, comme si, libérée de mon corps, je flottais au-dessus de la scène et que j'y assistais de l'extérieur, sans y participer.

Je me tenais au milieu de la cohue lorsqu'un patrouilleur m'a demandé, d'une voix douce, en posant sa main dans mon dos:

– Êtes-vous blessée, madame?

J'ai cligné des paupières à plusieurs reprises. En état de choc, les mots ont mis un moment à se frayer un passage jusqu'à mon cerveau. J'ai baissé le regard vers mes doigts, contemplé mes vêtements d'un air ahuri: j'étais maculée de sang.

– Non. Ça va.

Le policier a tourné la tête: le corps de Francis était sanglé sur une civière qu'on hissait dans l'ambulance.

– Est-ce votre mari?

Ma voix a repris un peu d'assurance :

– Non... C'était un ami.

– Voulez-vous l'accompagner à l'hôpital ? Je peux vous y conduire...

J'ai regardé le policier droit dans les yeux.

– Ça ne changera rien. Il est mort.

Il a serré les lèvres en acquiesçant.

– Dans ce cas, si vous le permettez, je vais avoir quelques questions à vous poser...

Cravate dénouée, complet de bonne coupe et imperméable anthracite, un homme est arrivé à notre hauteur en brandissant sous le nez du policier un carnet de cuir contenant un insigne.

– Agent Jones, FBI. Je vais prendre le relais, constable.

Le crachin n'empêchait pas l'agent Jones de porter une paire de Ray-Ban. Le patrouilleur a examiné ses pièces justificatives, puis il m'a saluée avant de s'éloigner. Me prenant doucement par le bras, l'agent du FBI m'a entraînée à sa suite vers un VUS bleu sombre. Un gyrophare allumé scintillait sur le dessus du tableau de bord.

– Venez avec moi, madame Hammett. Si je vous laisse ici, le temps qu'ils prennent votre déposition, vous aurez les cheveux poivre et sel. Le moins que je puisse faire, c'est de vous épargner ces formalités.

Je marchais avec Jones lorsque j'ai repris contact avec la réalité. Je ne ressentais aucune tristesse. Peut-être viendrait-elle plus tard. J'étais bouleversée, mais pas au point d'être incapable de réfléchir. Pourquoi le FBI se trouvait-il sur les lieux? Une certaine méfiance a commencé à m'envahir. J'ai ralenti le pas.

– J'ai une question… Dites-moi, agent Jones, en quoi cet accident concerne-t-il le FBI?

– Les agents du Bureau ont pour instruction d'ouvrir l'œil lorsque des candidats aux primaires sont de passage en ville. L'antenne de Lowell a été informée de l'arrivée du sénateur Adams il y a quelques semaines. Quand je vous ai aperçue sur le trottoir, je vous ai reconnue tout de suite, madame Hammett.

En prononçant ces mots, il a enlevé ses Ray-Ban et arboré un large sourire. Je l'ai alors détaillé pour la première fois : bâti comme une armoire à glace, rasé de frais, le géant noir de près de deux mètres avait la bouille sympathique des bons vivants. Nous approchions du VUS. Il a ouvert la portière du côté passager pour me permettre de monter.

– Je vous dépose à votre hôtel?

Je n'avais pas eu besoin de lui faire un dessin. Un regard sur mes mains et mes vêtements tachés de sang lui avait suffi pour comprendre. Il a démarré. L'espace de quelques secondes, j'ai senti l'émotion me gagner. J'ai pris une grande inspiration et j'ai espéré que ça passe.

Et c'est passé.

Tandis que nous roulions, l'agent Jones m'a posé des questions à propos de l'accident. Je lui ai dit ce que je savais : la fourgonnette qui avait happé Francis ne s'était pas arrêtée, je n'avais aucune idée de la marque, je n'avais pas vu le numéro de plaque et les vitres teintées m'avaient empêchée d'apercevoir le conducteur. Nous sommes arrivés en face du Kerouac. L'agent du FBI a coupé le moteur et a pivoté sur son siège pour me faire face.

– Je vais contacter la police et m'occuper des formalités. Ça ira?

J'ai acquiescé d'un signe de tête affirmé, comme si je voulais moi-même m'en convaincre, mais il me semblait intolérable que le passage de Francis sur terre se résume à cette mort anonyme: il avait rendu l'âme sur un bout de trottoir, dans les bras d'une femme qui n'avait même pas versé une larme sur son sort. Je me haïssais.

– Oui, merci pour tout… Pouvez-vous me donner des nouvelles quand on aura arrêté celui qui a fait ça?

– Bien sûr. Est-ce qu'il y a autre chose que je peux faire pour vous?

– Non. Vous en avez déjà fait beaucoup. Merci, agent Jones.

J'ai tiré sur la poignée pour ouvrir la portière, mais elle était verrouillée. Je me suis retournée. L'agent Jones me regardait d'un drôle d'air.

– Ça me met mal à l'aise de vous en parler, mais je dois vous avouer que j'avais beaucoup aimé votre photo dans le calendrier du *Sports Illustrated*, à l'époque. Mois de mai, si je me souviens bien…

Actionnant le dispositif d'ouverture des portières, il a éclaté de rire. La blancheur de ses dents se répandait comme une flaque sur son visage. Je n'ai pas pu m'empêcher de sourire.

– Mon Dieu! Vous avez vu ça? Ça fait une éternité…

Mon arrivée à l'hôtel Kerouac n'est pas passée inaperçue. En m'ouvrant la porte, le chasseur m'a détaillée de haut en bas. Dans le hall, bouche ouverte, une jeune réceptionniste a interrompu une conversation avec un client et m'a dévisagée jusqu'à ce que je m'engouffre dans l'ascenseur. Les taches de sang sur mes vêtements produisaient leur effet. J'ai remonté le couloir désert jusqu'à ma chambre. En entrant, j'ai abandonné mes escarpins sur le sol et balancé mon sac sur le canapé. Pieds nus, j'ai marché tout droit vers le minibar. J'ai inspecté la sélection d'alcools, jusqu'à ce que je tombe sur ce que je voulais. Il me fallait quelque chose de fort : un direct au menton. J'ai opté pour un cognac. Saisissant deux mignonnettes, j'ai dévissé les bouchons et les ai vidées d'un trait, coup sur coup. L'alcool m'a incendié la gorge.

Par réflexe, j'ai allumé la télé et je suis passée à la salle de bains. Laissant mes vêtements souillés en tas sur le carrelage, j'ai ouvert les robinets, réglé la température de l'eau et me suis glissée sous le jet de la douche.

Dans un film, c'est en plein le moment où je me serais mise à sangloter en glissant lentement contre la paroi vitrée, vers le carrelage. Mais il ne s'est rien produit de tel. J'avais beau me répéter que Francis était mort devant moi, je ne ressentais rien.

Je ne suis pas restée longtemps sous la douche. Quand je suis revenue dans le séjour, mon cellulaire sonnait. Gene n'avait cessé de m'appeler depuis que je lui avais raccroché au nez. J'ai laissé filer l'appel en me disant que je devrais lui donner des nouvelles avant qu'il apprenne par les médias ce qui s'était passé et qu'il s'inquiète pour moi. Toutefois, je voulais reparler à Mitchum avant, pour voir s'il avait fait des progrès.

Je me préparais à vérifier ma glycémie lorsque j'ai entendu qu'on parlait de l'accident à la télé. Enroulée dans ma serviette, je me suis approchée de l'écran. Une reporter aux lèvres trop rouges se tenait sur le trottoir, à l'endroit où Francis avait perdu la vie.

Soudain, j'ai eu peur que les images filmées par des passants tandis que j'étais à ses côtés soient diffusées, mais heureusement ça n'a pas été le cas. Je m'attendais aussi à ce que mon nom soit mentionné, mais, là encore, rien. La journaliste n'avait même pas prononcé le nom de Francis, se bornant à dire qu'un homme dans la trentaine avait succombé à ses blessures. Après, elle a donné une description du véhicule qui l'avait happé. J'allais éteindre lorsqu'elle a déclaré qu'un homme de race blanche était recherché pour délit de fuite.

Une photo est alors apparue à l'écran, et toutes les fibres de mon corps ont réagi.

Il s'agissait de l'homme que j'avais pourchassé dans les corridors de Pollard Memorial après mon discours ! Et, cette fois-ci, malgré la barbe, malgré les années, malgré ma méfiance, je n'avais plus aucun doute : c'était bien Chase ! Mais c'est seulement quand le nom du suspect est apparu à l'écran que j'ai pris la mesure de ce qui se tramait et que j'ai compris que la mort de Francis ne pouvait être le fruit du hasard.

Sous la photo de Chase, un nom inconnu était affiché en surimpression : Robert Flynn.

21.

LE DERNIER TÊMOIN

La voix puissante et mélancolique de Maria Callas résonnait dans l'habitacle. Celle qu'on appelait «la Callas» interprétait *La mamma morta*, tirée de l'opéra *Andrea Chénier*. Une deuxième voix, un *falsetto*, accompagnait la cantatrice dans certains passages. Cette deuxième voix, c'était celle d'Adrian Mitchum, dans sa voiture banalisée de la police de Lowell. Envoûté par la musique et submergé par l'émotion, l'inspecteur filait à haute vitesse sur l'autoroute inter-États 95. Son blouson de cuir était soigneusement accroché sur un cintre, à l'arrière. Au moment où, dans l'aria, la soprano allait atteindre les notes les plus aiguës, une sonnerie stridente retentit à contretemps. Avec mauvaise humeur, Mitchum appuya sur le bouton pour éteindre le lecteur CD et prit la communication sur son cellulaire.

– Madame Hammett?

– Où êtes-vous, Adrian? Je vous entends mal.

Le policier haussa la voix:

– Écoutez, je n'ai pas réussi à mettre la main sur le feuillet d'interrogatoire qui a disparu du dossier d'enquête, mais je crois que j'ai retrouvé le témoin. C'est un vieil homme qui habite dans une résidence pour personnes âgées, à Salem.

Il s'appelle Taylor Riley. Je lui ai parlé au téléphone et je suis en route pour le rencontrer. Je devrais être là-bas dans dix minutes...

D'un geste vif, le policier donna un coup de volant pour éviter une voiture qui venait de changer de voie.

– Tout à l'heure, je vous ai laissé un message à propos de l'homme qui a consulté le dossier d'enquête récemment. D'après mes recherches, Francis Powers est un des conseillers de Colin Stavanger, le principal adversaire de votre mari. Ce serait trop vous demander de me dire ce qui se passe?

– Francis est mort, Adrian.

En quelques phrases, Leah lui raconta le délit de fuite, lui parla des doutes qu'elle avait entretenus à l'égard de Francis et de l'avis de recherche qu'elle venait de voir aux informations.

– Êtes-vous certaine que c'est une photo de Chase que les médias diffusent?

– Je suis certaine que c'est lui, mais le nom qu'on lui donne n'est pas le sien.

Une inquiétude sourde étreignit le policier. Non seulement Chase Moore était-il présumé mort depuis vingt-cinq ans, mais le fait qu'un avis de recherche soit transmis par les médias aussi tôt après le délit de fuite sortait de l'ordinaire.

– Où êtes-vous en ce moment? Vous êtes seule?

– Oui. Je suis dans ma chambre, au Kerouac.

– Êtes-vous sous la protection du Secret Service? Y a-t-il un agent que vous pouvez appeler, à qui vous pouvez demander de venir vous rejoindre?

– Non. Ils ont tous accompagné Patrick.

– Très bien. Je fais demi-tour et je viens vous chercher, Leah.

C'était la première fois que le policier l'appelait par son prénom.

– C'est hors de question! Il faut que vous interrogiez cet homme, Adrian. Peut-être que la clé de l'énigme se trouve là-bas, à Salem.

Mitchum ne voulait pas l'effrayer sans raison, mais elle devait saisir la gravité de la situation. D'une part, les morts ne conduisent pas de fourgonnette. D'autre part, il était possible que le décès de Powers soit relié à la disparition du feuillet d'interrogatoire.

Il répondit d'une voix calme:

– D'abord ce message texte que vous avez reçu et maintenant cet accident... Écoutez, je ne crois pas aux coïncidences. Si le signalement du suspect est effectivement celui de Chase, il faut exclure d'emblée l'idée que Powers ait été victime d'un délit de fuite fortuit. Et si ce n'est pas un accident, c'est que...

Leah termina la phrase à sa place:

– ... Francis a été assassiné.

– Si c'est le cas, nous ne pouvons courir le risque qu'on s'en prenne aussi à vous.

– Qui s'en prendrait à moi?

Le policier ignora la question.

– Je vous envoie des patrouilleurs. D'ici à ce qu'ils arrivent, verrouillez la porte. Vous n'ouvrez à personne d'autre. Compris?

– D'accord.

– Est-ce que vous me parlez de votre cellulaire en ce moment?

– Oui.

– Je préfère être trop prudent que pas assez. Dès que nous aurons raccroché, je veux que vous enleviez la carte SIM et, qu'ensuite, vous balanciez le téléphone et la carte. De cette manière, on ne pourra pas vous géolocaliser ou trianguler vos appels.

Aucune réponse. L'inspecteur parla plus fort, criant presque :

– Leah, avez-vous compris ce que je vous ai demandé ?

– Oui.

La main gauche de Mitchum se crispa sur le volant. Il entrait dans Salem et n'était plus qu'à quelques coins de rue de sa destination.

– Dans ce cas, faites-le sans poser de questions.

– D'accord. Je vais le faire.

Alors qu'il allait brûler un feu rouge, l'inspecteur freina en catastrophe. Une jeune maman qui traversait la rue avec son enfant le dévisagea, des éclairs dans le regard. La voie libérée, il repartit en actionnant le gyrophare situé dans la vitre arrière.

– Vous attendez les patrouilleurs. Ils vont m'appeler à leur arrivée. Si jamais il se passe quoi que ce soit, vous appelez la réception avec le téléphone de votre chambre pour qu'on envoie la sécurité, puis vous vous barricadez dans les toilettes. Suis-je clair?

– Très clair.

Le policier poursuivit sur un ton qui se voulait rassurant :

– Ce ne sont que des mesures préventives, Leah. Faites ce que je vous ai dit et tout ira bien. Mes collègues seront là très rapidement. Nous allons tirer la situation au clair. Faites-moi confiance.

Mitchum coupa la communication. Saisissant l'émetteur radio, il lança un appel pour qu'une voiture de police se rende immédiatement au Kerouac et donna des instructions pour que les patrouilleurs dépêchés sur les lieux rejoignent Leah Hammett dans sa chambre. Il demanda aussi que l'officier responsable du délit de fuite le rappelle sur son cellulaire. Il voulait en savoir plus à propos du signalement divulgué aux médias.

L'inspecteur bifurqua à droite au carrefour et s'engagea dans la rue où était situé le foyer pour personnes âgées. Roulant à basse vitesse, il vérifia les adresses civiques sur les immeubles et gara la voiture sur le bord du trottoir.

– Est-ce un problème si je me parle à moi-même? Il n'y a pas de problème avec ça, hein? Une voix dans ma tête me dit de ne pas le faire, mais je ne peux pas m'en empêcher. Je ne fais rien de mal, hein?

Une préposée aux bénéficiaires avait conduit le policier au dernier étage, où logeaient les personnes en perte d'autonomie. Alors qu'il marchait dans les corridors, un effluve rance avait saisi Adrian à la gorge, puis lui était monté aux narines: l'odeur de la décrépitude des corps.

Frêle comme une brindille dans son pyjama trop ample, le teint aussi gris que les quelques touffes de cheveux qui parsemaient son crâne moucheté de taches brunes, âgé de soixante-dix-neuf ans, mais paraissant plus que centenaire, Taylor Riley semblait l'attendre, recroquevillé dans son fauteuil roulant.

Les coudes sur la table, Adrian Mitchum soupira.

– Non, je ne crois pas que ce soit un problème, monsieur Riley. Mais pouvez-vous me parler de ce que vous avez vu ce soir-là?

– Ce soir-là? Quel soir? Ah oui! Le soir où Armstrong a marché sur la lune?

Les doigts du policier tambourinaient sur la surface de bois.

– Reprenons depuis le début, monsieur Riley, voulez-vous? Rappelez-vous la visite de l'inspecteur Santos. Vous souvenez-vous de l'inspecteur Santos? Vous m'avez dit que oui, tout à l'heure.

Une dizaine de secondes s'écoulèrent. Les yeux dans le vide, de l'écume au coin des lèvres, Taylor Riley hocha la tête.

– Santos? Oui, je me souviens de lui. L'inspecteur Santos…

– Monsieur Riley, vous rappelez-vous que l'inspecteur Santos vous a posé des questions? Il enquêtait sur la mort de deux jeunes… Un garçon et une fille avec des cheveux foncés…

– Un garçon et une fille… Peut-être, je ne sais plus. Mais dites-moi, jeune homme… est-ce un problème si je me parle à moi-même? Il n'y a pas de problème avec ça, hein?

Le policier regarda sa montre. Plus tôt, la préposée lui avait glissé à l'oreille que la mémoire de Riley défaillait la plupart du temps et que, conséquence de plusieurs décennies d'abus d'alcool, il souffrait de troubles mentaux.

– Mais il a parfois des moments de lucidité, avait-elle ajouté en tournant les talons.

Adrian posa sa main sur l'épaule du vieillard.

– Non, monsieur Riley, il n'y a pas de problème avec ça. Mais revenons à l'accident, si vous le voulez bien…

22.

LE DEUXIÈME CELLULAIRE

Combien de fois dans sa vie une personne frôle-t-elle la mort sans jamais en soupçonner l'imminence? Combien de fois, en posant le pied dans la rue une seconde avant ou après, une voiture aurait-elle pu me faucher? Combien de fois, en freinant une seconde trop tôt ou trop tard, une automobile aurait-elle pu emboutir la mienne et me précipiter dans le monde des ombres? Aussi étrange que ça puisse paraître, au lieu d'essayer de comprendre quel intérêt aurait eu Chase, en supposant qu'il soit encore en vie, à assassiner Francis, c'est plutôt ce genre de considérations qui m'habitaient après l'appel de l'inspecteur Mitchum.

J'ai toujours été fascinée par la théorie de l'effet papillon, qui est souvent résumée par une question: le simple battement d'ailes d'un papillon peut-il déclencher une tornade à l'autre bout du monde? Et si, au lieu de faire ce que le policier m'avait demandé et de m'enfermer dans la chambre, je faisais exactement le contraire? Qu'arriverait-il si, par exemple, je sortais dès maintenant, que je descendais à la réception et que j'allais demander au gardien de sécurité de l'hôtel de me protéger?

Si quelqu'un se dirigeait en ce moment même vers ma chambre pour s'en prendre à moi, qu'aurais-je pu faire au préalable, ou ne pas faire, pour ne pas croiser son chemin? Quelles autres possibilités s'étaient présentées à moi en cours de route? M'auraient-elles permis d'éviter de me retrouver dans cette situation? Depuis quand la séquence d'événements m'y ayant menée avait-elle commencé? Il y avait de ça quelques heures, quelques jours ou vingt-cinq ans?

Et tandis que j'enfilais un jean, un t-shirt et des chaussettes, une autre question s'est mise à tourbillonner dans mon cerveau: que se passerait-il si je décidais d'appeler une personne de confiance pour lui parler de ce qui était en train de se produire? S'il y avait une personne correspondant à cette description, c'était bien Gene Crawford. Et, je le jure, c'est à ce moment-là que mon téléphone a sonné et que son nom est apparu sur l'afficheur. Y voyant un signe, j'ai pris l'appel. À l'entendre, j'ai tout de suite compris que mon vieil ami était soit très énervé, soit très inquiet. Ou les deux à la fois.

– Leah, est-ce que tout va bien? Je viens de parler à un agent du FBI, un certain Jones, et d'apprendre pour l'accident de Powers. C'est horrible!

– Ce n'était pas un accident, Gene.

Le caractère de chacun de nous comporte sa part de paradoxes. Je ne suis ni une femme qu'on impressionne avec un rien ni quelqu'un qui se livre facilement. Des images d'une violence inouïe me traversent régulièrement l'esprit. Les épreuves que j'ai vécues au début de la vingtaine ayant laissé de profonds stigmates, je suis habituée à composer avec le malheur.

Je sais que Mitchum n'avait en aucun cas, par ses propos, voulu m'effrayer. Pourtant, je dois admettre qu'en mettant fin à notre appel, j'étais loin d'être rassurée. Ma cuirasse de femme toujours en possession de ses moyens était fissurée.

Aussi, l'appel de Gene tombait à pic : je lui ai raconté sans hésitation ce que je savais, je lui ai tout craché en bloc.

Je lui ai parlé de la mort de Francis, du signalement de Chase à la télé et de Mitchum qui était en route pour interroger un témoin.

J'ai craint que Gene remette en cause ce que j'avançais ou qu'il me reproche d'avoir parlé à la police, mais il m'a écoutée vider mon sac sans m'interrompre une seule fois. Puis, quand il a repris la parole, sa voix calme m'a rassurée.

– J'ai justement demandé à cet agent du FBI de rester dans les parages, au cas où… Ne bouge pas de ta chambre, je l'appelle et je lui demande de monter te rejoindre.

J'ai repensé au colosse qui m'avait raccompagnée jusqu'à l'hôtel. Jones ne s'en laisserait pas imposer. Du coup, mes craintes ont baissé d'un cran.

– Qu'est-ce qui se passe, Gene ?

– Je ne sais pas, mais nous n'allons pas tarder à être fixés. Ne parle à personne et attends Jones.

J'ai acquiescé. J'hésitais à poser la prochaine question, celle qui m'effrayait.

– Crois-tu que Patrick aurait pu être dans la voiture avec cette fille?

– Je n'en crois pas un mot. Mais une chose est sûre: tout est relié à l'élection. C'est comme un putsch. Ils essaient de le faire tomber. Mais crois-moi: ils n'y arriveront pas!

Après ma conversation avec Gene, j'ai enlevé la carte SIM de mon téléphone. De la terrasse, j'ai lancé l'appareil aussi loin que j'ai pu. Il a atterri sur le toit d'une usine de textile désaffectée. Dans la salle de bains, j'ai enveloppé la carte dans une boule de papier hygiénique et je l'ai regardée disparaître dans la cuvette. La peur nouait mon estomac. Je prenais peu à peu la mesure de la situation.

Ça peut paraître idiot, mais je me suis alors mis en tête de trouver une arme. J'ai fouillé dans ma trousse de toilette, où je rangeais mes ciseaux de manucure. J'ai répandu le contenu sur le comptoir, mais ma recherche s'est avérée vaine.

Fébrile, je suis retournée dans le séjour tirer le verrou et accrocher la chaînette de sécurité. En posant les yeux sur le canapé, j'ai su que je venais de dénicher ce que je cherchais. Sans attendre, je l'ai retourné sur le côté, puis j'ai dévissé un des pieds de bois massif. J'ai soupesé l'objet dans ma main: j'avais maintenant une arme.

Je me suis aussitôt sentie ridicule avec mon pied de canapé dans la main. Posant la batte sur le tapis, j'ai pris mon paquet de cigarettes dans mon sac et je suis sortie fumer sur la terrasse.

L'air frais et le passage de la nicotine dans mon organisme m'ont calmée.

De retour à l'intérieur, je me suis dirigée vers la chambre pour prendre mes chaussures de course. En passant près du canapé, un objet a attiré mon attention. Il était à demi dissimulé sous un coussin qui s'était déplacé quand j'avais bougé le meuble. Intriguée, je l'ai saisi : il s'agissait d'un cellulaire. Sur le coup, j'ai pensé qu'il avait été perdu par un précédent client de l'hôtel. Me disant que la providence m'offrait un appareil, j'ai appuyé sur une touche pour vérifier s'il fonctionnait. L'écran s'est allumé. Une fenêtre indiquait qu'un appel était entré. Bizarrement, le numéro de l'appelant me disait quelque chose. En quelques clics, j'ai accédé au registre des appels. Toutes les communications concernaient ce même numéro. Ma curiosité étant piquée, je l'ai composé. Après cinq sonneries, un message enregistré s'est fait entendre.

Mon cœur a manqué quelques battements lorsque j'ai reconnu la voix de Francis Powers.

Je suis restée un long moment sans bouger, à ne savoir que faire. Entendre la voix de Francis m'avait scié les jambes. Puis mon esprit s'est remis en marche. J'ai tenté d'évaluer la probabilité qu'un précédent client de la chambre ait oublié un cellulaire qui n'aurait servi qu'à entrer en contact avec Francis et estimé qu'elle était nulle.

Les appels avaient commencé au début du mois de février. Quelques communications s'échelonnaient sur les dernières semaines. L'une d'elles datait de la veille : un appel entrant avait été reçu à 22 h 12.

Sans parvenir à l'établir avec certitude, j'en ai déduit que ça correspondait avec le moment où Patrick avait reçu un appel en ma présence. Il avait prétendu qu'il s'agissait de Shane Murphy, mais qu'est-ce que j'en savais réellement? Il s'était retiré dans le séjour pour parler alors que je me glissais sous la douche. Je ne me rappelais pas avoir aperçu le cellulaire qu'il avait en main, mais même si je l'avais vu, je n'y aurais pas prêté attention. Patrick changeait souvent de téléphone et il n'aurait pas été incongru qu'il ait été en possession de deux appareils pour les besoins de la campagne. En l'occurence, même si ce n'était pas le modèle que mon mari utilisait d'habitude, je devais donc en conclure que ce téléphone lui appartenait et qu'il l'avait perdu dans une fente du canapé la veille.

J'ai continué de faire des liens dans ma tête, puis mon regard s'est focalisé sur les deux communications reçues dans la journée. Un appel était entré dans la matinée, suivi d'un autre à 15 h 25, soit environ une heure avant la mort de Francis.

Quelques instants m'ont suffi pour échafauder une théorie et elle m'a donné froid dans le dos : Patrick avait-il fait assassiner Francis après que celui-ci eut essayé de le faire chanter? Tout cela était-il relié au feuillet manquant?

23.

SUR LE TARMAC

Le Learjet roula pour se mettre en position, puis s'immobilisa. La voix du pilote retentit dans les haut-parleurs : le vol à destination d'Albany attendait l'autorisation de la tour de contrôle pour décoller. Le bourdonnement des réacteurs était à peine perceptible pour les quelques passagers qui se trouvaient dans la carlingue.

Fauteuil incliné vers l'arrière, paupières closes, Shane Murphy semblait se préparer à faire une sieste. À ses côtés, Patrick Adams peaufinait son allocution. Briggs et trois hommes du Secret Service étaient assis derrière eux.

Sans ouvrir les yeux, Murphy brisa le silence :

– Pas fâché que ce soit la dernière. Ça fait du bien de ne pas avoir les journalistes au cul !

Adams continua de griffonner dans la marge de son texte.

– Mmm…

Un cellulaire vibra. Murphy plongea la main dans la poche intérieure de sa veste et prit son appareil.

– Allo ? (…) Quoi ? Quand ça ? (…) OK. Merci.

Murphy coupa la communication. Adams se redressa et se tourna vers son rédacteur en chef. Un pli lui barrait le front.

– Qu'est-ce qui se passe, Murph? Un problème?

Murphy se carra dans son fauteuil. Il leva la main dans un geste d'apaisement.

– Non, non. Un des conseillers de Stavanger est mort tout à l'heure. Délit de fuite...

Le visage de Patrick Adams se contracta.

– Qui ça?

– Francis Powers.

Patrick tressaillit. Il ouvrit la bouche pour parler, mais la referma sans prononcer un mot.

La voix du pilote crépita dans les haut-parleurs. Le grondement des réacteurs s'intensifia et, s'ébranlant brusquement, l'avion se mit à rouler de plus en plus vite sur la piste. Les corps des passagers s'enfonçaient dans leurs sièges. Et tandis que le Learjet s'arrachait du sol, Murphy pensa que quelque chose venait de changer dans le regard de son patron.

24.

L'AGENT JONES

Assis derrière son bureau, la tête inclinée vers le sol, les doigts sur les tempes, Gene Crawford réfléchissait avec intensité depuis plusieurs minutes. Il connaissait Leah depuis plus de vingt ans. Elle l'aimait comme son propre frère, lui avait toujours fait confiance et il comptait parmi ses rares confidents.

Gene avait envisagé toutes les hypothèses, soupesé toutes les options, validé toutes les variables, mais il revenait, inexorablement, toujours au même point : il n'avait pas d'autre choix. Évidemment, Patrick serait dévasté, sauf que, aujourd'hui plus que jamais auparavant, Gene se devait de le protéger contre lui-même. Il se devait d'éloigner les obstacles dressés entre la présidence et lui. Gene avait toujours œuvré dans l'ombre, avec abnégation et, grâce à lui, Patrick arriverait là où son handicap l'avait empêché d'aller.

Il frappa sur la table de travail de son poing valide. Cet imbécile de Santos lui avait pourtant assuré que toutes les traces avaient été effacées ! Gene se ressaisit aussitôt. Il fallait agir. C'est ce qu'il avait toujours fait et aujourd'hui n'y ferait pas exception.

Se relevant, il contempla longuement le cellulaire posé devant lui : du plastique, des circuits, un écran, une pile. Pour le commun des mortels, un objet de consommation, d'utilisation courante, un gadget vite devenu banal après quelques semaines d'utilisation ; dans sa main, à ce moment, un engin de mort tandis qu'il se résolvait à passer l'appel qui scellerait de façon définitive le sort de Leah Hammett.

– Elle est dans le penthouse numéro 2, au dernier étage.

– C'est comme si c'était fait, monsieur.

Gene déglutit avec peine et ravala un sanglot. Jamais il n'avait pensé qu'il devrait en arriver là lorsqu'il avait fait appel aux services de Jones.

– Je vous en prie, soyez bref…

– Oui, monsieur.

– Et pour l'autre ?

– On l'aura, monsieur. Faites-moi confiance…

Le géant noir déplia sa longue carcasse et sortit du VUS. Alors qu'il approchait de l'entrée du Kerouac, une voiture de police tourna au carrefour. Sirène hurlante, elle se dirigeait vers l'hôtel. Sur le trottoir, des passants se retournèrent en direction du véhicule, mais pas l'agent Jones, qui continua de marcher tranquillement vers les lourdes portes de cuivre.

Brusquement, comme si une force invisible avait claqué des doigts, quelques mètres avant d'arriver à la hauteur du Kerouac, le gyrophare s'éteignit et la sirène se tut. La voiture de police ralentit l'allure et passa devant le Kerouac sans s'arrêter. Saluant le chasseur avec un sourire, l'agent Jones franchit le seuil tandis que l'autre, sans savoir que c'était à la mort qu'il permettait d'entrer, lui tenait la porte avec déférence.

25.

LE CODE

Mitchum faisait du surplace. Il reprit du début:

– L'inspecteur Santos est venu vous interroger à propos d'un accident, monsieur Riley. L'accident remonte à 1991...

Les yeux du vieillard papillotaient sans cesse, comme si les réponses étaient inscrites sur le mur, derrière le policier.

– L'inspecteur Santos... En 1991? C'était à l'époque de la guerre du Golfe, ça. Oui, c'est ça, pendant la première guerre du Golfe...

Mitchum inspira profondément.

– C'est exact, monsieur Riley. Mais ce n'est pas de la guerre du Golfe que je suis venu vous parler. Faites un petit effort pour vous souvenir... L'inspecteur Santos est venu vous parler d'un accident. Une Porsche rouge qui a plongé dans la rivière Concord. Il y avait une fille dedans. Vous avez vu quelque chose ce soir-là? Peut-être un jeune homme qui essayait de la sauver?

Le téléphone de Mitchum sonna. Il crut d'abord que l'officier en charge du délit de fuite le rappelait. Le nom inscrit sur son afficheur le fit sourciller.

Que pouvait bien lui vouloir Seymour Glass?

Il avait eu affaire au chef adjoint de la police de Lowell une seule fois, quelques années auparavant, et s'en félicitait. Comme tous les aspirants enquêteurs, Adrian avait défilé dans le bureau de Glass, qui l'avait questionné de longues minutes sur ses motivations. Le type n'était pas commode : au poste, il était perçu comme l'exécuteur des basses œuvres du chef.

La voix du chef adjoint retentit dans le récepteur, forte et autoritaire :

– Mitchum ?

– Oui, monsieur ?

– Où êtes-vous en ce moment ?

– Je suis à Salem, monsieur.

– Avec une voiture banalisée du service ?

– Oui, monsieur.

Mâtinées d'un accent texan, les semonces de Seymour Glass tonnaient :

– Et puis-je savoir ce que vous faites à Salem, Mitchum ? En plus avec une voiture banalisée du service ! Vous n'avez aucune juridiction là-bas ! Qui a autorisé ce déplacement ?

– J'enquête sur une affaire impor…

Glass l'interrompit :

– Vous allez ramener votre cul ici en quatrième vitesse, Mitchum.

– Écoutez, monsieur, ça concerne la femme de Patrick Adams et…

– Assez ! Rentrez immédiatement, inspecteur ! Sinon, je vous fais suspendre.

– Mais… je ne peux pas faire ça, monsieur…

Contrarié, Glass explosa :

– Je fais révoquer vos privilèges, Mitchum ! Vous allez en chier ! Pensez aux conséquences.

Adrian se gratta la nuque. Devant lui, le pouce sur l'oreille et l'auriculaire devant la bouche, Taylor Riley remuait les lèvres, faisant mine de parler au téléphone.

– Qu'est-ce que vous voulez dire, monsieur ?

– Ce n'est pas Nicholas, votre frère jumeau, qui est en liberté conditionnelle ? Possession et trafic de stupéfiants, ça va chercher au minimum dans les vingt-cinq ans…

Comme terrassé par un coup à l'estomac, Mitchum mit quelques secondes à récupérer. La colère l'envahit, mais il réussit à se contenir.

– Est-ce que je dois comprendre que vous me menacez, monsieur ?

Glass émit un petit ricanement. Son ton était maintenant paternaliste :

– Tu as des couilles pour t'adresser à moi comme ça, fiston. Mais tu es impliqué dans quelque chose qui te dépasse. Retourne jouer dans ton carré de sable et laisse les grandes personnes régler ça entre elles.

Un long silence perdura.

– On s'est compris, fiston ?

Mitchum serra les dents pour réprimer sa colère.

– On s'est compris, monsieur.

Adrian Mitchum avait été élevé par des parents aimants. Pour joindre les bouts, son père, James Edward, s'était échiné toute sa vie à travailler à titre de commis dans une pharmacie, sa mère, Martha, comme caissière dans un supermarché. Leur plus grande réussite avait été d'économiser suffisamment d'argent pour donner aux jumeaux, Adrian et Nicholas, la possibilité de faire des études supérieures et de recevoir l'instruction qui leur avait cruellement fait défaut. De son vivant, la valeur la plus importante léguée par le père à ses deux fils se résumait à un seul mot, un tribut parfois lourd à porter : honneur.

Ainsi fallait-il en tout temps chez les Mitchum observer de façon rigoureuse le code d'honneur. Quand il voulait réprimander l'un de ses fils, James Edward n'avait d'ailleurs pas besoin de grands discours. Il lui suffisait de prononcer les mots « c'est le code » avec un regard appuyé pour que les jumeaux obtempèrent.

En grandissant, ses fils avaient scrupuleusement respecté ses enseignements, mais chacun avait interprété « le code » à sa façon. Nicholas avait été entraîné dans une suite d'événements malheureux pour lesquels il avait passé pas mal de temps en prison. Son refus de dénoncer ses complices lui avait valu la considération des autres détenus, mais aussi plusieurs mois de détention additionnels.

Dès son entrée dans les forces de l'ordre, Adrian s'était fait un devoir d'exercer son métier avec intégrité et probité. Dans ce cas-ci, pour éviter de subir les foudres de Glass, il pouvait tout abandonner et rentrer au Kennedy Civic Center. Mais s'il avait choisi ce métier, c'était pour combattre le crime et la corruption, et non pour céder à la première embûche. Respecter le code et faire face aux conséquences qui en découleraient était la seule option valable à ses yeux.

Adrian réfléchissait à toute vitessse. Francis Powers avait consulté le dossier d'enquête et il était mort. À présent, voilà que Glass voulait l'empêcher d'interroger Taylor Riley. Son supérieur n'ayant même pas pris soin de voiler ses menaces, Adrian ne pouvait qu'en conclure qu'il s'attaquait à des gens puissants, des gens qui avaient infiltré les strates supérieures de la police de Lowell et qui étaient prêts à prendre tous les risques, et même à tuer, pour protéger leurs secrets.

Il comprenait aussi que Glass tenterait de le stopper par tous les moyens et ferait certainement annuler l'envoi de patrouilleurs à la chambre de Leah Hammett.

Adrian hésita quelques secondes, puis il téléphona à un autre enquêteur. La tête inclinée vers le sol, le vieux Riley semblait s'être replongé dans son univers parallèle. À voix basse, le collègue de Mitchum lui répondit:

– Glass vient de passer. On a reçu l'ordre de t'arrêter, vieux. Dans quoi tu t'es fourré?

Adrian raccrocha illico. Sachant qu'il ne pouvait désormais plus compter sur personne pour assurer la protection de Leah, il appela le seul qui pouvait encore l'aider...

– T'es chez toi? Qu'est-ce que tu fais?

Certaines situations ne s'inventent pas. Ayant complété une maîtrise en philosophie, Nicholas Mitchum avait toujours été le plus intellectuel des jumeaux.

Il pensa d'abord dire la vérité à Adrian : il était en train de lire tranquillement *Crime et châtiment*, un roman de Dostoïevski. Il opta toutefois pour la voie de la facilité.

– Pas grand-chose.

– Écoute, j'ai besoin de ton aide, *bro*... Tu te rends au Kerouac et tu protèges la femme qui se trouve dans le penthouse numéro 2. Elle s'appelle Leah Hammett. Ne cherche pas à comprendre, c'est la femme d'un des candidats à la présidence. Je suis à Salem, j'arrive !

Nicholas enleva ses lunettes de lecture, une paire de demi-lunes attachées à une cordelette rouge qui auraient pu appartenir à sa grand-mère. Il les laissa retomber contre son thorax. C'était toujours la même chose avec Adrian : que des plans improvisés à la hâte.

– Quel candidat à la présidence ?! De quoi tu parles ? Un, je m'en fous. Et deux, je n'ai pas de tes nouvelles pendant des semaines et puis... et puis ça ?!

– Pas le temps de t'expliquer, *bro*. Vas-y, *maintenant* ! Et prends ton pistolet avec toi.

Nicholas ne répondit pas tout de suite. Se redressant, il s'assit sur le bord du lit et écrasa sa cigarette dans le cendrier posé sur la table de nuit. Puis il laissa tomber d'un ton neutre :

– Je n'ai pas de pistolet.

Adrian émit un petit rire avant de poursuivre :

Martin Michaud

– Nicholas, je sais que tu mens. Tu gardes un Beretta entre ton matelas et ton sommier.

Passant la main dans sa barbichette, Nicholas ferma les paupières et fit un effort pour se contenir.

– Et merde! Ça prend bien un inspecteur de la criminelle pour confondre un Beretta avec un Sig Sauer. Envoie une voiture de police, c'est toi le policier!

– Je ne peux pas, Nicholas. Ce serait trop long à t'expliquer, mais je ne sais plus à qui je peux faire confiance. Ils ont infiltré le service de police.

Nicholas se leva, furieux.

– De quoi tu me parles? C'est quoi, ces histoires? Je ne peux pas faire ce que tu me demandes, Adrian. Et, de toute façon, tu imagines un peu les conséquences si je me fais prendre? Tu sais que je suis en liberté conditionnelle. C'est toi qui vas me sortir de la merde si tu me plonges dedans?

– Je sais tout ça, *bro*, et non, je ne peux pas te garantir l'immunité. Mais je t'assure que je ferais autrement si je le pouvais…

Adrian détestait devoir impliquer son frère dans cette affaire en jouant sur ses sentiments, mais il n'avait pas d'autre choix et aucun temps à perdre. Il prononça la formule magique:

– C'est le code, Nicholas.

S'apprêtant à partir, Adrian téléphonait à Leah lorsque Taylor Riley fut secoué par une violente quinte de toux. Un filet de bave et de filaments blanchâtres pendait de sa bouche. Ne sachant que faire, Mitchum chercha des mouchoirs dans son blouson de cuir. Il ne trouva que la pochette de tissu où il rangeait normalement la paire de lunettes fumées qu'il avait perdue quelques semaines plus tôt, des Oakley à verres jaunes lui ayant coûté la peau des fesses. Il regarda la pochette, puis le visage raviné du vieux. Eh merde! L'inspecteur se leva et tamponna les babines du vieillard. Riley le fixa droit dans les yeux.

– Je ne me souviens pas de la fille... Mais je me souviens du garçon... En fait, il y avait deux jeunes hommes qui marchaient sur le bord de Lawrence Street.

Mitchum resta bouche bée un instant. Qu'avait dit la préposée? L'homme avait parfois des éclairs de lucidité... Pour la première fois depuis son arrivée, Riley et lui vivaient dans la même réalité. Mitchum hésita sur le choix des mots, reformula dix fois la question dans sa tête de peur de replonger le vieil homme dans ses songes.

– Leur avez-vous parlé?

– Non. Je n'habitais pas à Lowell. Je ne me suis pas arrêté. Je passais seulement par là en voiture. J'avais bu...

Mitchum eut l'impression de danser avec un aveugle sur un fil de fer tendu entre deux gratte-ciel. Le moindre faux pas et ce serait la catastrophe, la chute dans l'abysse des synapses du vieux.

– Pourquoi les avez-vous regardés, monsieur Riley? Que faisaient-ils?

– Ils marchaient. C'est tout. Je les ai remarqués seulement parce qu'ils étaient trempés.

Mitchum assimila l'information. Une question lui vint immédiatement à l'esprit: Chase Moore était-il un des deux hommes?

– Connaissez-vous leur nom?

– Non. Et vous?

Merde! Mauvaise question! Il allait le perdre, il le vit dans son regard.

– Pouvez-vous me les décrire, monsieur Riley?

L'homme dévisagea Mitchum comme s'il venait de lui poser une question incongrue.

– C'étaient juste deux jeunes... Je ne me souviens pas beaucoup du premier. Mais l'autre, on aurait dit que son bras...

Mitchum se tint coi. Riley plissa les yeux, comme si les deux silhouettes étaient de nouveau happées par le faisceau des phares.

– Oui, un des deux garçons avait un bras plus petit que l'autre...

26.

JAMES EDWARD MITCHUM

La rue défilait dans les pupilles d'Adrian Mitchum, qui roulait à toute vitesse : la bande jaune sur le bitume, les feux arrière des voitures qu'il doublait, les maisons de planches aux couleurs vives et les mines effrayées des passants qui sursautaient en se retournant sur son passage. Le policier avait appelé Leah Hammett à sa chambre. Les derniers fils qui la rattachaient à ce qu'elle comprenait de la vie venaient d'être sauvagement rompus.

– Ce que vous dites est impossible, Adrian.

Mâchoire crispée, pistolet coincé sous la cuisse gauche, Mitchum parla d'une voix forte dans son cellulaire, pour couvrir le bruit de la sirène :

– C'est pourtant la vérité. Ils ont infiltré la police, Leah. Ils vont essayer de m'arrêter. Sortez de la chambre et faites exactement ce que je vous ai dit. Et, surtout, ne faites confiance à personne d'autre qu'à Nicholas.

Alors qu'elle aurait voulu crier, Leah souffla dans un murmure :

– Je ne pourrai pas, Adrian.

– Sortez de cette chambre immédiatement, Leah ! Vous êtes en danger !

Des gouttelettes de sueur perlant sur son front, Mitchum coupa la communication et tourna le coin de la rue sur les chapeaux de roues. Il frappa le volant du poing. Deux voitures de police lui barraient la route. Une main à la hanche, crispée sur la crosse de son arme, un policier en uniforme lui fit signe de se ranger contre le trottoir.

Freinant brutalement, Adrian s'immobilisa à cinquante mètres de la voiture de police, laissant tourner le moteur. Sans se presser, il appuya sur une touche de son cellulaire.

La voix nasillarde de Nicholas retentit :

– Je suis presque arrivé à l'hôtel…

– La police de Salem a dressé un barrage pour m'arrêter. Écoute-moi, *bro*…

Adrian lui donna la description du géant noir dont lui avait parlé Leah. Ils échangèrent encore quelques phrases, puis l'inspecteur balança son cellulaire sur le siège du passager.

Le policier s'avançait vers lui. Appuyant sur le bouton d'allumage du lecteur CD, Adrian le tourna au maximum. La voix de Maria Callas explosa dans l'habitacle. Le jeune homme eut une pensée pour son père qui avait tout sacrifié pour que Nicholas et lui aient une existence meilleure que la sienne. Son paternel était mort depuis longtemps, mais Adrian n'avait jamais oublié le son de sa voix. Il n'était pas de ceux qui croyaient en Dieu ni en l'au-delà, mais pourtant, à cet instant précis, l'inspecteur aurait juré qu'il venait d'entendre James Edward Mitchum.

Vas-y, Adrian ! C'est le code !

Mitchum voyait les veines saillir dans le cou du patrouilleur tandis que celui-ci dégainait son pistolet. Il prit une grande inspiration et embraya pour passer la marche arrière. Serrant les dents, il appuya à fond sur l'accélérateur.

27.

PROJECTION DANS LE NOIR

Sortir de la chambre — danger, danger, danger —, évidemment il n'y avait rien d'autre à faire. J'avais envie de crier et de courir, mais les derniers mots qu'avait prononcés Mitchum me paralysaient et je restais là, pétrifiée, à essayer de remettre mes idées en ordre. Et comme si je n'avais pas encore saisi toute la portée de la conversation que l'inspecteur et moi venions d'avoir, certains fragments rejouaient en boucle dans ma tête :

– ... Riley a dit que l'un d'eux avait un problème avec un bras, qu'il semblait plus petit, atrophié.

– Mon Dieu... c'est Gene ! Mais... je viens de tout lui raconter au téléphone...

Quand je lui avais mentionné le handicap de mon ami et le fait que celui-ci m'envoyait un agent du FBI pour me protéger, Mitchum n'avait pas hésité une seule seconde :

– Ce n'est pas un agent du FBI qu'il vous envoie, Leah.

J'étais si terrifiée que j'écoutais à peine ce qu'il disait.

– Nicholas, mon frère jumeau, est en route pour vous porter secours. Appelez la réception pour alerter la sécurité et descendez-y par les escaliers !

Tandis que mon esprit partait en vrille, le policier m'avait donné un dernier avertissement :

– Sortez de cette chambre immédiatement, Leah! Vous êtes en danger!

J'ai brusquement secoué ma torpeur et attrapé le téléphone pour joindre la réception. Quand j'ai porté l'appareil à mon oreille, il n'y avait plus de tonalité. Incrédule, j'ai appuyé à plusieurs reprises sur les touches, sans résultat.

Encastrant le combiné dans son socle, j'ai essayé de prendre, dans une des poches de mon jean, le cellulaire que j'avais découvert plus tôt dans le canapé.

J'ai arrêté tout mouvement, cessé de respirer: quelqu'un glissait une carte magnétique dans le lecteur optique de la porte et essayait de l'ouvrir. J'ai attrapé le pied de canapé sur le tapis. Je me suis approchée en tremblant de tous mes membres. J'espérais très fort qu'il s'agisse du frère jumeau de Mitchum. J'allais regarder dans l'œil magique lorsque des coups frappés sur le battant m'ont fait sursauter.

– Madame Hammett? Ouvrez, c'est l'agent Jones. Gene Crawford m'envoie...

Un frisson d'effroi m'a glacé le sang dans les veines. Mes doigts se sont crispés sur mon arme de fortune. Si je restais dans cette chambre, je n'étais pas mieux que morte. Ce serait un jeu d'enfant pour le géant noir de venir à bout de la porte. Sans prendre le temps de réfléchir, j'ai retiré le verrou et répondu d'une voix posée, avec un sang-froid qui m'a surprise:

– Un instant, agent Jones, j'enlève la chaînette de sécurité.

Après m'être exécutée, je me suis plaquée contre le mur, sur la gauche. La porte a tourné sur ses gonds. À la vue de l'arme qui pendait le long de la cuisse de Jones, je ne me suis pas posé de questions. Les mains crispées sur la batte, j'ai frappé de toutes mes forces, l'atteignant de plein fouet au visage. J'ai entendu un affreux craquement d'os brisé, et du sang m'a éclaboussée. Surpris par mon attaque, déséquilibré, Jones est tombé à genoux sur le tapis de l'entrée en se tenant l'arcade sourcilière.

Sans attendre, je l'ai contourné et me suis ruée en direction du corridor. Je croyais être parvenue à passer lorsque Jones m'a agrippée par le mollet, me stoppant net dans mon élan. Une douleur fulgurante m'a traversée. Les doigts du géant noir enserraient complètement ma jambe, et sa poigne était telle que j'avais l'impression qu'il allait transformer l'os de ma cheville en poudre. Sans me retourner, je lui ai asséné plusieurs coups de pied de ma jambe libre, puis j'ai frappé de nouveau avec ma batte directement sur son poignet.

Sous la violence du choc, ses doigts se sont ouverts. J'étais libre! Je me suis élancée dans le corridor. À en juger par le boucan qu'il faisait, je devinais que Jones s'était déjà remis sur pied et qu'il se lançait à ma poursuite.

J'aurais peut-être dû me mettre à crier et à taper dans les portes, mais les choses se passent plutôt vite quand, dans un corridor de quelques mètres de largeur, un tel colosse vous prend en chasse. J'ai ouvert la porte de la cage d'escalier et je m'y suis engouffrée. Je dévalais les marches de ciment peintes en jaune, mais déjà Jones se précipitait à ma suite. Je devais faire quelque chose, sinon il me rejoindrait d'une seconde à l'autre. Au dernier moment, j'ai bondi sur ma droite et ouvert la porte qui donnait sur le huitième étage.

Déjoué par mon geste, Jones a mis un moment à réagir. J'avais gagné quelques secondes ! Remontant le corridor à toute allure, je me suis dit qu'avec un peu de chance je croiserais quelqu'un, qu'une porte s'ouvrirait au moment opportun.

À cet instant, j'ai pensé au téléphone cellulaire que j'avais dans ma poche. Mais je savais que les secondes que je perdrais en tentant d'appeler donneraient au géant noir la possibilité de me rattraper.

En désespoir de cause, j'ai hurlé :

– Au secours, aidez-moi !

Jones courait comme un dément et gagnait rapidement du terrain sur moi. J'avais les poumons en feu, les muscles de mes jambes commençaient à raidir et une douleur aiguë me vrillait le tibia. Encore quelques secondes et j'étais cuite. Totalement désespérée, j'en étais rendue à prier pour que l'improbable se produise, pour que quelqu'un sorte providentiellement de sa chambre. Quiconque se mettrait en travers du chemin ferait l'affaire ! Mais personne, il n'y avait personne, le couloir était désert. À croire que le Kerouac était vide !

– Au secours, aidez-moi !

J'ai tourné le coin et, dans l'aile est, mes prières ont été exaucées. Il y avait une femme de chambre dans le corridor avec son chariot. Un casque d'écoute sur les oreilles, elle balançait un tas de serviettes dans une conduite à linge. J'ai crié, mais elle est rentrée dans une chambre. À l'évidence, elle ne m'avait pas entendue. Je pouvais presque sentir l'haleine de Jones sur ma nuque. Encore quelques mètres et il fondrait sur moi.

C'est là que, subitement, l'idée m'est venue. Tout s'est joué en quelques fractions de seconde. J'avais la conviction qu'il me fallait tenter le tout pour le tout et qu'il s'agissait de ma dernière chance. Est-ce que je parviendrais à me glisser dans l'ouverture?

Si j'avais une certitude, c'était que le corps massif du géant noir, lui, ne passerait pas.

Je n'allais pas tarder à être fixée: dans l'urgence, j'ai ouvert le panneau de la conduite à linge et je me suis jetée dans le vide la tête la première. Jones a sûrement plongé pour me retenir, car j'ai senti ses doigts effleurer ma cheville. J'ai entendu un claquement sec: les ténèbres m'ont avalée quand le panneau s'est refermé derrière moi.

Je tombais en chute libre dans le noir.

28.

LE YIN, LE YANG

Dans son rétroviseur, Adrian Mitchum vit la voiture de police tourner le coin et déraper en décrivant un long arc de cercle. Puis l'arrière se déroba et le véhicule tangua de gauche à droite. L'inspecteur retint son souffle. Il crut un instant que la voiture de police allait percuter une autre automobile et faire un tête-à-queue, mais le conducteur parvint à la redresser. Adrian soupira. S'il était prêt à sacrifier beaucoup de choses pour sauver la vie de Leah Hammett, il ne voulait en aucun cas mettre celle de simples citoyens en danger.

Moteur rugissant, sirène et gyrophare en marche, il dodelinait légèrement de la tête tandis que, mâchoires crispées, il scrutait sans cesse dans toutes les directions.

Aux aguets, il marmonna pour lui-même :

– Où te caches-tu ?

Adrian présumait que les deux voitures de police l'avaient pris en chasse. Il s'attendait donc à voir le deuxième véhicule surgir de nulle part à tout moment. Les yeux du policier se posèrent de nouveau sur le rétroviseur. La voiture de police qui le suivait gagnait du terrain.

Deux automobiles s'écartèrent prestement sur la droite pour le laisser passer. L'inspecteur brûla un feu rouge et traversa le carrefour à haute vitesse. La silhouette de l'autoroute se profilait devant lui, plusieurs coins de rue plus loin.

Adrian donna soudain un coup de volant en catastrophe. Jaillissant sur sa gauche d'une ruelle transversale, lancée comme un projectile, la deuxième voiture de police tenta de l'éperonner, mais le manqua de peu. Adrian réussit à remettre son véhicule dans l'axe de la rue et à poursuivre sa route. Le conducteur de la voiture de police qui le suivait n'eut pas la même chance : incapable de réagir à temps, il percuta la véhicule de son collègue et l'envoya valser contre un lampadaire, sa propre course se terminant dans le mur d'une boulangerie.

– Bordel !

Adrian stoppa la voiture banalisée. Posant le bras droit sur le dossier du siège, il jeta un coup d'œil par-dessus son épaule. De la fumée blanche montait du moteur de l'une des voitures de police. Espérant que personne n'avait été blessé, il hésita entre sortir pour porter secours à ses collègues ou mettre les voiles. Lorsqu'il vit les deux patrouilleurs s'extirper des carcasses de tôle, il appuya sur l'accélérateur. Sans perdre une seconde, il se dirigea vers la bretelle d'accès de l'autoroute. Déjà, de nouveaux gyrophares apparaissaient dans son rétroviseur. Lorsque, enfin, il s'engagea sur la I-95, l'aiguille du compteur oscillait à près de cent milles à l'heure.

Tandis qu'Adrian Mitchum filait à toute vitesse en direction de Lowell, son frère jumeau rangeait sa Ford Mustang contre le trottoir, en face de l'hôtel. Nicholas arma son Sig Sauer et le glissa dans sa ceinture en pestant contre Adrian. La dernière fois qu'ils s'étaient vus, ça ne s'était pas particulièrement bien terminé.

Le code. Le code, mon cul!

Nicholas sortit de la voiture et se précipita au pas de course vers l'entrée du Kerouac. Le portier examina avec circonspection l'homme qui s'avançait vers lui : lunettes fumées à verres jaunes, longues *dreads*, barbichette, un tatouage sur la gorge. Sans s'arrêter, Nicholas lança :

– Je cherche Leah Hammett. Une grande blonde aux yeux verts. Vous l'avez vue?

Le portier esquissa une moue dédaigneuse. Il était hors de question qu'il viole les règles de confidentialité de la maison. À la réception, Nicholas interpella la préposée à l'accueil qui, derrière un comptoir, parlait au téléphone :

– C'est une urgence. Vous avez eu des nouvelles de Leah Hammett? Elle vous a appelée?

La réceptionniste mit une main sur le combiné et le détailla avec méfiance.

– Qui êtes-vous, monsieur? Monsieur?

Mais déjà Nicholas courait vers les ascenseurs. Des plis d'inquiétude apparurent sur le visage de la réceptionniste. Elle mit son interlocuteur en attente et appuya sur une touche.

– Sécurité? Code rouge. (...) Un homme. Blanc. (...) Dans la trentaine, des lunettes de soleil, une barbichette et des *dreads*.

Adrian n'arrivait pas à entrer en contact avec son frère, et Leah Hammett ne répondait pas au téléphone lorsqu'il essayait de la joindre à sa chambre. Le policier espérait s'être trompé, mais lorsqu'elle lui avait appris que le directeur de campagne de Patrick Adams avait un handicap à un bras, un signal d'alarme avait aussitôt retenti dans sa tête.

En plus du témoignage de Riley, le souvenir d'une photographie aperçue des années plus tôt dans le bureau du chef adjoint Glass lui était revenu en mémoire. L'inspecteur Santos et Glass posaient en exhibant leur prise sur le pont d'un bateau de pêche en haute mer. Adepte de cette activité, Adrian avait prêté une attention particulière au cliché.

Or, un troisième homme figurait sur la photo. Un homme dont l'un des bras était atrophié...

Sans hésiter, il avait ordonné à Leah de quitter sa chambre sur-le-champ.

Adrian jeta un regard dans son rétroviseur. Gyrophares en fonction, trois voitures de police de Salem roulaient derrière lui, se contentant de l'escorter.

Normalement, en cas de poursuite, les patrouilleurs suivent la progression du fuyard à la radio et, si les conditions le permettent, ils essaient de le percuter pour lui faire perdre le contrôle de son véhicule. Une autre technique consiste à bloquer chaque sortie, mais à offrir une échappatoire au fuyard : une sortie qui, en apparence, est accessible, mais à l'issue de laquelle on a disposé un tapis clouté. Le fuyard n'ayant que quelques fractions de seconde pour réagir, ses réflexes l'amènent à se diriger vers l'endroit où il n'aperçoit pas de gyrophares.

À son insu, il se jette ainsi dans la gueule du loup.

Connaissant ces techniques, Adrian n'arrivait pas à saisir la stratégie de ses poursuivants. Pourquoi les voitures de la police de Lowell ne s'étaient-elles pas jointes à celles de Salem ? Pourquoi n'avait-on pas tenté de le percuter ? Et, surtout, pourquoi aucune sortie n'avait été bloquée ? Celle qu'il devait emprunter pour se rendre à l'hôtel était maintenant en vue. Elle était libre et il devait prendre une décision rapide. Il se mit à espérer. Peut-être que les voitures de police de Lowell n'avaient pas eu le temps de se déployer…

Adrian engagea la voiture banalisée sur la bretelle permettant de quitter la I-95. Au loin, les contours du Kerouac se découpaient devant le fleuve Merrimack. L'inspecteur n'était qu'à quelques kilomètres de Leah Hammett. Dans le rétroviseur, il vit que les trois voitures de police de Salem avaient stoppé leur course et qu'elles se disposaient maintenant de façon à l'empêcher de battre en retraite. Après la courbe, des véhicules de la police de Lowell apparurent devant lui. Disposés en diagonale, les portières ouvertes, ils bloquaient la voie. Adrian jura : il était pris au piège ! Parmi les patrouilleurs postés derrière les portières, pistolet à la main, il reconnut le visage de plusieurs collègues.

Adrian immobilisa la voiture banalisée devant le tapis clouté qu'on avait installé sur toute la largeur de la bretelle. Armés de fusils, des patrouilleurs s'avancèrent vers lui en le tenant en joue. Adrian envoya un message texte à Nicholas :

Suis hors course. À toi de jouer.

Prenant une grande inspiration, il sortit les mains en l'air. De la gauche, il tenait son pistolet par le pontet ; de la droite, le chargeur. Deux policiers se détachèrent du groupe et s'approchèrent, les canons de leurs fusils pointés sur sa tête.

– Jette ton arme, Mitchum ! Maintenant !

Adrian se pencha vers le sol et posa le pistolet à ses pieds. Du bout de sa chaussure, il poussa l'arme. Sous la force de l'impulsion, le Beretta glissa hors de sa portée. Sans abaisser son arme, l'un des policiers s'inclina et ramassa le pistolet. Adrian balança le chargeur devant lui. Par la suite, les deux mains derrière la nuque, il se mit à genoux sur l'asphalte.

Tandis que les autres patrouilleurs le gardaient en joue, des policiers s'avancèrent vers lui. Sans ménagement, il fut couché au sol. Des mains lui saisirent les bras, d'autres lui enserrèrent les épaules. Il savait exactement ce qui l'attendait : on le conduirait au Kennedy Civic Center pour l'interroger. Le temps qu'il rétablisse les faits, Leah Hammett serait morte.

Adrian avait reconnu un des patrouilleurs qui procédaient à son arrestation. Et tandis qu'on lui menottait les mains dans le dos, une joue contre l'asphalte, il protesta avec véhémence :

– Écoute-moi une seconde, O'Brien. Leah Hammett, la femme de Patrick Adams... elle est en danger de mort ! Il faut aller au Kerouac...

Le partenaire de O'Brien, dont le ventre rebondi menaçait de faire éclater les boutons de sa chemise, força l'inspecteur à se relever. Adrian vit sur la plaquette de métal fixée au revers de sa poche de poitrine qu'il s'appelait Perry.

– O'Brien, Perry, écoutez-moi ! Emmenez-moi au Kerouac. On fait juste une vérification de routine. Depuis le temps qu'on travaille ensemble, O'Brien, tu sais bien que tu peux me faire confiance !

Perry lança un regard dubitatif à son collègue. Celui-ci s'approcha à quelques pouces du visage d'Adrian et lui planta un doigt dans la poitrine.

– Écoute, Mitchum... on n'a reçu aucun appel d'urgence du Kerouac. Et tu nous as déjà fait perdre assez de temps comme ça. On t'emmène au poste.

29.

BULLETIN DE NOUVELLES

Les deux pieds posés sur la table de la salle de conférences, Gene Crawford enfourna une poignée de Skittles. La porte était close et le téléviseur, allumé sur une chaîne d'information continue. Sous le présentateur, un bandeau déroulant diffusait des nouvelles au sujet des primaires. Il était trop tôt pour obtenir les résultats, mais Patrick Adams semblait en avance selon quelques sondages menés à la sortie des bureaux de scrutin. Le présentateur termina un entretien avec un vieux professeur de sciences politiques de Harvard qui donnait Adams comme favori. Dans le coin gauche de l'écran, le rectangle rouge que Gene guettait apparut enfin.

CNN en direct
Nouvelle de dernière heure

Gene se redressa, saisit la télécommande qui traînait devant lui et monta le son. Tiré à quatre épingles, le présentateur enchaînait :

– Nous rejoignons maintenant notre correspondante de Boston, Élizabeth Cohen, qui vient tout juste d'arriver à Lowell. Élizabeth, qu'est-ce que vous avez appris depuis notre dernière conversation?

– Lloyd, tout d'abord, je vous résume les faits. Vers 16 h 25, un homme a été renversé par une voiture à l'angle de Kearney Square et de Prescott Street. Jusque-là, on parlait d'un délit de fuite mortel. Très rapidement, dans les minutes qui ont suivi, sur la base des indications d'un témoin qui avait aperçu la plaque minéralogique du véhicule en fuite, la police a diffusé la photo du propriétaire du véhicule.

– Il s'agirait d'un certain Robert Flynn, Élizabeth.

– Exactement. Écoutez, Lloyd, à l'heure actuelle, nous savons peu de choses de ce Robert Flynn. La police de Lowell nous dit qu'elle ne le considère pas comme suspect, qu'elle veut simplement avoir sa déclaration à propos du délit de fuite. Maintenant, Lloyd, deux développements très, très importants viennent donner une tout autre dimension à cette affaire. Tout d'abord, selon ce que nous avons appris dans les dernières minutes, et ce, de source non officielle, je tiens à le préciser, la victime du délit de fuite serait Francis Powers, un attaché politique de l'équipe de Colin Stavanger.

– Si cette information se révèle exacte, Élizabeth, il s'agirait d'une perte tragique pour l'équipe Stavanger, plus particulièrement dans le contexte où ils se battent aujourd'hui pour essayer de se démarquer des autres candidats aux primaires.

– Absolument, Lloyd. Et nous savons de source sûre que Francis Powers était l'un des plus proches collaborateurs du gouverneur Stavanger, un des conseillers que ce dernier consultait sur une base quotidienne. Alors, on ne peut qu'imaginer à quel point le gouverneur serait dévasté par cette nouvelle, si elle était confirmée. Il y a un autre développement très, très important dans cette affaire, Lloyd. Une poursuite à haute vitesse impliquant plusieurs voitures de police se déroule en ce moment même sur la I-95. Selon ce que nous avons appris, il y aurait eu échange de coups de feu entre les policiers et le suspect. S'agit-il du véhicule ayant renversé monsieur Powers? Certaines sources, encore ici non officielles, nous indiquent que ce serait effectivement le cas.

– Élizabeth Cohen, merci pour ces informations.

– Je vous en prie. Nous vous reviendrons dès qu'il y aura de nouveaux développements.

Gene Crawford baissa le volume du téléviseur et empoigna son téléphone cellulaire. Un sourire de satisfaction flottait sur son visage.

30.

DÉDICACES

La salle de rédaction du *Lowell Sun* était presque déserte. Boudinée dans un tailleur de polyester, une femme corpulente et maquillée à outrance se déplaçait entre les tables de travail regroupées en îlots. Les mains sur les hanches, elle s'arrêta devant le poste de travail d'une jeune femme blonde qui, un casque audio sur les oreilles, s'activait derrière son ordinateur.

Mallory Brown releva la tête et enleva un écouteur.

– Oui, Susan?

– Barnes veut te voir immédiatement dans son bureau.

La journaliste fit un clin d'œil à son interlocutrice. Le vieux rédacteur en chef attendrait.

– Tu lui dis que j'en ai encore pour au moins une heure et que c'est de la dynamite. Fais ça pour moi. OK?

Susan leva les mains au ciel et soupira.

– Mon Dieu, pourquoi c'est toujours moi qui me tape le sale boulot, ici?

Mallory fouilla dans son portefeuille et en sortit de la monnaie.

– Parce que tu es un ange, Susan! Dis... tu me rapportes un Red Bull de la distributrice?

Elle joignit les mains en une prière et fit un sourire exagéré. Sur le coin du bureau, Susan avisa les trois canettes vides posées sur une pile de livres.

– Faut y aller mollo avec ça, Mal. Normalement, c'est pas plus de deux par jour.

Le visage de Mallory s'illumina.

– Justement ! Aujourd'hui n'est pas un jour ordinaire…

Susan prit les canettes vides pour les déposer dans la boîte de recyclage et s'éloigna en maugréant vers le fond de la salle. Mallory remit l'écouteur sur son oreille. Elle allait se replonger dans son travail lorsque ses yeux tombèrent sur la couverture du livre qui trônait sur le dessus de la pile.

Il s'agissait d'un roman intitulé *Tu n'iras pas au ciel.*

Mallory fit défiler quelques pages avec son pouce. En rentrant, la jeune femme avait déposé sur sa table de travail les trois romans que Leah Hammett lui avait dédicacés. Elle ne savait pas pourquoi elle avait cédé à l'impulsion d'assister à l'allocution de cette dernière, à Pollard Memorial. Peut-être était-ce un peu pour jauger cette femme qu'elle avait, à une époque, considérée comme sa rivale.

Parce que l'ombre de Leah planait en permanence au-dessus d'eux, la brève relation que Mallory avait entretenue avec Francis n'avait jamais eu la chance de s'épanouir. Quoi qu'il en soit, elle n'avait pas menti à la future première dame : ses trois romans figuraient parmi la courte liste de ceux qui avaient compté pour elle.

La journaliste se secoua et sortit un nouveau document de l'enveloppe que lui avait remise Francis avec une photocopie du rapport d'enquête de Santos. Dopée par l'adrénaline et les boissons énergisantes, elle se remit à taper son article avec vigueur, ses doigts pianotant furieusement sur son clavier.

Sur le mur, devant elle, une télé diffusait les nouvelles en continu. Mallory était entièrement absorbée par sa tâche lorsqu'un portrait de Francis Powers et des sous-titres annonçant qu'il avait été victime d'un accident mortel apparurent à l'écran.

31.

LA SALLE DE LAVAGE

J'ai chuté à une vitesse folle. Heureusement, j'ai eu la présence d'esprit d'utiliser mes coudes et mes genoux pour freiner ma descente dans l'étroit conduit. Au dernier moment, je me suis recroquevillée sur moi-même en position fœtale, le menton rentré dans le sternum. J'ai fini ma course dans un conteneur rempli de draps et de serviettes mouillées. Le choc a été si violent que j'aurais sans doute pu me briser les cervicales. Tout mon corps était traversé d'une douleur lancinante, des éraflures brûlaient dans mon dos, j'avais les genoux et les coudes à vif, mais j'étais vivante.

J'ai bougé les membres. Tout semblait en ordre. Me retournant sur le côté, je suis restée étendue un moment afin de récupérer.

Puis, brutalement, j'ai retrouvé mes sens. Je ne devais pas rester là ! Je venais peut-être d'éviter le pire en échappant à Jones, mais il n'allait pas tarder à rappliquer en quatrième vitesse. Clignant des paupières, j'ai ouvert les yeux pour la première fois depuis que je m'étais lancée dans le vide.

Je m'attendais à trouver quelques laveuses industrielles, mais je n'ai rien vu de tel. J'étais dans une petite pièce mal éclairée et tout à fait banale : quatre murs de ciment fermés par une porte. Outre celui dans lequel je me trouvais, il y avait cinq autres conteneurs alimentés par autant de conduites à linge.

Dans ma dégringolade, ma batte m'avait échappé. J'ai remué les draps, plongé mes mains dans les serviettes, mais je ne suis pas parvenue à la retrouver. Peut-être l'avais-je laissée tomber dans le corridor avant d'ouvrir le panneau de la conduite à linge.

J'ignorais combien de temps j'avais à ma disposition avant que Jones ne déboule, mais chose certaine, je ne pouvais me permettre d'en perdre davantage. Je suis descendue prudemment du conteneur et j'ai sorti le téléphone trouvé dans ma suite. J'ai eu beau pester et me déplacer dans la pièce, lever mon bras aussi haut que je le pouvais, rien à faire : je n'avais pas de signal !

Fourrant l'appareil dans ma poche, je me suis avancée jusqu'à la porte, que j'ai ouverte avec précaution de quelques centimètres. J'ai découvert un long corridor éclairé par des néons recouverts d'un grillage, des murs de gypse dont on avait tiré les joints, mais qu'on avait omis de peindre, et une enfilade de portes.

Mon plan était simple : j'allais me rendre à la réception en espérant pouvoir y trouver du secours en la personne de Mitchum, de son jumeau ou, au pire, auprès du personnel de la sécurité. La plus grande faille de mon projet ? Je serais exposée dès que je poserais le pied dans le couloir. Et si, par malheur, je tombais sur Jones…

Je préférais ne pas songer à cette possibilité. L'oreille tendue, j'ai observé le couloir plusieurs secondes. Il n'y avait aucun mouvement, aucun bruit. Je suis sortie en silence.

Je n'ai jamais eu le sens de l'orientation. Aussi, comme mon instinct me disait de prendre à gauche, j'ai pris à droite. Après quelques mètres, j'ai vu une pancarte indiquant un escalier et une flèche qui montrait l'extrémité du corridor.

Brusquement, une porte s'est ouverte à la volée derrière moi. J'ai jeté un coup d'œil par-dessus mon épaule pour m'apercevoir que c'était Jones. J'ai voulu hurler, mais ma gorge n'a produit aucun son. Mes oreilles sifflaient, la peur me donnait le vertige. En voulant m'enfuir, j'ai trébuché. À quelques pas derrière moi, le corps massif de Jones semblait occuper toute la largeur du corridor. J'ai réussi à me relever et à reprendre ma course. Jones avançait vers moi comme un fauve certain de son avantage, sans se presser.

À cet instant, je savais que je ne parviendrais pas au bout du couloir. Il le savait aussi. J'ai essayé une première porte. Puis une deuxième. Rien à faire. J'ai continué à courir. J'ai tourné une autre poignée. À mon grand soulagement, la porte s'est ouverte. Je me suis engouffrée dans la pièce. Une odeur pestilentielle m'est montée aux narines.

Dans la pénombre, j'ai cru distinguer des formes qui ressemblaient à des caissons de métal montés sur roulettes. Des bennes à ordures! J'étais dans la pièce où on entreposait les déchets! J'avais le choix entre une dizaine de portes dans un corridor et il fallait que ce soit celle-ci qui s'ouvre! Mes doigts ont palpé le battant à la recherche d'un verrou, d'une serrure.

Il était lisse. *Oh non, non, non, c'est impossible!* J'étais prise au piège!

J'ai cherché une échappatoire. Il devait y avoir une porte qui donnait sur l'extérieur et par laquelle on sortait les bennes, c'était logique.

Je n'y voyais rien. J'ai sorti le cellulaire de ma poche, appuyé sur une touche. M'en servant comme d'une lampe de poche, j'ai illuminé le mur devant moi. Mon cœur s'est gonflé d'espoir : il y avait une porte de garage! Ma joie a toutefois été de courte durée : elle était fermée par un immense cadenas.

La porte de la pièce s'est ouverte. La silhouette inquiétante de Jones est apparue dans un rectangle de clarté. Je bouillais de rage. Je n'allais pas mourir sans me battre! Sans réfléchir, je me suis ruée sur lui et j'ai réussi à m'agripper à son cou. Puis j'ai approché ma bouche de son oreille et je l'ai mordu aussi fort que j'ai pu.

J'ai senti le lobe céder et rouler sur ma langue. J'ai recraché le morceau de chair sanguinolent à mes pieds. Le géant noir n'a pas crié, mais, de ses deux mains, il m'a saisie par les épaules et m'a écartée de lui.

Dans le regard de Jones, j'ai perçu à la fois de la rage contenue et l'infinie délectation du prédateur qui, ayant capturé sa proie, s'apprête à la dévorer.

Ses doigts ont appliqué une pression sur mon cou et tout est devenu noir.

32.

LA SÉCURITÉ

Lissant nerveusement sa barbichette, Nicholas Mitchum sortit de l'ascenseur et s'engagea dans le couloir qui menait au penthouse numéro 2 en murmurant entre ses dents :

– Dans quel merdier tu m'as encore fourré, Adrian?

Il lui arrivait souvent d'éprouver de la rancœur à l'égard de son frère. Mais, contrairement à la plupart des gens qui n'arrivent pas à mettre le doigt sur l'origine de leurs comportements, Nicholas connaissait exactement la cause de son ressentiment.

Il avait profité du temps qu'il avait passé en prison pour entreprendre une psychothérapie aux frais de l'État. Sa psychologue avait mis en relief un élément qu'il n'avait jusqu'alors jamais considéré : sa frustration à l'égard d'Adrian tirait sa source dans un sentiment de jalousie.

En effet, Nicholas ayant toujours été l'enfant qui réussissait le mieux à l'école et dans les sports, il était devenu, sans pour autant que ce soit exprimé de manière explicite, l'enfant préféré de ses parents. Or, quand Adrian avait décidé de s'enrôler dans la police alors que son frère étudiait en littérature, la donne avait changé. En réalisant un rêve que le vieux James Edward avait lui-même longtemps caressé, Adrian l'avait remplacé dans le rôle du fils préféré.

De là à croire que, outre la dynamique particulière que vivent les jumeaux, les mauvais choix qu'avait faits Nicholas découlaient de ce détournement d'attention et que son arrestation pour avoir dissimulé un peu de came pour le compte du frère de sa copine, un petit truand notoire, relevait de l'acte manqué, il n'y avait qu'un pas à franchir.

Après avoir dépassé le penthouse numéro 1, Nicholas tourna le coin et continua d'avancer avec prudence dans le couloir. Soudain, il se figea, tendant l'oreille : il lui avait semblé entendre un bruit. Il laissa passer quelques secondes... Rien. Probablement le fruit de son imagination...

Nicholas recommença à marcher.

– Tu vas me payer ça, mon petit salaud...

En temps normal, il n'aurait pas accepté d'aider Adrian. Mais, tactique parfaitement déloyale, ce dernier avait invoqué « le code », sachant très bien que son frère était programmé génétiquement pour coopérer. D'ailleurs, Nicholas ne comprenait rien à l'histoire que lui avait racontée Adrian. En effet, selon son deuxième appel, Leah Hammett aurait dû se trouver à la réception de l'hôtel. Comme elle n'y était pas, la logique lui dictait de vérifier ce qui se passait au penthouse où, d'après Adrian, elle s'était initialement réfugiée.

Quelque chose remua dans son estomac, qu'il sut aisément reconnaître : la peur. Son instinct lui disait que quelque chose clochait. Pour survivre dans le milieu où il avait évolué, il valait mieux agir d'abord et se questionner après. Nicholas dégaina donc son Sig Sauer. Tenant l'arme à deux mains, en position de tir, il s'avança prudemment.

La porte du penthouse numéro 2 était ouverte...

Plaqué contre le mur du couloir, il se força à se calmer, à contrôler sa respiration.

– La prochaine fois, *bro*, tu te le mettras où je pense, le code.

Quand il eut repris la maîtrise de ses émotions, Nicholas étira le cou une fraction de seconde, puis il ramena immédiatement sa tête à l'abri, derrière la cloison. Ayant eu le temps de jeter un regard dans la pièce, il n'avait détecté aucune présence, aucun mouvement.

Nicholas pivota sur sa jambe droite et surgit dans l'entrebâillement, prêt à ouvrir le feu avec son pistolet. En quelques secondes, il enregistra les détails de la scène qui s'offrait à lui: il y avait une grande tache de sang sur le tapis de l'entrée, et le canapé était renversé sur le côté...

Au moment où il allait s'avancer dans le séjour, une pensée le fit hésiter. Qu'allait-il trouver dans l'appartement? Leah Hammett gisait-elle quelque part dans une des pièces, le crâne fracassé? Il avança d'un pas, puis un déclic derrière lui le stoppa net.

Un objet froid lui effleura l'oreille. Le canon d'un pistolet.

– Dépose ton arme par terre, mon gars. Lentement... Et, surtout, pas de geste brusque.

Nicholas obtempéra.

– Parfait. Maintenant, colle-toi contre le mur et écarte les jambes. Je veux voir tes mains se poser lentement sur ta nuque.

33.

LA DERNIÈRE HEURE

En noir et blanc, la scène jouait en boucle : vue de côté, une femme expulsait la fumée d'une cigarette. Vue de face : un nuage de fumée se répandait dans l'air autour de sa tête ; ses lèvres peintes en rouge luisaient comme un sexe. Vue de côté : l'image se figeait un moment, puis la fumée se rétractait et revenait dans la bouche.

J'avais conscience que j'étais en train de rêver. J'en avais conscience, mais je voulais paresser un peu pour faire durer l'instant, car me lever semblait au-dessus de mes forces. J'ai ouvert les yeux, puis j'ai refermé mes paupières de plomb. Plutôt mourir que de me réveiller. J'allais me tourner sur le côté lorsque quelque chose d'enfoui très loin au fond de moi m'a forcée à émerger des vapes : un je-ne-sais-quoi, une contrariété, le sentiment vaseux d'avoir oublié de faire quelque chose d'important. J'ai dressé un sourcil, ouvert un œil, puis l'autre. J'ai regardé le plafond quelques secondes. J'ai essayé de me redresser. Quelque chose clochait salement… Incapable de bouger, j'ai eu le réflexe de rentrer le menton dans le thorax et de m'examiner.

Premier constat : j'étais vêtue d'une culotte et d'un t-shirt couvert de sang…

Deuxième constat : mes poignets et mes chevilles étaient entravés par du *duct tape.*

Troisième constat : un géant noir penché au-dessus de moi tenait un objet dans sa main gantée de latex : une seringue contenant un liquide incolore. Jones a appuyé sur le poussoir de la seringue et quelques gouttes ont perlé au bout de l'aiguille. Sa chemise trempée de sueur était plaquée contre son corps.

Tout m'est revenu en bloc, mais je n'ai rien dit. Je me suis contentée de le dévisager d'un air affolé...

Nicholas Mitchum n'avait jamais entendu arriver les responsables de la sécurité de l'hôtel Kerouac. Les deux types étaient soit d'anciens militaires, soit d'anciens policiers. Tandis que l'un d'eux le menottait, l'autre avait fouillé la chambre. Nicholas avait déballé son histoire avec la conviction de celui qui dit la vérité. L'un des deux hommes, un moustachu, s'adressa à son collègue :

– Ça ne tient pas debout ce qu'il dit, Jake. On appelle le 9-1-1.

La réplique de Nicholas fusa :

– Vous allez commettre une grosse erreur ! Adrian affirme qu'ils ont infiltré la police et que cette femme court un grave danger !

Jake Shields gratta l'arrière de son crâne rasé.

– Attends une minute, Mike.

Le moustachu soupira. Shields se tourna vers Nicholas.

– T'es certain de ce que tu avances, mon gars ?

– Oui, *man*. Il faut que tu parles à mon frère avant d'appeler le 9-1-1. C'est lui qui m'a envoyé ici. Il va confirmer tout ce que je vous ai dit.

Shields serra les mâchoires, l'air dubitatif.

– On va appeler Mitchum, Mike. J'ai déjà travaillé avec lui quand j'étais dans la police de Lowell. Je le connais, c'est un gars correct.

Retenant Nicholas plaqué contre le mur, le moustachu maltraita sa gomme quelques secondes avant de répondre :

– Tu crois à son histoire de complot, Jake ? Je veux dire : on arrive ici et on tombe sur un gars avec un pistolet chargé à bloc...

Levant les mains en l'air pour montrer qu'il abdiquait, le moustachu ajouta :

– Oh ! Et puis, on fait comme tu veux...

Les mains sur les hanches, Shields faisait quelques pas dans le corridor lorsque son attention fut attirée par des taches sur le sol. Posant un genou à terre, il toucha la moquette du bout des doigts.

– Regarde ça, Mike...

Il montra son index imprégné de sang à son collègue.

Sans attendre de réponse, Shields se redressa et se mit à suivre la traînée de gouttelettes pourpres qui s'éloignait vers le bout du couloir.

Une longue coupure partait du front de Jones, passait près de son œil droit et descendait sur sa joue. La plaie avait cessé de saigner, mais une bosse de la taille d'une balle de golf était apparue sur son arcade sourcilière. De l'autre côté de sa tête, ce qui lui restait d'oreille était enveloppé dans une débarbouillette blanche. À l'endroit où j'avais arraché la chair, le sang avait transpercé le tissu éponge, créant une pieuvre rouge dont les tentacules croissaient lentement.

Une expression neutre sur son visage, le géant noir m'observait. Il ne paraissait pas en colère. Toutefois, alors qu'il se penchait vers moi, ses yeux se sont assombris : ses pupilles dilatées couvraient maintenant presque entièrement ses iris marron.

Et l'aiguille n'était plus qu'à quelques centimètres de mon épaule…

Sauver ta peau. Sauver ta peau. Sauver ta peau…

Je n'arrêtais pas de me répéter cette phrase sans avoir la moindre idée des moyens à prendre pour y parvenir. Une voix a retenti dans ma tête, celle d'une survivante, celle d'une battante qui ne s'en laisse jamais imposer. La voix de Lee.

Réfléchis, merde ! Ton histoire doit continuer. Bats-toi !

– Nous ne sommes pas dans ma chambre…

Je sais, pathétique. Pourtant, c'est tout ce que j'avais trouvé pour détourner son attention. Comme s'il n'attendait qu'un signe de ma part, Jones s'est redressé et l'aiguille a provisoirement disparu de mon champ de vision.

– Vous avez raison. Nous sommes dans celle de Francis Powers. Votre ancien amant…

Jones a laissé à dessein la phrase en suspens. Ses lèvres ont formé un léger rictus. À l'évidence, ça l'amusait de penser que j'avais déjà baisé avec Francis.

– Une surdose d'insuline, Leah. Je suis convaincu que vous allez être épatante dans le rôle de l'amoureuse éplorée qui préfère en finir plutôt que d'accepter la mort de son amant.

Mon estomac s'est tordu, des larmes de rage me sont montées aux yeux. Puis je me suis ressaisie. Ma seule chance de sortir vivante de cette chambre était de conserver mon sang-froid. Plus que toute autre chose, je devais occuper l'attention de Jones, lui parler, quitte à dire n'importe quoi.

– Quelqu'un vous a sûrement vu me ramener ici ! Vous avez laissé votre sang, des empreintes et votre ADN un peu partout dans cet hôtel. Quelqu'un va vous reconnaître et retrouver votre trace ! Personne ne croira à un suicide, j'ai des bleus partout sur le corps...

Jones a souri, découvrant de grosses dents luisantes, d'une blancheur éclatante.

– Vous écoutez trop *CSI*, Leah. Ne vous inquiétez pas pour ces détails. Dans quelques instants, ce ne sera plus votre problème. Ni le mien d'ailleurs... Dans le métier que je pratique, si vous connaissez les bonnes personnes ou que vous détenez les bonnes informations, tout peut s'acheter, s'effacer, disparaître. Tout...

Depuis le début de mon cauchemar, je n'avais rien pu détecter des motivations de Jones. J'ai essayé un coup de bluff. Le problème, c'est que je n'ai jamais été une bonne joueuse de poker.

– On peut s'arranger, Jones. C'est l'argent qui vous intéresse ? Combien ? Dites-moi un chiffre.

Cette fois, le géant noir a carrément éclaté de rire. Un rire franc, sonore, caverneux. J'avais joué la mauvaise carte et il ne m'en restait qu'une.

J'étais loin d'être convaincue que ce soit la bonne...

– Non, attendez... Voulez-vous que je vous fasse une pipe? Vous voudriez me baiser, Jones? Dites-moi que vous n'en avez pas envie? Si vous croyez que j'étais bien dans le calendrier du *Sports Illustrated*, vous n'avez encore rien vu...

D'abord surpris par ma proposition, le géant noir a promené ses gros doigts sur mon visage, les laissant traîner jusqu'à mes seins. J'essayais de donner le change, de ne pas montrer mon dégoût. Affichant un large sourire, Jones m'a gratifiée d'un clin d'œil. Il n'avait pas été dupe de mon petit manège. Il me soufflait maintenant à l'oreille:

– Désolé de vous décevoir, Leah. En d'autres circonstances, ç'aurait été un plaisir, mais je crains de devoir refuser. De toute manière...

Jones s'est tu et il s'est figé. Tendant l'oreille, il a semblé hésiter quelques secondes. Avait-il entendu du bruit? Probablement pas, puisqu'il s'est retourné de nouveau vers moi. Et soudain, un sentiment d'urgence m'a happée. L'urgence de tenir cette aiguille loin de ma peau. Une décharge d'adrénaline m'a parcourue des pieds à la tête. Il était hors de question que Jones me déverse de l'insuline dans les veines. Désormais, les mots étaient vains.

Je m'agitais sur le lit, espérant me défaire de mes entraves.

J'allais me mettre à hurler quand Jones a plaqué sa main moite contre ma bouche, une main qui goûtait la sueur.

– Ça ne fera pas mal, Leah. Une toute petite piqûre. Vous avez l'habitude, de toute façon…

Avec un sourire narquois, il m'a enfourné un bas dans la bouche.

La voiture de police transportant Adrian Mitchum roulait en direction du Kennedy Civic Center. L'agent Perry s'était glissé derrière le volant. Assis sur le siège passager, O'Brien regardait l'inspecteur à travers le grillage qui le séparait de la banquette arrière.

Perry se tourna vers son partenaire.

– Ça se tient, son histoire, OB. On devrait aller jeter un œil. Rappelle-toi, le sergent a mentionné que l'équipe du sénateur Adams allait descendre au Kerouac.

O'Brien hésitait encore, mais Adrian savait que sa version des faits l'avait ébranlé.

– Quelles infractions aurais-je commises, au juste? Que me reproche-t-on, hein, O'Brien?

Ne sachant quoi répondre, le patrouilleur garda le silence.

– Tu vois bien, O'Brien… On ne me reproche rien! On essaie simplement de me mettre à l'écart!

Les épaules du patrouilleur s'affaissèrent.

– Tout ce que je sais, c'est que nous avons ordre de te ramener au poste, Mitchum. Et c'est ce que nous allons faire.

Le ton du patrouilleur était moins affirmatif…

– Dis-moi, O'Brien, ça fait combien de temps qu'on se connaît? Dix ans? As-tu jamais eu quoi que ce soit à me reprocher durant la période où tu as travaillé sous mon commandement?

O'Brien chercha l'approbation dans le regard de son partenaire. Perry ouvrit la bouche pour parler, puis il la referma sans dire un mot. O'Brien détourna la tête.

– Désolé, Mitchum, tu perds ton temps...

La voiture n'était qu'à quelques kilomètres de sa destination, mais Adrian n'entendait pas abandonner la partie si facilement.

– Qu'est-ce que ça te prendrait pour que tu me croies, O'Brien? C'est Glass qui te fait peur?

– Je n'ai pas peur de Glass. Mais s'il se passait quelque chose au Kerouac, on aurait déjà reçu un appel radio.

– Non! C'est ce que je me tue à t'expliquer! Pas si Glass tire les ficelles...

La sonnerie d'un cellulaire retentit au moment précis où Adrian terminait sa phrase.

– C'est le mien, O'Brien. Prends l'appel!

Lors de son arrestation, les patrouilleurs avaient confisqué le pistolet, le badge et le téléphone d'Adrian. Une main crispée sur le volant, l'agent Perry fouilla avec l'autre dans un vide-poches adjacent au tableau de bord. Il en extirpa le téléphone de l'inspecteur et le tendit à O'Brien.

– Ça vient du Kerouac, OB...

Adrian s'agita.

– Mets-le sur mains libres, O'Brien!

Le patrouilleur appuya sur une touche. Une voix retentit à l'autre bout du fil :

– Allo ? Mitchum ?

Adrian répondit d'une voix forte :

– Oui, c'est moi.

– Mitchum ? Je t'entends mal. Ici, c'est Jake Shields. Je ne sais pas si tu vas te souvenir de moi, on a travaillé ensemble à...

Adrian lui coupa la parole. Chaque seconde comptait.

– Je me souviens très bien, Jake. Qu'est-ce qu'il y a ?

– Écoute, Mitchum, je travaille maintenant comme chef de la sécurité au Kerouac. J'ai ton frère Nicholas avec moi. Il se passe des trucs étranges ici...

Le moteur gronda et le véhicule changea brusquement de direction. Sous la secousse, Adrian fut projeté contre la portière. O'Brien tourna son visage cramoisi vers son partenaire.

– Mais qu'est-ce que tu fais, merde ?

L'agent Perry actionna le gyrophare. Les dents serrées, il fusilla O'Brien du regard.

– Ce qu'on aurait dû faire il y a dix minutes.

La voix de Shields résonna de nouveau dans l'habitacle :

– Mitchum, t'es encore en ligne, mon gars ?

Mon esprit basculait complètement. J'avais essayé de gagner du temps, j'avais espéré qu'un miracle se produise, que Mitchum ou son frère vienne à mon secours. Mais ma dernière heure avait sonné... C'était une vision de cauchemar : Jones se penchait vers moi et je me tordais dans tous les sens pour essayer de briser mes liens. Je n'allais pas partir sans lui compliquer la tâche, sans retarder le moment où il allait me donner l'injection fatale.

Le géant noir m'a fixée un moment avec, sur les lèvres, ce qui ressemblait à un sourire attendri. Puis, affichant la même désinvolture que s'il avait caressé un chat, il a plaqué une main sur mon épaule, la force de sa poigne me clouant net sur place. La seringue est passée devant mes yeux. Les sons étant étouffés par mon bâillon, crier ne servait plus à rien.

– C'est le temps de mourir, Leah. Vous tomberez d'abord doucement dans un coma hypoglycémique… Ce sera sans douleur, rassurez-vous. Faites de beaux rêves.

Le ton mielleux de sa voix m'a écœurée. À ce point, je n'avais plus peur. Je voulais juste qu'on en finisse le plus vite possible. J'ai senti un pincement, une légère brûlure quand l'aiguille a pénétré la chair de mon épaule. Ne restait plus qu'à m'injecter l'insuline… Quelle ironie : le médicament qui me gardait en vie depuis tant d'années allait devenir mon poison.

Comme surgi de nulle part, un avant-bras est apparu subitement devant la gorge de Jones, puis un autre est venu prendre appui contre sa nuque. Ça s'est passé très vite, mais j'ai tout de suite compris qu'un homme que je ne voyais pas était en train d'étrangler le géant noir. Ce dernier a laissé tomber la seringue sur le sol, s'est relevé brusquement et s'est mis à reculer dans la pièce avec l'autre homme sur le dos. Les deux corps ont violemment percuté le mur. Comme son agresseur tenait bon, Jones a avancé et reculé de nouveau tandis que ses bras puissants fouettaient l'air dans l'espoir d'agripper la tête de l'autre.

Hormis les râles qui s'échappaient de la gorge du géant noir, la lutte se déroulait en silence. Après plusieurs secondes, ses yeux se sont mis à papilloter et il est tombé comme une masse, face contre terre, entraînant son agresseur dans sa chute. Celui-ci a maintenu sa prise encore un moment, puis il a dégagé son bras gauche du cadavre de Jones. Avant de se relever, il s'est retourné un moment et a tendu l'oreille. Je l'avais entendue aussi. Au loin, une sirène hululait et le bruit allait en s'amplifiant. Haletant, mon sauveur se tenait à présent debout devant moi, près du lit, éblouissant dans la lumière.

– Salut, face de rat…

34.

RETROUVAILLES

Le vent s'était levé. Des feuilles de journal roulaient dans l'air. L'agent Perry freina en catastrophe devant l'entrée du Kerouac, dispersant une nuée de pigeons.

Tandis que la voiture de police fonçait à vive allure vers l'hôtel, Jake Shields leur avait brossé un portrait de la situation qui avait convaincu l'agent O'Brien qu'il s'agissait d'une urgence. Pour sa part, Perry n'avait pas eu besoin de l'appel du responsable de la sécurité : il avait cru à la version des faits d'Adrian dès le début.

O'Brien ouvrit la portière arrière du véhicule. Adrian tendit les mains en sa direction. Le patrouilleur le débarrassa des menottes qui entravaient ses poignets, puis l'inspecteur déplia sa carcasse et sortit. O'Brien lui rendit son pistolet, son cellulaire et son badge. Le visage du patrouilleur trahissait encore une certaine appréhension.

– Peut-être qu'on devrait demander des renforts, suggéra-t-il du bout des lèvres.

Perry jeta un regard courroucé à son partenaire.

– On est à ta disposition, Mitchum. N'est-ce pas, OB ?

O'Brien ravala ses doléances à contrecœur. À la hâte, Adrian rangea son pistolet dans son holster, puis empocha ses effets personnels.

– Dans ce cas, allons-y!

Sans autre formalité, les patrouilleurs et l'inspecteur rejoignirent au pas de course les deux responsables de la sécurité et Nicholas Mitchum dans le hall de l'hôtel. Des présentations furent faites, des poignées de main, échangées dans l'urgence.

Adrian prit aussitôt le contrôle des opérations.

– On va former trois groupes. Chacun va ratisser des étages différents. On reste en contact par cellulaire.

Adrian assigna un responsable de la sécurité à chaque patrouilleur. Forçant un sourire, l'inspecteur désigna ensuite son frère Nicholas.

– Toi, tu vas venir avec moi. On ne sépare pas des jumeaux.

Tandis qu'Adrian précisait à chaque groupe les étages qu'il devait couvrir, Nicholas prit les lunettes fumées posées sur ses *dreads* et les rangea dans la poche de sa veste.

– Des questions? demanda Adrian.

Personne n'en avait. Ils se dispersèrent. Dès que la porte de l'escalier se referma derrière eux, Nicholas explosa:

– Toi et ton satané code! Regarde dans quelle merde tu nous as foutus!

Sans se laisser impressionner, Adrian lui répondit d'un ton neutre:

– Donne-les-moi…

De la surprise se peignit sur les traits de Nicholas, y couvrant la colère.

– Quoi?

– Ne fais pas l'innocent, Nicholas.

La colère reprenait le dessus. La voix de Nicholas monta d'une octave :

– De quoi tu parles ?!

Imperturbable, Adrian tendit sa main ouverte.

– Tu penses que je ne t'ai pas vu les mettre dans ta poche ? Donne…

Nicholas fouilla dans sa veste, sortit les Oakley à verres jaunes et les tendit à son frère jumeau en maugréant :

– T'avais qu'à pas les oublier chez moi, *bro.*

Ils restèrent un moment sans prononcer le moindre mot, se contentant d'avaler les marches jusqu'à ce que Nicholas rouvre le débat :

– Elle n'était pas dans sa chambre. Ne le prends pas mal, mais on ne la retrouvera pas, ta Leah Hammett. Ou on la retrouvera morte…

Adrian serra les mâchoires.

– Un, ce n'est pas *ma* Leah Hammett. Et deux, je vais la retrouver, avec ou sans ton aide.

– On n'a aucune piste. Si au moins elle connaissait quelqu'un d'autre dans l'hôtel, ça nous ferait un point de départ…

Adrian s'arrêta net, tourna les talons et se mit à dévaler les escaliers. Surpris, Nicholas secoua la tête et ouvrit les bras, paumes tournées vers le ciel, en soupirant.

– Je peux savoir où tu vas, *bro*?

– À la réception. T'as peut-être frappé dans le mille, Nicholas ! Je parie que Francis Powers avait une chambre ici.

Sans se presser, ronchonnant, Nicholas s'engagea à sa suite.

– Francis qui?

La sirène s'était tue, la voiture de police devait s'être garée à proximité. J'ai cherché à avaler une goulée d'air, mais je n'arrivais plus à respirer. L'espace de quelques secondes, j'ai cru que j'allais faire une syncope. J'ouvrais mes paupières et je les refermais, craignant que la vision s'évanouisse, tant elle me semblait appartenir à une autre réalité.

Réel ou pas, Chase s'est avancé vers moi. Il me dévisageait.

Subjuguée, je ne pouvais détacher mon regard du sien. Ses traits s'étaient durcis et, sous les yeux, le temps avait un peu patiné la peau, mais ceux-ci brillaient du même éclat que la dernière fois que j'y avais plongé les miens, vingt-cinq ans plus tôt.

Chase a retiré mon bâillon avec délicatesse. Au contact de ses doigts sur ma peau, tout mon corps s'est mis à frissonner. J'ai hésité, essayant de trouver les bons mots pour exprimer ce que je ressentais, mais je ne trouvais rien qui soit à la hauteur des sentiments qui m'habitaient.

Que dire à un mort qui a compté plus que tout dans votre vie? J'étais à la fois exaltée de le savoir vivant et meurtrie qu'il nous ait dépossédés de tout ce temps. Et, tandis que tout ça se bousculait dans ma tête, Chase m'a libérée de mes entraves.

– Ils veulent me faire disparaître, mais cette fois il faut qu'on en finisse…

J'allais lui répondre lorsqu'il a mis un index sur ma bouche. Puis, sans que je puisse réagir, il m'a prise dans ses bras. Je n'ai pas réfléchi : je me suis blottie contre sa poitrine et j'ai enfoui mon visage dans le creux de son cou. Chase me serrait fort contre lui. Je me sentais soudain libérée, tellement en paix. Fermant du bout du pied la porte de la chambre derrière lui, il m'a portée jusqu'au canapé.

Les paupières closes, j'ai relevé la tête vers lui, étiré le cou. Quand ses lèvres ont touché les miennes, tout s'est mis à tourbillonner dans ma tête, toutes ces années où je l'avais cru mort se sont volatilisées. Soudain, c'était comme si c'était hier, comme si nous étions sur le pont des Six Arches et que nous pouvions tout recommencer, tout reprendre à zéro. Je ne sais pas combien de temps a duré notre baiser. Une seconde ou l'éternité ? Mais à l'instant même où je me disais que je ne le laisserais plus jamais me quitter, Chase a brisé notre étreinte et s'est relevé doucement.

Sa main a caressé ma joue avec une infinie douceur.

– Ça va aller, maintenant…

Il a récupéré une casquette des Red Sox et un blouson jetés sur le tapis et s'est dirigé vers la porte. Incapable du moindre mouvement, clouée sur place, j'éprouvais un déluge d'émotions. Avant de sortir, Chase s'est retourné et il m'a souri.

Puis il a de nouveau disparu de ma vie.

Au bout d'un moment, j'ai réussi à ramener mes jambes sous mon menton et à les enserrer avec mes bras. Je n'avais pas la force de pleurer, de me lever ou de réfléchir.

J'avais férocement envie d'une cigarette.

35.

CHASSÉS-CROISÉS

Quitter Leah quelques minutes à peine après l'avoir retrouvée chavirait Chase, mais il ne pouvait se livrer aux autorités. Pas maintenant. Et surtout pas après ce qu'il avait enduré. Il espérait la revoir bientôt, mais la vie lui avait appris à se méfier des certitudes.

Les dernières heures n'avaient été qu'une suite de rendez-vous manqués. Chase avait prévu reprendre contact avec Leah sur le pont des Six Arches, mais puisqu'elle était alors suivie, il avait dû se résoudre à rester dans l'ombre.

Quelle émotion avait-elle ressentie en ouvrant l'enveloppe qu'il avait remise au chauffeur de taxi? Qu'avait-elle pensé lorsqu'elle s'était lancée à sa poursuite à Pollard Memorial? Et à l'instant, dans cette chambre?

Leah n'avait pas dit un mot, mais il savait. Pour sa part, il avait l'impression qu'ils s'étaient quittés la veille. Un courant qui le terrassait passait encore entre eux.

Chase descendit le corridor et appuya sur le bouton pour appeler l'ascenseur. La menace immédiate avait été écartée. Leah ne craignait rien…

L'homme qu'il venait de tuer possédait plusieurs identités, mais son véritable nom était Josuah Connor.

Le danger imminent se trouvait maintenant à l'extérieur de l'hôtel.

Il allait devoir déjouer le piège s'il voulait vivre. Mais Chase connaissait les méthodes de Connor. Ils avaient tous deux appartenu à la même unité de combat. Leur employeur, une société militaire privée, servait de sous-traitant aux Forces spéciales en Afghanistan.

* * *

Village de Kajaki, sud de l'Afghanistan, octobre 2006

La nuit. Le vent du nord, tranchant comme une lame, balaie la dune. Du sable s'immisce partout, dans les cheveux, sous les ongles, dans le coin des yeux, entre les orteils. Il suffit de quelques grains sur les gencives ou entre les dents pour vous donner l'impression désagréable d'en avoir plein la bouche. Un genou au sol, son fusil d'assaut M4^{A}1 muni d'un silencieux en position de tir, il scrute un moment la rue devant lui. Ses lunettes de vision nocturne lui renvoient des images verdâtres d'une rangée de maisons de boue. Malgré l'heure tardive, de la lumière filtre encore par les ouvertures de quelques habitations. Mais la voie est libre, pas âme qui vive.

Chase enlève sa casquette des Red Sox un instant et se gratte le crâne. Puis il fait une série de signes avec les doigts à l'intention des deux hommes restés quelques mètres en retrait, un géant noir de près de deux mètres et un petit homme d'origine hispano-américaine, sec et nerveux.

Connor et Ramirez s'avancent, chacun couvrant la position de l'autre. Ils se déplacent promptement, en silence. D'un geste de la main, Chase désigne l'une des maisons. Ramirez pousse lentement la porte qui tourne sur ses gonds en grinçant. Les trois ombres entrent subrepticement dans une cuisine.

Leur mission est simple. À la tombée de la nuit, ils se glissent dans un village, localisent la maison où des indicateurs ont au préalable identifié une ou des personnes qui collaborent avec les talibans ou Al-Qaïda.

Officiellement, leur unité n'existe pas. Ou plutôt, il serait plus juste de dire que leur existence est enterrée, souterraine, classifiée. Ainsi, toute «ressource» qui se fait capturer est abandonnée aux mains de l'ennemi, laissée à elle-même, désavouée. Il n'y a qu'une règle à cet égard, elle est claire et tous les membres de l'unité acceptent les risques.

Son M4A1 prêt à tirer, Chase entre dans une chambre à coucher. Deux garçons qui doivent avoir sept ou huit ans dorment à poings fermés. Leurs poitrines se soulèvent et s'abaissent à intervalles réguliers. Chase referme tranquillement la porte et se dirige vers une autre pièce.

Malgré l'entraînement et l'habitude, un cri le fait sursauter. Connor et Ramirez ont trouvé la cible. Chase s'avance. Ayant agrippé l'homme sous les aisselles, son fusil en bandoulière, Connor le tire dehors, dans la cour intérieure. Temporairement mis knock-out par un direct du géant noir, l'homme se laisse traîner comme une masse. Ramirez et Chase guettent, scrutent la nuit à l'aide de leurs lunettes de vision nocturne. Des lumières commencent à s'allumer dans les habitations autour.

Hystérique, une femme voilée sort de la maison en criant. Elle se rue sur eux et se met à les frapper avec ses poings et ses pieds. Pleurant, elle les implore de partir et de les laisser en paix. Ramirez l'agrippe et parvient à la contenir. Connor éclaire le visage de l'homme. Du sang coule de son nez et il gémit, reprenant peu à peu ses esprits. Chase l'examine et le reconnaît : le visage de l'homme est le même que sur les photos qu'on leur a remises pendant leur briefing.

– Je confirme l'identification.

Ramirez chuchote en zézayant :

– Je confirme.

Sans hésiter, Connor sort un pistolet muni d'un silencieux et tire une balle en plein front de la cible. Le géant noir regarde le corps de l'homme tomber lourdement, face contre terre.

– Je confirme.

Les cris de la femme atteignent leur paroxysme, puis sa voix se brise en même temps qu'elle s'écroule sur le sol en sanglotant. Entre le moment où l'homme a crié lorsqu'ils l'ont tiré du lit et sa mort, il ne s'est pas écoulé une minute.

Chase relève la tête. Un des garçons qu'il a aperçus plus tôt dans la chambre est sorti dans la cour et l'observe. Chase baisse les yeux.

– *Out.*

Sans bruit, ils se glissent dans la rue comme des ombres, retrouvent les chevaux qu'ils ont laissés à l'entrée du village et disparaissent dans la nuit.

Le fonctionnement de l'unité est simple. Il n'y a aucune accusation, aucune preuve, aucun tribunal, aucune question. Les membres de l'unité traquent la cible, confirment son identité et l'exécutent.

Même s'il arrive que les circonstances soient tragiques, il n'y a aucune négociation possible, aucuns pourparlers, aucune dérogation. Que la cible habite seule ou pas ne change rien. Elle est exécutée devant son conjoint, sa mère ou devant ses enfants, devant ses frères ou ses amis. Les membres de l'unité n'ont ni passé ni futur. Seul le présent compte.

Et c'est parfait ainsi pour Chase.

* * *

Il rajusta sa casquette des Red Sox et appuya de nouveau sur le bouton, qui était pourtant déjà allumé. Mais qu'est-ce qui se passait? Les deux ascenseurs semblaient bloqués aux étages supérieurs. S'impatientant, il jugea que descendre par les escaliers serait plus rapide.

Les membres de l'unité ne connaissaient rien de la vie de leurs collègues, mais, à travers quelques sources, Chase avait appris que, depuis son retour d'Afghanistan, Connor, alias Jones, avait eu un parcours chaotique. Il avait été utilisé par la CIA en tant que sous-traitant dans certaines opérations de torture. Chase n'avait eu aucun contact avec le géant noir en sol américain, mais il avait compris que Leah était en danger dès qu'il avait vu son ancien collègue la soustraire aux policiers en se faisant passer pour un agent du FBI. Le temps de s'assurer que Connor n'avait pas mis un piège en place pour l'empêcher d'entrer dans l'hôtel, il était presque arrivé trop tard. Jamais il n'aurait pu se pardonner la mort de Leah. Jamais.

Foulant les dernières marches, il tira la lourde porte de métal et déboucha dans le hall de l'hôtel. Les mains dans les poches, la visière de sa casquette sur les yeux, il se dirigea d'un pas assuré vers la sortie.

En arrivant à la réception, Adrian avait brandi son insigne. Derrière le comptoir, précipitant ses gestes, la jeune réceptionniste pianotait nerveusement sur son clavier. Elle dut s'y reprendre à deux fois pour obtenir l'information qu'elle cherchait.

– Oui, effectivement, j'ai une chambre au nom de Francis Powers pour deux nuitées. Il s'agit de la 406. Voulez-vous que je vous donne une clé, inspecteur?

Les coudes posés sur le comptoir, les mains jointes, Adrian accepta d'un signe de tête. La jeune femme appuya sur quelques touches, passa une carte magnétique au-dessus d'un lecteur optique et la lui tendit. Adrian la remercia et les jumeaux se précipitèrent vers les ascenseurs.

Dans sa hâte, Adrian entra en collision avec un homme qui déambulait dans le hall. Trop pressé pour lui prêter attention, il s'excusa, puis continua sa course. L'homme qu'il avait heurté porta une main à sa casquette — une casquette des Red Sox — en guise de salut.

– Pas de souci, monsieur.

Par chance, les portes de l'ascenseur s'ouvrirent immédiatement. Adrian et Nicholas s'y engouffrèrent sans perdre une seconde.

– Et pourquoi tu crois qu'elle se trouve dans la chambre de Powers, *bro*?

– C'est juste une intuition.

Tandis que les portes se refermaient sur les jumeaux, Chase passa devant la réception et sortit dans la rue. Au carrefour, un petit homme sec et nerveux lui laissa prendre cinquante mètres d'avance avant de lui emboîter le pas. D'aspect hispano-américain, l'homme portait un uniforme du United States Postal Service et poussait un petit chariot contenant du courrier.

Son oreillette crépita.

– Ramirez? Confirmez l'identification de la cible.

Continuant discrètement sa filature, le facteur répondit en zézayant:

– Je confirme.

36.

CE QU'IL ME RESTE À FAIRE

À vrai dire, je ne sais pas combien de temps je suis restée ainsi sur le canapé, recroquevillée sur moi-même. Quelques minutes ou quelques heures? Chase s'était évanoui dans la nature, faisant voler mon monde en éclats; le cadavre de l'homme qui avait essayé de me tuer gisait face contre terre dans l'autre pièce, derrière une porte close.

Je suppose que, dans d'autres circonstances, cette seule pensée aurait suffi à me faire déguerpir, mais, désemparée, je ne savais pas quoi faire.

J'ai attendu. Je nageais entre deux mondes. Mon corps était dans une chambre d'hôtel du Kerouac, mon esprit errait dans la piscine où j'avais mes habitudes à New York. Où Chase était-il parti? Je ne cessais de penser à lui. Je ne pouvais pas me défaire de l'image de son visage, de l'odeur de son cou.

J'avais fait ce rêve des dizaines de fois. Mes bras et mes mains fendant le miroir de l'eau à intervalles réguliers, j'arrivais au bout du couloir central. Chase m'attendait sur le bord de la piscine avec une épaisse serviette. Dans les derniers mètres, je me laissais glisser dans le reflet de son corps sur l'eau turquoise. Tout devenait soudain plus simple, plus limpide. Lorsque mes doigts touchaient le muret de ciment, il se penchait vers moi et me tendait la main pour m'aider à sortir. Ma paume s'emboîtait parfaitement dans la sienne et il me ramenait aisément vers lui. Puis, sans que je parvienne à la contrer, une force irrésistible me saisissait les chevilles, m'aspirait vers l'eau, mes doigts glissaient des siens et, au ralenti, les bras ouverts en croix, je retombais en arrière, provoquant un grand éclaboussement. Immobilisée, sous la surface, je voyais la silhouette de Chase onduler un moment, puis il tournait les talons et disparaissait de mon champ de vision…

Chase était en vie. Je m'efforçais d'assimiler cette information, d'en cerner les implications, mais tout ça me paraissait encore si irréel. Il y avait tant de choses que j'avais envie de lui demander. Tant de choses que je voulais lui dire. C'était à peine croyable. Je l'avais cru mort durant vingt-cinq ans, mais il était en vie… Qu'avait-il fait toutes ces années?

Mes idées s'embrouillaient. Je voulais juste qu'on me dise que j'allais avoir la possibilité de revoir son visage un jour, de le toucher. Ne serait-ce qu'un instant, ne serait-ce qu'une seconde. Oui, c'est ce que je souhaitais le plus au monde: le revoir et qu'il m'embrasse de nouveau.

L'embrasser une seule fois ou mille fois encore.

À un moment, j'ai cru entendre une cavalcade et des éclats de voix dans le corridor.

J'avais terriblement froid, j'étais terrifiée et je ne m'étais pas sentie aussi seule depuis les mois ayant suivi la mort de Chase et de maman.

* * *

Lowell, Massachusetts, 3 janvier au 27 juillet 1992

C'est la troisième fois que Patrick se présente à son appartement depuis la veille du jour de l'An. Le visage dénué d'expression, Leah le laisse entrer, un peu par dépit. Ayant remarqué lors de sa dernière visite qu'il n'y avait presque plus de nourriture dans l'appartement, le jeune homme a apporté des victuailles qu'il range en silence dans la cuisine. Leah le regarde s'activer. C'est une vision étrange, mais sa présence est rassurante. Elle fume cigarette sur cigarette tandis qu'il prépare de la soupe. Après quelques minutes, il s'approche et lui tend un bol fumant. Il coupe un morceau de pain épais comme un poing et y étend du beurre.

– Il faut que tu manges.

Il n'y a pas de table, que deux tabourets rangés sous un bout de comptoir. Leah s'assoit sur l'un d'eux et Patrick s'installe en face d'elle. Après plusieurs minutes à fixer le bol d'un œil absent, elle goûte la soupe… D'abord du bout des lèvres, puis avec de plus en plus d'appétit… Quand elle ne lui prête pas attention, Patrick en profite pour la regarder avec empathie, en silence.

Après un moment, elle laisse tomber sa cuillère et, soulevant le bol de ses deux mains, elle aspire le bouillon bruyamment. Sans dire un mot, Patrick se lève et la ressert. Une grosse bouchée de pain gonflant sa joue, sans s'arrêter de mastiquer, Leah finit par prononcer quelques mots :

– C'est bon.

Patrick revient encore quelques jours plus tard. Et encore quelques jours après. Un peu comme un rituel, il se charge maintenant des courses. Bien qu'ils se parlent peu, Leah se met à espérer ses visites. Parce qu'à l'usage, Patrick lui change les idées. Parfois, il la fait même rire. Et ces moments où elle rit, ces minutes où elle oublie sont peut-être des mirages au milieu du désert, mais, pour le temps qu'ils durent, ils deviennent des havres de paix.

Un soir, à la fin de février, alors qu'ils ont pas mal bu, Patrick l'embrasse. Elle ne ressent rien pour lui, mais elle le laisse faire. Ce soir-là, il reste dormir avec elle. À partir de cet instant, il revient chaque jour et, au fil du temps, ils finissent par être ensemble.

Leah n'est pas amoureuse, elle ne peut pas être amoureuse. Elle ne peut plus aimer. Et quand, quelques mois plus tard, Patrick lui demande de l'épouser, c'est ce qu'elle lui explique :

– Je ne pourrai jamais oublier Chase. Jamais…

Mais il réplique qu'il s'en fout, il affirme qu'il comprend. Il martèle que le temps arrangera les choses et que Leah n'a pas besoin de l'aimer comme elle a aimé Chase. De toute façon, Patrick assure qu'il l'aime bien assez pour deux et qu'ils pourront se construire une belle vie. Il dit aussi qu'il prendra toujours soin d'elle. Et c'est effectivement ce qu'il fait à partir de ce moment. Après leur mariage, Patrick et Leah déménagent à New York. La jeune femme y est repérée par un photographe qui, malgré qu'elle ait dépassé l'âge où on les recrute habituellement, la présente au directeur d'une agence de mannequins.

Patrick est toujours là pour elle. C'est l'homme le plus loyal et le plus généreux qu'elle ait jamais connu.

* * *

J'ai entendu des coups insistants sur la porte et une voix familière à travers le battant. Une voix forte, presque un cri. Deux hommes ont déboulé dans la chambre, pistolet au poing. Déconnectée de la réalité, je n'ai même pas bougé. L'un d'eux s'est approché, m'a saisie par les bras et m'a secouée.

– Leah? Qu'est-ce qui s'est passé ici? Est-ce que vous êtes blessée?

Je n'ai pas répondu, j'avais le sentiment de ne pas connaître la personne qui me parlait, mais quelque part dans ma tête, une voix a retenti:

C'est Adrian Mitchum, pauvre cruche!

La voix d'un autre homme est parvenue à mes oreilles:

– Viens voir ça, Adrian!

Mitchum est sorti de mon champ de vision un instant. Quand il est revenu se planter devant moi, je le voyais en double. Adrian avec-des-cheveux-courts-et-des-lunettes avait l'air atterré. Il a lancé à l'autre Adrian avec-une-barbichette-et-des-*dreads*:

– Elle est en état de choc.

J'ai senti de petits coups contre mes joues, comme ces pierres qui ricochent à la surface de l'eau et qui disparaissent en laissant des cercles concentriques.

– Leah?! Parlez-moi… Leah?!

Adrian avec-des-cheveux-courts-et-des-lunettes m'administrait une paire de gifles. Adrian avec-une-barbichette-et-des-*dreads* s'est interposé :

– Arrête, *bro*, tu vas lui faire mal.

J'ai relevé les yeux et repris brusquement contact avec la réalité. J'ai répondu d'une voix pâteuse à l'intention de mon tourmenteur :

– Oui, vous me faites mal, Adrian…

Les traits de son visage se sont décontractés. Visiblement, mes paroles le rassuraient. Je focalisais sur son double lorsque Adrian m'a présenté son frère Nicholas. Me saluant d'un signe de tête, celui-ci a retiré son blouson de cuir et l'a placé sur mes épaules. J'ai tiré sur les pans du vêtement pour m'en recouvrir, puis j'ai murmuré des remerciements.

Adrian a poursuivi d'un ton anxieux :

– Qu'est-ce qui s'est passé? Qui a tué cet homme, dans l'autre pièce? C'était lui, l'agent du FBI dont vous m'avez parlé au téléphone?

J'ai croassé quelques mots en guise de réponse :

– Oui, il s'appelait Jones. J'ai soif, Adrian. J'ai la gorge tellement sèche…

Nicholas s'est levé et il est revenu de la salle de bains avec un verre d'eau. Je l'ai bu d'un trait, puis j'ai essuyé du revers de la main les gouttes qui ruisselaient à la commissure de mes lèvres. J'ai tendu le verre vide devant moi. Nicholas l'a saisi, a disparu quelques secondes et m'en a apporté un autre. J'ai bu encore plusieurs gorgées et j'ai posé le verre sur le sol, devant moi. Pendant un instant, j'ai cru que j'en serais incapable, mais j'ai rassemblé mes forces et je leur ai fait un résumé de la situation, à partir du moment où Jones avait tenté d'ouvrir la porte de ma chambre, jusqu'à celui où Chase l'avait tué.

Sans être entièrement remise de mes émotions, j'ai peu à peu repris mes esprits. Adrian me posait des questions à propos de Chase auxquelles j'étais incapable de répondre. Vu de l'extérieur, il était sans doute difficile de croire que nous n'avions pas échangé plus de deux phrases. Il a eu la délicatesse de ne pas insister, mais m'a fait remarquer que j'avais eu beaucoup de chance que Chase m'ait sauvée.

– Je ne sais pas comment il vous a retrouvée ici. Il vous a probablement suivie.

J'ai réfléchi à cette possibilité. Ne sachant quoi en penser, j'ai acquiescé en hochant la tête.

– Vous avez une idée de l'endroit où il se rendait?

J'ai haussé les épaules. J'aurais tout donné pour le savoir.

Nous avons gardé le silence un moment. Je me suis levée et j'ai fait quelques pas dans la pièce. Puis j'ai questionné Adrian à mon tour:

– Comment avez-vous su que vous me trouveriez dans la chambre de Francis?

Le policier m'a regardée avec aplomb.

– Mon frère a dit un truc qui m'a fait songer aux personnes impliquées. Et là, je ne sais pas pourquoi, j'ai pensé à Powers. Comme le Kerouac est le seul hôtel de luxe de Lowell, je me suis dit qu'il était peut-être descendu ici. J'ai eu une bonne intuition...

Nicholas s'amusait à faire basculer une cigarette éteinte d'un doigt à l'autre.

– Une bonne intuition, mon cul! Dis plutôt que tu as eu un coup de chance, *bro*! Suffisait que ce type l'emmène ailleurs et on ne l'aurait pas retrouvée. Il avait l'embarras du choix: c'est plein d'usines désaffectées dans le coin...

Adrian a saisi Nicholas par le coude et, en me souriant, il a murmuré à l'oreille de son frère:

– Tu peux pas fermer ta gueule? Tu trouves pas qu'elle est suffisamment traumatisée?

– Relaxe, *bro*!

J'ai balayé l'air avec les mains.

– Qu'est-ce que vous venez de dire, Nicholas?

Les jumeaux se sont regardés, interloqués.

– Excusez-moi, Leah. Je ne voulais pas...

Je l'ai coupé:

– Non. Au contraire, répétez-moi ce que vous avez dit.

L'air penaud, Nicholas a jeté un regard de détresse à Adrian.

– Ben, je disais simplement que c'est plein d'usines désaffectées dans le coin et que...

Déjà, je n'écoutais plus. Un coup de tonnerre avait retenti dans ma tête.

Là où l'Irlandais d'Arabie boit.

Les paroles de Nicholas avaient remué quelque chose dans ma mémoire et, très vite, mon cerveau s'est mis à effectuer des connexions. Les mots griffonnés à l'arrière de la moitié de la carte postale venaient de prendre tout leur sens. À cet instant, j'ai compris qu'il s'agissait d'un point de rencontre et je me suis mise à espérer que je reverrais peut-être bientôt Chase.

Adrian, Nicholas et moi avons passé plusieurs minutes à faire nerveusement les cent pas dans la pièce, à essayer de trouver un sens aux événements qui venaient de se produire. Tout le monde parlait en même temps à voix haute, balançait des idées. Nous étions plongés au cœur de quelque chose qui nous dépassait. Pour ma part, je ne cessais de répéter que Gene avait tenté de me faire assassiner. J'avais beau retourner ça dans tous les sens, je n'arrivais pas y croire. Nicholas insistait pour que son frère contacte ses collègues sur-le-champ, tandis qu'Adrian parlait de l'implication d'un haut gradé de la police et se demandait en qui il pouvait avoir confiance.

C'est dans ce chaos qu'une idée a germé dans mon esprit.

Un plan simple et imparable.

Quand je leur ai expliqué ce que je comptais faire, Nicholas a tenté de s'y opposer, mais Adrian l'a forcé à se taire d'un simple regard. Nous sommes restés tous les trois silencieux un long moment.

Nicholas a pris la parole en regardant son frère :

– Je pense qu'on devrait au moins avertir O'Brien et Shields. Je te rappelle qu'il y a un corps dans la pièce à côté. Mais c'est toi qui décides, *bro*... C'est ton boulot, après tout.

De la contrariété est apparue sur le visage d'Adrian. Nicholas sautillait d'un pied à l'autre.

– Bon, moi, il faut absolument que je fume une cigarette.

Il est sorti sur le balcon par la porte-fenêtre et je me suis approchée. Il m'en a offert une. J'ai pris la première bouffée les paupières closes dans l'embrasure de la porte.

C'était loin d'être terminé.

37.

INVERSER LE PIÈGE

Lorsqu'on est entraîné à détecter le danger, qu'on a passé sa vie entière à slalomer entre la vie et la mort, une forme de sixième sens vous habite en permanence, un signal d'alarme interne vous avertit quand quelque chose ne tourne pas rond. Dans le cas de Chase, c'était toujours le même : des fourmillements dans la nuque. C'est précisément ce qu'il avait ressenti après avoir traversé le premier carrefour en sortant du Kerouac.

Quelque part dans son champ de vision, sans qu'il puisse déterminer avec précision de quoi il s'agissait, il avait décelé une anomalie.

Mains dans les poches, il continua de marcher sans modifier son rythme. S'arrêtant devant la vitrine d'un café, il mit les mains en œillères de chaque côté de son visage et fit mine de regarder à l'intérieur. Dans le reflet de la glace, il remarqua, sur sa droite, un homme qui venait de porter une main à son oreille. Celui-ci s'était immobilisé devant un kiosque à journaux et feuilletait nerveusement des revues.

Toucher son oreillette était une erreur de débutant. Chase venait de débusquer un sous-traitant qui manquait d'expérience. Faisant mine d'attendre quelqu'un, il se retourna et consulta sa montre. Par la suite, il s'accroupit, défit son lacet et le rattacha en détaillant discrètement l'homme. Sous un imperméable gris, ce dernier était vêtu d'un complet, d'une chemise blanche et d'une cravate rouge. Chase crut un moment s'être trompé : cet individu ressemblait à n'importe quel homme d'affaires. Ce n'est qu'en se relevant qu'il découvrit ce qui clochait dans sa tenue : les bottes de combat…

Il n'y avait aucun doute possible : une équipe chargée de l'éliminer marchait sur ses traces. Voilà pourquoi il n'avait pas repéré de tueurs à son arrivée au Kerouac. Le piège mis en place par Connor n'était pas destiné à l'empêcher d'entrer dans l'hôtel, c'était une mesure d'appoint, au cas où il en *ressortirait.* Leah avait servi de leurre. Le géant noir s'était surestimé. Il l'avait payé de sa vie.

Chase se glissa dans le renfoncement abritant la porte d'entrée du café. L'objectif était maintenant de déterminer combien il y avait de participants. Appuyé contre le mur, il s'efforça d'agir de manière à donner corps au personnage qu'il tentait d'incarner. En effet, pendant qu'il scrutait la rue pour débusquer les tueurs chargés de l'abattre, il devait convaincre ceux qui l'observaient qu'il faisait le pied de grue à la porte du café parce qu'il attendait quelqu'un, et que, cette personne étant en retard, il commençait à manifester des signes d'impatience. Pour donner le change, Chase sortit son cellulaire. Balayant la rue des yeux, il enfonça quelques touches, comme s'il consultait sa messagerie.

Une foule bigarrée déambulait sur les trottoirs. Ceux-ci rentraient chez eux, l'air pressé ; ceux-là semblaient errer. Plusieurs pianotaient sur leur téléphone cellulaire comme si leur vie ou le sort du monde en dépendait. Le regard de Chase flotta un moment sur les voitures stationnées en bordure du trottoir avant de revenir se poser sur les passants.

Et cela arriva. Lorsque le soleil perça les nuages, Chase aperçut un reflet sur sa droite, de l'autre côté du carrefour : deux cents mètres en amont, un tireur armé d'une carabine de précision avec lunette de tir était embusqué sur le toit d'un édifice. Il analysa la situation en quelques secondes. Le piège avait été élaboré avec précision. Il s'agissait d'un schéma simple : on plaçait un homme sur le trottoir, de chaque côté de la rue transversale ; l'homme à l'imperméable fermait la marche. Sans même avoir vu les autres tueurs, Chase savait qu'il avait affaire à une équipe de quatre. La cible entrait dans le piège lorsqu'elle traversait le carrefour. À cet instant, le tireur embusqué sur le toit l'abattait avec un tir de face. S'il manquait son coup et que la cible essayait de fuir, les autres issues étant sécurisées, les trois autres tueurs prenaient la relève. Si le tireur faisait mouche, le groupe se dispersait.

Un piège simple. Et diaboliquement efficace…

Chase n'ignorait pas qu'il y avait forcément deux autres participants : un chauffeur, chargé d'évacuer les tueurs dès que la cible serait abattue, et un autre membre de l'équipe resté en retrait. Celui-ci supervisait l'opération, donnait le signal au tireur embusqué. C'était sa voix qui grésillait dans les oreillettes des autres membres de l'équipe. Chase avait beau scruter la rue, il ne réussissait pas à le repérer.

Il n'y avait qu'une façon de sortir vivant d'un tel piège : il fallait en reprendre le contrôle avant qu'il ne se referme. C'était une opération risquée, puisqu'elle impliquait de laisser croire jusqu'au dernier moment aux assaillants que l'opération se déroulait conformément au plan établi. Par le fait même, Chase devait agir rapidement pour ne pas leur laisser le temps de réfléchir. Le point faible se trouvait à l'arrière du piège. Il importait de s'éloigner du tireur embusqué et des tueurs postés sur la rue transversale.

Se décidant en une fraction de seconde, Chase appuya sur une touche de son cellulaire et le porta à son oreille. Même s'il n'y avait personne à l'autre bout du fil, il se mit à parler à voix haute :

– Allo ! Ça va ? Oui, oui, je suis là en ce moment. Toi, où es-tu ?

Il fit un pas dans la rue en direction de l'homme à l'imperméable. Imperturbable, celui-ci continuait de feuilleter sa revue. Agissant comme s'il cherchait quelqu'un, Chase se mêla aux passants et se mit à marcher en direction du kiosque à journaux.

– Attends un peu… Non, je ne te vois pas…

Tout à coup, Chase enleva sa casquette des Red Sox et se mit à l'agiter au-dessus de sa tête, avec sa main libre.

– Là, est-ce que tu me vois ? J'ai un bras en l'air avec ma casquette…

Chase marchait derrière une femme qui promenait un bébé dans une poussette. Il n'était plus qu'à quelques mètres de l'homme à l'imperméable.

Une question le préoccupait toujours : où était le responsable de l'opération ?

38.

DISTORSIONS DE LA RÉALITÉ

Debout devant le téléviseur de la salle de conférences, Gene Crawford se triturait nerveusement le lobe de l'oreille. Le visage souriant d'Élizabeth Cohen, l'envoyée spéciale de CNN à Lowell, apparaissait au premier plan. Derrière elle, on apercevait quelques-uns des véhicules de police et d'urgence qui avaient érigé un barrage dans la bretelle de l'autoroute pour empêcher Adrian Mitchum de poursuivre sa course folle. Au milieu de la chaussée, un agent dirigeait la circulation. Le tapis clouté avait été retiré, mais la voiture banalisée était toujours sur place.

– Effectivement, Lloyd, la poursuite sur la I-95 s'est terminée ici même. En fait, la voiture blanche que vous voyez derrière moi est la voiture du suspect. Les policiers ont placé un tapis clouté en travers de la bretelle d'accès et formé un barrage pour l'empêcher d'entrer dans Lowell. Selon ce que nous avons appris, le suspect s'est rendu aux policiers sans résistance.

– Le véhicule intercepté est une voiture banalisée de la police de Lowell. C'est bien ça?

– En effet, Lloyd. Et nous venons à cet égard de recevoir une information très, très importante. On nous dit, de source non officielle, que le suspect appréhendé serait un membre de la police de Lowell. Mais, pour l'instant, l'état-major refuse de confirmer cette information.

– Le gouverneur Stavanger, l'un des principaux candidats à l'investiture démocrate, n'a pas encore réagi publiquement à l'annonce de la mort de son conseiller principal, Francis Powers. Au bureau de son équipe, on nous dit que le gouverneur est actuellement dans les airs, à bord d'un avion, et qu'il fera une déclaration publique à l'atterrissage. Élizabeth, vous l'avez évoqué plus tôt aujourd'hui : croit-on toujours qu'il pourrait exister un lien entre cette chasse à l'homme et la mort de monsieur Powers ?

– Les deux événements se sont déroulés à des kilomètres l'un de l'autre, mais c'est la question que tout le monde se pose. La photo du suspect, qui a été rendue publique par le service de police dans le cadre de l'enquête sur le délit de fuite ayant causé la mort de monsieur Powers, l'identifiait comme un certain Robert Flynn. Nous tentons en ce moment de déterminer si un membre des forces de l'ordre de Lowell porte ce nom. Du côté du chef adjoint Glass, on refuse toujours de nous dire s'il existe un lien entre ce nouvel incident et le délit de fuite en question. Toutefois, toutes sortes d'hypothèses sont évoquées. Depuis l'accident, des informations circulent sur les réseaux sociaux selon lesquelles, au moment où il a été happé, monsieur Powers se trouvait en compagnie d'une femme. Pour l'instant, les autorités refusent de commenter. Sur d'autres chaînes, on évoque la possibilité qu'il s'agisse d'un drame passionnel, qu'un triangle amoureux soit à l'origine de la mort de monsieur Powers. Était-ce le cas ? Un mari jaloux aurait-il essayé d'éliminer son rival ? C'est ce que nous tenterons de confirmer pour vous, Lloyd, mais force est de constater que la confusion la plus totale règne ici.

– Merci pour cet excellent compte rendu, Élizabeth.

– Je vous en prie, Lloyd. Nous vous reviendrons avec plus de détails au fur et à mesure que les événements se dérouleront.

– Merci, Élizabeth Cohen. Je lance par ailleurs un appel à nos auditeurs et à la population. Si vous avez été témoin du délit de fuite, si vous avez vu cette femme ou si vous avez des vidéos, n'hésitez pas à entrer en contact avec nous.

Des images de la voiture banalisée captées depuis l'une des voitures de police ayant participé à la poursuite apparurent à l'écran.

Gene Crawford éteignit le téléviseur et se dirigea vers son bureau. Un sourire éclairait son visage : il avait soigneusement placé ses pions et repris le contrôle de la situation. Fort d'une vie passée à manœuvrer dans les arcanes du pouvoir, à Washington, il était passé maître dans l'art de la désinformation.

Contrairement à la croyance populaire, la multiplication des sources d'information n'en augmentait pas la fiabilité. À l'inverse, elle rendait les médias encore plus faciles à manipuler. En s'asseyant derrière sa table de travail, Gene ne put s'empêcher de penser que Patrick avait de la chance de pouvoir compter sur quelqu'un comme lui. Depuis vingt-cinq ans, dans l'ombre comme dans la lumière, il veillait à *leurs* intérêts.

Le cellulaire de Gene sonna. Son sourire s'estompa aussitôt, son visage devint grave.

– J'espère que vous m'appelez pour me dire que c'est réglé…

Il écouta un moment, l'air irrité.

– Je croyais pourtant avoir été clair, Glass ! Comment ? Non, c'est vous qui ne comprenez pas ! Je me fous de savoir pourquoi vous avez perdu sa trace !

Sa voix monta un ton plus haut :

– Mais démerdez-vous, bordel ! Faites ce qu'il faut !

Il inspira profondément pour essayer de garder son calme.

– Si vous ne me retrouvez pas vite fait ce petit enculé d'enquêteur, votre femme aura de fort jolies photos à vous montrer à votre retour à la maison, ce soir. Mais dites-moi, Seymour : elle aime les jeunes garçons autant que vous ?

Gene Crawford raccrocha et se pinça l'arête du nez entre le pouce et l'index.

– Imbécile, maugréa-t-il en serrant les mâchoires.

39.

LA TRANSACTION

Aéroport international Logan, Boston, Massachusetts

Précédé par l'agent Briggs, Patrick Adams entra dans l'immense hangar à avions. L'endroit pouvait accueillir un airbus, mais ne contenait aucun appareil. D'un pas rapide, les deux hommes se dirigèrent vers la voiture noire qui était stationnée au fond de l'entrepôt.

Partis d'Albany, Patrick et sa garde rapprochée s'étaient posés à Boston quelques minutes plus tôt. Shane Murphy avait proposé de l'accompagner, mais Patrick avait refusé. Murph n'avait posé aucune question sur la nature de ce rendez-vous inopiné. Le rédacteur en chef s'était contenté d'aller l'attendre, avec les autres agents du Secret Service, dans la limousine qui les conduirait au Boston Convention Center.

Une table et deux chaises vides étaient disposées à gauche de la voiture noire.

Lorsqu'ils arrivèrent à la hauteur de la Lincoln Town Car, le conducteur s'extirpa de son siège. Muni d'une oreillette, il contourna le véhicule par l'avant et vint ouvrir la portière arrière, du côté passager. Deux personnes en sortirent. Le premier, un homme élégamment vêtu d'un costume trois-pièces, portait une mallette de cuir. Il s'avança aussitôt vers Patrick le bras tendu, tandis que le deuxième homme, dont les cheveux argentés étaient plaqués avec du gel au sommet de son crâne, restait en retrait.

Une poignée de main fut échangée.

– Je m'appelle Elliott Gutman, sénateur Adams. Je suis…

– Je sais qui vous êtes, répliqua sèchement Patrick.

Gutman était le conseiller juridique du gouverneur du Tennessee, Colin Stavanger. Sans se laisser démonter par la mauvaise humeur de Patrick, il poursuivit d'une voix affable :

– Très bien, sénateur. Les documents sont prêts à être signés. Ils ont été approuvés par votre représentant.

Gutman disait vrai. Alors qu'il se trouvait toujours à Albany, Patrick avait reçu un message texte de son propre conseiller juridique qui le lui confirmait.

L'homme qui était resté en retrait s'avança vers la table. Gutman reprit la parole d'un ton solennel, qui contrastait avec l'aspect dépouillé des lieux :

– Sénateur Adams, gouverneur Stavanger, si vous voulez prendre place.

Colin Stavanger et Patrick Adams se dévisagèrent sans échanger un seul mot. Stavanger fut le premier à détourner le regard et à s'asseoir. Gutman sortit de sa mallette une liasse de documents qu'il posa avec délicatesse sur la table. Patrick mit ses initiales aux endroits indiqués par l'avocat, puis Stavanger fit de même.

Les documents signés, Gutman déclara :

– Très bien, messieurs. C'est tout. Sénateur Adams, voici votre copie de l'entente.

Patrick saisit le document que lui tendait Gutman. Au moment où il allait se lever, Stavanger l'attrapa par la manche pour le retenir. Avant que Briggs n'ait le temps de s'interposer, le gouverneur se pencha à l'oreille de Patrick et murmura :

– Sale fils de pute. Sachez que je vous tiens pour seul et unique responsable de la mort de Francis Powers.

Patrick serra les lèvres, mais se garda de répliquer. Stavanger relâcha sa prise. Les deux hommes se toisèrent encore un moment en silence, puis Patrick se leva et tourna les talons. Briggs lui emboîta le pas.

Alors qu'il marchait vers la sortie, l'œil de Patrick perçut du mouvement dans les hauteurs du hangar. Il releva la tête : il y avait une silhouette sur la passerelle métallique suspendue qui permettait de travailler sur les parties supérieures des avions.

Sans même retirer ses verres fumés, Kyle Fitzgerald hocha la tête de haut en bas. L'Irlandais lui signifiait ainsi qu'il approuvait la transaction qui venait de se conclure.

40.

FAIRE FACE

Je contrôlais mes émotions lorsque je suis entrée dans la pièce. C'est après que tout a vacillé. Mais rembobinons un instant le film des événements et reprenons depuis le début de la séquence. Pour atteindre Prescott Street à partir du Kerouac, il fallait compter à peine sept minutes de voiture dans la Mustang de Nicholas. Les jumeaux se sont querellés durant tout le trajet. Nicholas reprochait à Adrian d'être parti de l'hôtel sans avoir averti l'agent O'Brien, Jake Shields et leurs collègues.

Avec un air d'enfant buté, Adrian avait rétorqué qu'il savait ce qu'il faisait.

J'étais assise sur la banquette arrière et je me foutais de l'issue de l'affrontement. Avant notre départ, Nicholas s'était glissé dans ma suite pour me prendre des sous-vêtements, un jean et un chandail propres. Et il avait insisté pour que je garde son blouson de cuir.

Le moteur de la Mustang vibrait dans ma cage thoracique; la flore et la faune de la rue vacillaient dans mes rétines. Nicholas a appliqué les freins sèchement devant l'immeuble qui abritait les bureaux de l'équipe de campagne.

Tandis que nous montions les marches, j'ai prévenu Adrian que je ne voulais pas être importunée par les bénévoles. Il m'a adressé un sourire rassurant.

– Je m'en occupe.

À notre arrivée dans la salle principale, les jumeaux ont gentiment repoussé ceux qui s'avançaient en ma direction. Adrian s'est entretenu avec l'adjointe qui, le matin même, m'avait accompagnée jusqu'à la salle de conférences. Revenant vers moi, il m'a répété ce qu'elle venait de lui confirmer : Gene Crawford se trouvait dans son bureau.

Dans le couloir, après avoir achevé nos préparatifs, Adrian m'a regardée d'un air grave.

– Vous êtes certaine que c'est bien ce que vous voulez, Leah ?

Une note aiguë sifflait dans mes oreilles.

– Oui. Ça ira…

Le store de la paroi vitrée étant tiré, il était impossible de voir à l'intérieur du bureau. J'ai tourné la poignée, je suis entrée en coup de vent et j'ai fermé la porte derrière moi. Stupéfait, Gene s'est redressé dans son fauteuil. Sans lui donner une seconde pour réfléchir, j'ai jeté un insigne taché de sang devant lui, sur la table de travail.

Je me suis surprise à parler d'un ton détaché :

– Tiens, Jones n'en aura plus besoin.

Il faut lui donner ça, à part ses yeux beaucoup trop grands ouverts, Gene a tout de même su camoufler sa surprise.

– Leah, mon Dieu ! Enfin te voilà ! J'étais mort d'inquiétude.

– Économise ta salive, Gene. Jones est mort et je sais tout. Quelqu'un vous a vus sur le bord de la route ce soir-là, Patrick et toi. Vous étiez trempés. Cette personne, Taylor Riley, a fait une déposition à la police et je mettrais ma tête à couper que tu as tout fait par la suite pour faire disparaître ce rapport qui vous reliait à la mort d'Amanda Phillips et à la disparition de Chase. Je parierais d'ailleurs que l'inspecteur Santos n'est pas mort d'un cancer. On me dirait que c'est toi qui l'as étranglé de tes mains, que ça ne m'étonnerait même pas. Mais ça, c'est une autre histoire…

Gene m'a regardée comme s'il était dans l'ordre des choses qu'il ait essayé de me faire assassiner quelques minutes plus tôt.

– La mort d'Amanda était un accident bête, je t'assure. Une erreur de jeunesse, Lee.

Je lui ai décoché un clin d'œil et j'ai répliqué d'un ton vitriolique :

– Ah oui ! Un accident bête comme celui qui a coûté la vie à Francis Powers ? C'est ça ? Un accident aussi bête que cette surdose d'insuline qui allait m'emporter ?

J'ai haussé la voix :

– Pas à moi, Gene ! Vous étiez tous les trois dans la voiture cette nuit-là. Patrick, Amanda Phillips et toi…

– Et quoi ? Tu veux peut-être que je complète la phrase ? Tu veux m'entendre te raconter tranquillement le reste, c'est ça ? Élève-toi au-dessus de la mêlée, Lee. Tu ne vois donc pas ce qui est en train de se passer ?

– Ce qui est en train de se passer? Je vais te l'expliquer, moi, ce qui est en train de se passer, monsieur le grand stratège. Tu croyais avoir le contrôle de la situation. Mais, maintenant, tu te rends compte que tout t'échappe, tu réalises que ce que tu croyais avoir réglé te glisse entre les doigts. Derrière cette porte, il y a un inspecteur de la police de Lowell. Il n'attend qu'un signal de ma part pour entrer et te passer les menottes.

Pour la première fois depuis que j'avais fait irruption dans la pièce, une lueur de panique s'est allumée dans les pupilles de Gene.

– Tu ne vois pas ce qu'ils essaient de faire, Lee? Pense à Patrick, à l'élection. Pense à tout ce travail que nous avons accompli. À tout ce que nous avons vécu ensemble, à tous ces obstacles que nous avons surmontés. C'est ce qui compte, non? C'est une période difficile à traverser. Je comprends... Mais dis-moi que tu ne vas pas sacrifier tout ça sur un coup de tête, hein?

J'ai avancé vers lui en pointant un index menaçant en sa direction.

– Un coup de tête? Espèce de salaud! Tu n'as pas hésité à ordonner mon exécution et tu voudrais que j'agisse comme s'il ne s'était rien passé? Tu vas répondre à mes questions et commencer par m'expliquer pour quelle raison tu voulais me faire disparaître! Je m'approchais trop de la vérité, du feuillet d'interrogatoire manquant et de Taylor Riley, c'est ça?

J'avais débité tout ça d'un bloc, d'un ton convaincant. Gene a baissé les yeux. Il se taisait.

– Mais éclaire-moi ! Pourquoi as-tu fait tuer Francis ? Parce qu'il connaissait le contenu du feuillet lui aussi ?

Gene a relevé la tête. Le visage sardonique, il a repris d'une voix douce :

– Mais tu n'y es pas du tout... Santos a fait disparaître ce document du rapport d'enquête il y a de ça bien des années... C'est toi qui as condamné Powers, ma chérie... Quand tu m'as fait part de tes soupçons à son égard, quand tu m'as dit qu'il t'avait envoyé un message texte...

Une colère sourde est montée en moi. Je me suis approchée de Gene. La main ouverte, je l'ai giflé de toutes mes forces. Sa tête est partie violemment sur le côté, ses lunettes se sont désaxées. Après les avoir replacées, il s'est emporté à son tour et il a tapé du poing sur la table.

– Tu veux la vérité ? Es-tu *vraiment* prête à entendre la vérité ?

Nos regards se sont défiés jusqu'à ce qu'il détourne les yeux. Lorsque quelqu'un vous dit ça, vous savez qu'il n'y aura pas de retour en arrière.

– Patrick était au volant au moment de l'accident. Il avait bu et il conduisait trop vite. Il voulait aller affronter son père.

– Le gouverneur ? Pourquoi ?

Gene a continué de fixer le bout de ses chaussures. La trace de mes doigts était imprimée sur sa joue. J'ai perdu mon sang-froid et crié sans retenue :

– Pourquoi ?!

Ma colère montait en puissance. Les mains sur les oreilles, Leah était recroquevillée dans un coin de mon esprit tandis que Lee occupait désormais tout le plancher. Gene m'a regardée d'un air mauvais. Des valises sous les yeux, il n'avait jamais eu l'air aussi vieux qu'en ce moment : on aurait dit une ruine. Prenant une grande inspiration, sa réponse a jailli comme la langue d'un serpent qui apparaît et se rétracte aussitôt :

– Parce qu'elle le menaçait, bon sang !

– Amanda ? De quoi elle le menaçait ?

– Elle voulait tout révéler à propos d'eux, rendre publique une information qui aurait pu compromettre le futur de Patrick et de sa famille !

– Quelle information, Gene ? Vide ton sac ! Va jusqu'au bout !

J'ai attendu. Comme il s'entêtait à garder le silence, quelque chose a explosé dans ma tête.

Hors de moi, j'ai hurlé à m'en décrocher les poumons :

– Quelle information ?!

Gene a fermé les paupières. Il semblait se recueillir. Mais plutôt que de réciter une prière, il s'est mis à parler d'un ton monocorde.

* * *

Lowell, Massachusetts, 20 octobre 1991

Les deux garçons ont tant bien que mal réussi à s'extirper de la voiture par la fenêtre du côté passager et à regagner la berge à la nage. L'eau s'engouffre à gros bouillons dans l'habitacle de la Porsche, qui s'enfonce déjà dans les flots opaques. Les cris étouffés d'Amanda Phillips, incapable de dégager sa jambe, retentissent dans la nuit. Le visage ruisselant, Patrick va plonger pour se porter à son secours lorsque Gene pose une main sur son épaule et le force à s'interrompre.

– N'y retourne pas, Patrick. C'est trop dangereux.

– On ne peut pas la laisser là. Elle va se noyer.

Gene regarde son ami.

– Et après? Réfléchis un peu. Si elle disparaît, tous les problèmes que son histoire va causer à ta famille disparaissent avec elle.

– Tu n'y penses pas, Gene. C'est un meurtre!

– Non! C'est un accident, Patrick. Nous sommes chanceux d'être encore en vie. On risque de se noyer, si on y retourne. Deux vies sauvées sur trois, c'est déjà presque un miracle.

– On ne peut pas faire ça, Gene... Je ne peux pas faire ça.

– Pense à ton nom. Pense aux conséquences sur le reste de ta vie et celle de ta famille. Pense à ta mère, Patrick...

La dernière phrase de Gene instille lentement un doute dans l'esprit de Patrick. Il jette des regards à la dérobée dans toutes les directions.

– Ça va se savoir. C'est ma voiture dans la rivière...

– Qui va le savoir? Personne ne nous a vus. Tu t'es fait voler la voiture. C'est tout...

Les vêtements détrempés des deux garçons fument dans l'air. Il n'y a rien d'autre à dire. Les mots de Gene se joignent aux cris d'Amanda et effectuent leur travail de sape dans l'esprit de Patrick.

– Tu crois que…

Mais déjà son cerveau a accepté la terrible idée que Gene vient de lancer, l'idée qui vient signer l'arrêt de mort d'Amanda ; ses synapses en sont maintenant à jauger les chances de réussite et les conséquences possibles. La décision de Patrick est déjà prise lorsque, dans son dos, une voix paniquée vient bousculer à jamais l'ordre des choses. Les deux amis se retournent d'un bloc et aperçoivent un autre jeune homme qui, courant vers eux, se débarrasse de sa veste et de son sac à dos, qu'il laisse tomber sur le sol.

– Hé, vous deux, qu'est-ce que vous attendez? Aidez-moi. Il faut la sortir de là !

* * *

Gene a relevé les yeux vers moi. J'ai reformulé ce qu'il venait de me dire :

– Si je comprends bien, Patrick, Chase et toi avez plongé tous les trois pour essayer de sauver Amanda, c'est ça ?

– C'est la vérité, Leah ! Nous avons tout tenté, mais elle était coincée… Puis, quand nous sommes revenus sur la berge, Patrick a paniqué. Il ne cessait de répéter que c'était sa voiture dans la rivière. Et il s'est mis à raconter toute l'histoire à Chase.

Gene mentait. Je savais qu'il mentait.

– Qu'est-ce que cette fille avait contre Patrick? Contre sa famille?

Gene a ignoré ma question. Il suait à grosses gouttes.

– Chase a flairé l'opportunité. Il a commencé à nous menacer. Il voulait dire à la police que nous n'avions pas essayé de porter secours à Amanda. Il voulait de l'argent! Il voulait qu'on achète son silence!

J'ai vu rouge.

– Sale menteur!

Avant que j'entre dans la pièce, par précaution, Adrian m'avait tendu le pistolet récupéré sur le corps de Jones. Sans hésiter, j'ai saisi l'arme glissée contre mes reins et, la tenant par le silencieux, j'ai violemment asséné un coup sur la bouche de Gene. Sous la force de l'impact, sa cavité buccale s'est remplie de sang. Se prenant le visage, il a quand même trouvé la force de continuer à mentir:

– C'est la vérité, Lee!

Lorsque j'ai levé la main et que j'ai fait mine de le frapper de nouveau, Gene a rentré la tête dans les épaules pour se protéger.

– Arrête, Lee! Pour l'amour de Dieu, arrête, je t'en prie... Je saigne comme un porc!

J'ai compris qu'il avait la trouille. Si seulement il avait su jusqu'où j'étais prête à aller.

– Tu mens comme tu respires, Gene. S'il y a une chose dont je suis certaine, c'est que Chase n'aurait jamais accepté d'argent, ni de disparaître en nous laissant en plan, sa famille et moi. Jamais!

Gene s'est mis à ricaner dans ma face. Il me regardait avec des yeux fous, comme s'il était dopé par l'odeur du sang qui, malgré le mouchoir qu'il pressait contre ses gencives, se répandait sur sa chemise. J'ai répété ma question d'une voix calme :

– Qu'est-ce que cette fille avait contre Patrick ?

Son rire et le gargouillis du sang dans sa gorge me glaçaient de peur, mais j'étais résolue à aller jusqu'au bout.

– C'est la vérité que tu veux ? Parfait, Lee, je vais te la dire, la vérité.

41.

THE ACRE

Un large sourire illuminait le visage de Chase alors que, regardant au-delà du kiosque à journaux, il fit mine de reconnaître quelqu'un sur le trottoir.

– Oui, oui, je te vois! Attends-moi une seconde, j'arrive!

Replaçant sa casquette sur sa tête, il rempocha son cellulaire. Il arrivait maintenant à la hauteur de l'homme à l'imperméable: un gaillard court et trapu, dans la trentaine, avec des mâchoires saillantes et un visage buriné, patibulaire. Celui-ci comprit au dernier moment que sa couverture était éventée, mais il était trop tard.

Chase saisit la manche de l'imperméable et tira dessus brutalement. Forcé de pivoter sur lui-même, l'homme laissa échapper la revue qu'il tenait. Le ramenant à lui, Chase lui enfonça son couteau de commando dans le cœur. L'homme expulsa une goulée d'air, ses yeux s'agrandirent, puis il se dégonfla d'un coup. Chase ralentit la chute du corps flasque et le déposa doucement sur le sol. Tout s'était passé en quelques secondes.

Sous le choc, les passants qui avaient assisté à la scène mirent un moment à réagir. Chase s'efforça de s'éloigner en marchant à un rythme normal. Traversant la rue, il dégaina son pistolet et le braqua pour forcer une voiture à s'arrêter. À la pointe de l'arme, il fit sortir la conductrice.

Il se glissait à l'intérieur du véhicule lorsque vint, à retardement, la première réaction. La voix d'une femme creva le silence. Elle poussait de grands cris épouvantés tandis que quelques passants s'agglutinaient autour de l'homme à l'imperméable. Une flaque de sang grossissait autour du corps.

Chase vit un homme vêtu d'un uniforme du United States Postal Service se pencher sur la victime. À sa démarche, il sut que c'était le responsable de l'opération. Il embraya. Quand le facteur releva la tête pour regarder en sa direction, Chase le reconnut immédiatement. La dernière fois qu'il avait vu ce visage, c'était dans une tempête de sable, au cours d'une opération en Afghanistan. À l'époque, cet homme faisait partie de son unité. D'abord Connor et maintenant… *Ramirez*! Approchant son poignet de sa bouche, ce dernier aboyait des ordres à l'intention des autres membres de l'équipe. Chase démarra en trombe.

Quelques secondes plus tard, une fourgonnette noire aux vitres teintées arriva à la hauteur de Ramirez. Sous les yeux des quidams médusés, deux hommes sortirent par la porte latérale, saisirent le corps de l'homme à l'imperméable et le chargèrent sans ménagement dans le véhicule tandis que Ramirez montait du côté passager.

La porte latérale se referma et le véhicule partit aussitôt.

Chase roulait à haute vitesse, mais, jetant des regards dans son rétroviseur, il prenait garde de ne pas perdre la fourgonnette de vue. Peu importe où il essaierait de se terrer, les autres le retrouveraient. La fuite n'étant pas une option, sa stratégie était simple : il allait les forcer à le suivre et à se battre sur son propre terrain. Chase se dirigeait vers une usine désaffectée, près du viaduc de Lawrence Street, là où, dans les eaux de la rivière Concord, depuis plusieurs années, des intrépides s'amusaient à descendre les rapides en rafting.

La voix de Gene Crawford montait du tréfonds de sa mémoire alors que le bâtiment apparaissait devant lui :

– Alors, écoute-moi, Chase. Écoute-moi bien, je vais te dire ce qu'on va faire maintenant...

Chase secoua sa torpeur. La fourgonnette noire était toujours derrière lui. Ses poursuivants gagnaient même du terrain et c'était parfait ainsi. C'était parfait, car, cette fois-ci, il était prêt. Il se rendait là où, vingt-cinq ans plus tôt, tout avait commencé.

* * *

Lowell, Massachusetts, été 1976

Dans leur enfance, avant même qu'ils ne comprennent leur place dans le monde, il y aura eu cette brève période où, l'espace de quelques semaines, Chase, Patrick et Gene deviennent presque des amis. Déjà, à cette époque, Lowell est une ville en déclin. La pauvreté gangrène certains quartiers qui, petit à petit, deviennent peu fréquentables. Issue d'immigrants irlandais, la famille de Chase habite The Acre, l'un des endroits les plus malfamés de la ville. Tous les dimanches, Ned Moore, sa femme Anita et leur fils unique vont prier à l'église Saint-Patrick, construite en 1831 sur une parcelle de terre donnée par une des grandes compagnies de textile en soutien aux familles des ouvriers irlandais qui travaillaient alors à la construction des canaux Pawtucket et Merrimack. Avec une superficie équivalente à une acre, la parcelle de terre finit par donner son nom au quartier.

Pour leur part, les parents de Patrick et de Gene résident dans deux des maisons les plus cossues des Upper Highlands, lesquelles jouxtent d'autres propriétés de prestige, près du Mount Pleasant Golf Club.

Le père de Chase, Ned Moore, a une petite entreprise de construction et de jardinage. À cette époque, déjà, en raison de la maladie de sa femme, avec les factures de médicaments et de soins hospitaliers qui s'empilent, il peine à joindre les deux bouts. Le gouverneur Adams et son voisin, Ed Crawford, un homme d'affaires aussi craint que respecté dans toute la ville, comptent à cette époque pour plus de quatre-vingts pour cent de son chiffre d'affaires.

Cet été-là, Ned doit construire un nouveau pavillon, dans la cour arrière de la maison du gouverneur, qui servira de salle à manger estivale. Pour alléger le fardeau d'Anita et lui permettre de se reposer, Ned emmène leur fils unique au travail. Chase a six ans.

Le premier jour, Patrick et Gene observent Chase avec curiosité. Puis, en moins de temps qu'il n'en faut pour le dire, les trois garçons se mettent à faire comme tous les gamins de leur âge : ils jouent aux cow-boys et aux Indiens dans le boisé qui sépare la maison du gouverneur du terrain de golf.

C'était quelques années avant que leurs jeunes cerveaux soient ravagés par les saloperies qui corrompent et scindent le monde en deux castes, en deux compartiments étanches ; c'était avant que le pouvoir et l'argent réduisent la lutte des classes à sa plus simple équation : les riches et les pauvres. Le temps se charge du reste. Plus tard, à l'adolescence, lorsqu'ils se recroiseront, ils ne se salueront plus que de loin, d'un vague mouvement de tête.

* * *

Lowell, Massachusetts, 20 octobre 1991

Les trois garçons ne s'étaient jamais reparlé, mais lorsque Chase interpelle les deux autres cette nuit-là et qu'il leur enjoint de l'aider à sauver Amanda Phillips, même s'il y a des années qu'ils ne l'ont plus revu, Patrick et Gene le reconnaissent en un coup d'œil. Et tandis que la voiture s'enfonce dans les eaux sombres et froides de la rivière Concord, pendant qu'Amanda Phillips essaie de décoincer sa jambe et qu'elle pousse les derniers cris de sa jeune existence, un combat furieux s'engage sur la rive. De nombreux coups sont échangés de part et d'autre, puis les corps des pugilistes roulent dans la poussière.

– Qu'est-ce que vous faites? Elle va mourir! Lâchez-moi!

Dépassé en nombre et en force, Patrick s'avérant un adversaire redoutable, Chase finit par succomber aux attaques des deux autres. Les membres entremêlés, leurs poitrines haletantes, les trois jeunes hommes regardent la voiture disparaître sous la surface de la rivière.

Chase veut se mettre à hurler, mais Patrick, qui est à cheval sur lui et immobilise ses bras avec ses genoux, le fait taire en lui assénant un violent coup de poing à la mâchoire. La tête de Chase bascule en arrière et frappe durement le sol.

Les yeux exorbités, il crache une giclée de sang.

– Vous êtes fous, tous les deux! Qu'est-ce que vous croyez?! Que personne ne va se rendre compte que vous l'avez laissée mourir? Je vais tout raconter à la police!

Gene s'agenouille près de lui et se met à parler d'une voix très calme:

– Vas-y, Chase. Mais n'oublie pas que tu es autant dans la merde que nous... Si tu appelles la police, tu vas être mis en cause. Et alors, ce sera ta parole contre la nôtre...

Chase tente de se dégager de l'emprise de Patrick, mais l'autre est trop lourd, trop puissant. Gene poursuit. Un sourire fourbe flotte sur son visage.

– Non... Tu ne vas rien aller raconter à la police, Chase. Rien du tout... Dis-moi, Anita, ta mère... elle est toujours en attente d'une greffe de rein?

Chase jette un regard hargneux à Gene.

– Comment tu sais ça, toi?

– Ne te tracasse pas avec ça, Chase, ça n'a pas d'importance. Je le sais, c'est tout…

Chase se débat comme un diable dans l'eau bénite, mais Patrick le maintient au sol.

– Espèce de salaud! Pourquoi mêles-tu ma mère à cette histoire? Est-ce que moi je parle de ton père, Gene? Même si toute la ville sait qu'il est l'un des foutus capos du parrain de la mafia de Boston!

Les yeux de Gene deviennent des fentes. Il s'approche de Chase, qu'il pointe avec l'index.

– Ah, tu veux parler de mon père maintenant? Alors, parlons-en, Chase! Qui est-ce qui fait vivre le tien depuis vingt ans, selon toi? Qui a été le plus gros client du bon Ned Moore, hein? Qui, crois-tu, lui a obtenu tous ces contrats pour la Ville sans passer par le processus d'appel d'offres? Tous ces contrats qui lui ont permis d'embaucher des employés, d'ouvrir un bureau et d'arrêter de se traîner dans sa merde? Et quand tout l'argent de ton père passait en soins médicaux pour ta mère et qu'il ne pouvait plus payer ses créanciers, qui crois-tu qu'il allait voir? Qui lui prêtait l'argent, selon toi?! Quoi? Pourquoi tu me regardes comme ça, Chase? Tu pensais que tout s'arrangeait quand le bon Ned Moore allait prier le dimanche à l'église Saint-Patrick? Et quand la banque a refusé de lui octroyer un prêt pour acheter sa nouvelle maison, qui a encore financé Ned Moore, d'après toi? Hein? Qui lui a permis de quitter The Acre pour que vous puissiez acheter une jolie maison dans Lawrence Street? Qui? Alors, je vais te dire une chose:

fais attention à ce que tu dis quand tu parles de mon père, Chase. Parce que quand tu l'insultes ou que tu dis du mal de lui, tu mords la main de celui qui vous a nourris durant toutes ces années, le seul qui était là pour vous épauler quand tous les autres détournaient le regard. Et même s'il prie Dieu tous les dimanches, ton père ne vaut pas mieux que lui!

Patrick assiste à la scène sans mot dire, effrayé autant que fasciné par l'éloquence de son ami.

– Est-ce que tu m'écoutes, Chase? Est-ce que tu comprends? Tout ce que tes parents ont mis une vie à acquérir, tout ça pourrait s'effacer. Ton père pourrait tout perdre du jour au lendemain et ta mère pourrait crever si, par une bête «erreur» administrative, elle devait se retrouver à nouveau dans le bas de la liste et ne pas pouvoir recevoir d'organe compatible à temps…

Chase veut répliquer, mais il se tait et serre les mâchoires de rage. Gene reprend la parole:

– Alors, écoute-moi, Chase. Écoute-moi bien, je vais te dire ce qu'on va faire maintenant…

42.

RETOUR À LA CASE DÉPART

Tandis que Gene débitait tranquillement ses horreurs, j'essayais de m'imaginer ces terribles épreuves que Chase avait dû traverser. Je tentais de prendre la mesure de la vie qu'il avait dû mener. Même après toutes ces années, lui arrivait-il d'oublier ne serait-ce que quelques instants la violence de ces choix douloureux qu'il avait été forcé de faire?

Ma voix blanche m'a semblé appartenir à une autre personne:

– Vous l'avez menacé... Vous avez menacé Chase et sa famille...

– Menacé, menacé, le mot est fort. Seulement, Patrick et moi, on le connaissait un peu. Il suffisait de savoir sur quels leviers appuyer pour l'aider à déterminer où il devait placer ses intérêts.

Gene me répugnait, mais je suis parvenue à murmurer quelques mots:

– Et Patrick a embarqué là-dedans?

– Il n'a pas eu le temps de penser. Personne n'a eu le temps de réfléchir. Qu'est-ce que tu veux que je te dise? Est-ce que la mort d'Amanda était une erreur? Bien sûr! Écoute, Lee, nous étions jeunes... Nous avons tous les trois perdu contact avec la réalité, ce soir-là. Nous avons été emportés par les événements, et le contrôle de la situation nous a échappé.

– Et après? Qu'est-ce qui est arrivé? Une fois que vous avez empêché Chase de sauter à l'eau pour secourir Amanda?

– Tout s'est passé très vite... Le plus urgent, c'était d'abord d'éloigner Chase. J'ai appelé deux des hommes de mon père...

Les liens présumés du père de Gene avec le crime organisé avaient fait la manchette à la fin de notre vingtaine, lorsqu'il avait été retrouvé criblé de balles dans un restaurant du centre-ville. Le fait qu'il était l'un des seuls membres de la famille DiNunzio qui n'était pas d'origine italienne avait également soulevé des questions. Parmi les hypothèses avancées à l'époque, on avait évoqué la possibilité que le père de Gene ait appartenu aux services secrets et qu'il ait, à ce titre, travaillé comme agent infiltré pour le FBI. Des journalistes d'enquête avaient même soutenu qu'il avait joué un rôle d'importance dans l'arrestation de certains éléments clés de la famille DiNunzio. La rumeur voulait aussi que Gene, dès la fin de l'adolescence, ait trempé dans les affaires familiales, son père faisant souvent appel à ses extraordinaires capacités intellectuelles. Mais Gene, Patrick et moi n'en avions jamais parlé. Il s'agissait d'une sorte de tabou, un terrain interdit où nul n'avait envie de s'aventurer.

Gene a palpé l'intérieur de sa bouche avec l'index avant de reprendre le fil de son récit:

– Pendant que nous attendions les hommes de mon père, Chase a tenu à récupérer quelque chose dans son sac, puis nous avons laissé ses affaires sur la berge, pour faire croire qu'il s'était noyé…

Les questions se bousculaient dans mon esprit. À ce stade, j'avais renoncé à l'idée de les mettre en ordre.

– C'est Patrick et toi que Taylor Riley a vus marcher sur la route, trempés… Pourquoi vous n'êtes pas partis en voiture avec les autres?

– Parce que Patrick flippait complètement! Il criait qu'il refusait de monter en voiture «avec des hommes appartenant à la mafia». Pour le calmer, je suis rentré à pied avec lui…

– Où ont-ils emmené Chase?

– Nous l'avons caché quelques jours dans une maison sûre, le temps que les choses se tassent…

– Et les deux amis du cimetière? Ceux qui ont témoigné en faveur de Patrick?

Gene a levé les yeux au plafond en affichant une moue de dédain.

– Franchement, Lee… tu ne vas quand même pas me dire que tu n'as jamais vu quelqu'un accepter de l'argent pour faire un faux témoignage?

– Mais on ne peut pas faire disparaître quelqu'un comme ça, Gene. Pas aussi facilement…

Il s'est remis à ricaner. Son mouchoir était maculé de sang.

– Je t'assure, Lee, mon père avait toutes sortes de connexions à l'époque. Un des directeurs de la CIA mangeait une fois par mois à la maison. Tout le monde vendait de l'information à tout le monde. Procurer à Chase de nouveaux papiers et une nouvelle identité n'a pas été si difficile.

– Qu'est-ce qui s'est passé après?

– On a attendu trois jours, puis les hommes de mon père lui ont fait traverser la frontière du Mexique. Ils l'ont conduit dans une de nos résidences à Mexico City, où il a passé quelques semaines. On a finalisé les détails durant ce temps-là. Nous lui avons donné de l'argent et nous nous sommes assurés que, jusqu'à leur mort, ses parents et lui ne manquent de rien.

– Quand tu dis «nous», tu parles de ton père et de toi? Vous tiriez les ficelles, n'est-ce pas, Gene? C'est là que Patrick est devenu ta marionnette, non?

Gene a grimacé de mécontentement. Il a haussé légèrement le ton:

– Il fallait bien que quelqu'un se salisse les mains pour qu'il puisse garder les siennes propres. Mais ne crois pas pour autant que Patrick m'a laissé m'occuper de tout. Après la disparition de Chase, il a veillé sur ses parents. Tu vois, tout le monde y trouvait son compte... Même toi, ma chérie...

Je me suis redressée et j'ai froncé les sourcils.

– Qu'est-ce que tu veux dire?

– Ne prends pas cet air offensé! La plus grave erreur de Patrick, ç'a été de vouloir se rapprocher de toi. Il a développé le complexe du sauveur. C'est là qu'il a commencé à vouloir faire le bien partout autour de lui.

Une décharge électrique m'a traversée. Stupéfaite, j'ai repensé à notre première rencontre dans mon appartement miteux, la veille du jour de l'An. J'aimerais pouvoir affirmer que j'étais surprise, mais ce serait mentir. Quelque part au fond de moi, toute ma vie, j'avais su...

– Le mauvais garçon est devenu un homme bon...

– Ça me soulage que tu comprennes ça, Lee. Si tu savais à quel point il t'aime. La seule erreur qu'il a commise, l'erreur que nous avons commise tous les deux, c'est de laisser mourir Amanda. C'était tout simplement une erreur de jeunesse. Patrick en a tellement souffert qu'il a passé le reste de sa vie à se comporter de manière exemplaire. Son amour pour toi est réel et sincère. Tu es la femme de sa vie, Lee. Tu l'as toujours été. Il est fou de toi.

Je me suis retenue pour ne pas le frapper de nouveau.

– Et Chase? Qu'est-ce qu'il a fait toutes ces années?

– Il a fait ce qu'il avait toujours rêvé de faire. Quelques mois après sa disparition, avec ses nouveaux papiers, il s'est enrôlé dans une société militaire privée. C'est devenu un commando, Lee. Une véritable machine à tuer. Il a participé aux opérations les plus sales partout sur la planète. C'est ce qu'il voulait.

– Et sa nouvelle identité, c'est Robert Flynn?

– Oui.

Ce que Gene affirmait me donnait le vertige, mais j'ai craché une nouvelle question:

– Et pourquoi n'est-il jamais revenu?

– Ça faisait partie de notre entente. Et j'avais les outils pour la faire respecter. J'ai toujours été informé de ses déplacements. Quand il franchissait une frontière, je le savais tout de suite.

– Je n'y crois pas, Gene. Quels outils? Chase serait revenu quand ses parents sont morts…

Il m'a souri comme on sourit à un enfant malade.

– Pas nécessairement, Lee. Tu crois vraiment qu'il est encore amoureux de toi et que c'est pour ça qu'il est revenu? Après toutes ces années? Tu es tellement naïve.

* * *

New York, été 1995

C'est la première fois que Victoria's Secret organise un défilé de mode à New York. Dans l'une des dernières rangées, loin de la passerelle, Chase se glisse dans l'assistance. Chacun des passages de Leah sur le *catwalk* suscite des murmures dans la foule.

Le lendemain, prenant soin qu'elle ne le repère pas, il la suit quelques heures alors qu'elle arpente Fifth Avenue, flânant dans les boutiques. S'approchant à quelques mètres d'elle, il peut sentir son parfum et presque la toucher. Ses longs cheveux blonds ondoient dans la lumière. Un halo diaphane semble l'envelopper. À plus d'une reprise, il réprime l'envie de lui prendre la main. Ils pourraient courir ensemble, s'engouffrer dans un taxi, disparaître à l'angle de la rue et partir refaire leur vie ailleurs.

Chase sait qu'il n'a pas respecté les consignes et qu'il prend un risque énorme. La règle est pourtant claire, formelle : il ne doit rentrer au pays sous aucune considération. Aucune. Mais n'a-t-il pas pris moult précautions pour qu'ils ne sachent pas qu'il est revenu? De toute manière, maintenant qu'on a transplanté un rein à sa mère, six mois plus tôt, Chase s'est convaincu que les conséquences de son retour seraient bien moins grandes. Il a mis de l'argent de côté. En cas de coup dur, il pourrait aider son père financièrement. Que peuvent-ils leur faire?

Ce jour-là, Chase finit par laisser Leah se perdre dans la foule et il passe le reste de la journée à rêvasser sur un banc de Central Park. Il n'a qu'une idée en tête: trouver une façon d'entrer en contact avec elle sans qu'ils s'en rendent compte. Il doit lui faire savoir d'une manière ou d'une autre qu'il est en vie.

Est-ce qu'elle l'a déjà oublié? Pense-t-elle à lui parfois? Pourquoi s'est-elle mariée avec Patrick? Ce salaud l'a forcé à s'enfuir et lui a volé la femme qu'il aime...

Son regard perdu dans le ciel se pose sans cesse sur la silhouette rassurante des tours jumelles, qui dominent la ville. On est en Amérique. Là où tous les rêves sont réalisables. Que pourraient-ils bien leur faire de si terrible maintenant?

Tard le soir, Chase regagne son hôtel débordant d'espoir. Il va trouver une solution pour que Leah et lui puissent s'enfuir ensemble. Il le faut.

En entrant dans sa chambre, il constate qu'on a glissé une enveloppe sous la porte. Chase l'ouvre nonchalamment en se laissant choir sur le lit. Tout est possible à nouveau.

Son sourire s'éteint aussitôt.

L'enveloppe ne contient qu'une chose. Une seule. Une photo.

43.

CONFESSION

J'aurais voulu les étouffer, mais les voix de Chase, de Patrick et de Gene entremêlées aux hurlements d'Amanda Phillips se transformaient dans ma tête en un bourdonnement sourd. J'aurais préféré fermer les paupières, quitter la pièce, fuir cette ville glauque où je n'aurais pas dû remettre les pieds, gommer ce que je venais d'apprendre de ma mémoire et n'emporter que du vide, mais le tumulte gonflait dans mon esprit.

Gene me regardait intensément. Il ne ricanait plus. Des images me brûlaient les yeux et je me voyais en train de lui enfoncer le pistolet dans la gorge, de le forcer à l'avaler. D'un geste nonchalant, il a déposé son mouchoir maculé de sang sur le bureau et il a fait mine de se lever. Enfonçant mes doigts dans son thorax, je l'ai repoussé fermement, le forçant à se rasseoir. Mon pistolet vacillait à quelques centimètres de son visage.

– Qu'est-ce que tu fais?

J'ose à peine imaginer quelle tête j'avais. J'ai rugi:

– Reste assis!

Sans paraître le moins du monde impressionné, Gene a consulté sa montre.

– Allons, ne sois pas ridicule, Lee. Je vais devoir me débarbouiller, changer de costume et inventer une histoire pour expliquer la gueule que j'ai. Toi, il faut que tu te maquilles et que tu enfiles une robe convenable. Si nous voulons rejoindre Patrick à l'heure, nous avons tout juste le temps de rentrer au Kerouac et de nous préparer. Je vais demander au chauffeur de la voiture de nous prendre là-bas.

J'ai éclaté de rire. Un rire nerveux. Mon index s'est crispé sur la détente.

– Tu ne crois tout de même pas qu'on va faire semblant que rien n'est arrivé?

Gene m'a regardée avec de l'hostilité dans les yeux.

– Arrête ton cinéma, Lee! C'est trop tard pour faire marche arrière. Tu ne peux pas lancer la serviette maintenant. Les résultats ont commencé à sortir. Patrick est en avance. Et s'il y a une certitude dans toute cette histoire, c'est qu'il va devenir notre prochain président et, que tu le veuilles ou non, tu vas être la première dame de ce putain de pays! C'est ce dont l'Amérique a besoin, c'est ce qui a été programmé et c'est ce qui va se produire!

Gene avait de l'écume à la commissure des lèvres. J'en avais acquis la certitude dans les dernières minutes: le génie du Mal se tenait devant moi. Mais en allait-il de même pour Patrick? Pouvais-je m'être trompée à ce point sur son compte? L'idée qui m'apparaissait la plus insupportable, c'était de m'être laissé pénétrer toutes ces années par un menteur et un meurtrier.

– Dis-moi une chose, Gene. Et réponds-moi franchement… Patrick est-il au courant? Je veux dire: est-ce qu'il a donné son accord pour nous faire assassiner, Francis et moi?

Gene a soupiré avec exaspération, comme quelqu'un qui a horreur de devoir expliquer des évidences.

– Je te l'ai dit, depuis la mort d'Amanda, il a passé le reste de sa vie à faire le bien autour de lui. Cet homme est un saint! Alors, oublie le passé, oublie Chase. Le choix est entre tes mains: tu peux faire dérailler la candidature du meilleur homme pour le poste en t'accrochant à ce que Chase a été pour toi il y a vingt-cinq ans. Ou encore, tu peux choisir la voie de la raison: retourner auprès d'un homme qui t'aime plus que lui-même et l'aider à devenir président. Ta place est avec Patrick. Pense à ton pays, Lee. Le monde a besoin de lui.

J'ai fermé les yeux. Mes doigts se sont crispés encore davantage sur la crosse du pistolet. Gene mentait. Patrick *savait*, j'en étais convaincue.

– Comment est-ce possible, Gene? Il *devait* savoir.

– Mettre un président en place, ça se planifie sur des décennies, Lee. Pour assurer le succès de l'opération, il est nécessaire de compartimenter. La main droite ne doit pas savoir ce que fait la gauche, l'équipe A doit ignorer ce que fabrique l'équipe B. C'est un jeu, Lee, un immense jeu. Et moi, je suis un des maîtres de jeu… Tu as deux choix ici: tu peux me tuer ou me remettre ton arme. Mais sache que si je disparais, il y aura quelqu'un d'autre pour continuer à tirer les ficelles derrière le rideau. Et quelqu'un d'autre derrière cette personne pour prendre sa place au besoin. Allez, nous avons assez perdu de temps! Donne-moi ce pistolet et allons nous préparer...

Gene s'est levé. J'ai reculé dans la pièce. Le pistolet me brûlait la paume.

– De qui parles-tu? Qui est derrière tout ça?

Gene a avancé d'un pas en ma direction.

– Tu poses la mauvaise question, Lee. L'important n'est pas de savoir *qui* est derrière ça. Ce que tu devrais te demander, c'est *pourquoi* ils veulent que Patrick devienne président...

– Alors, dis-le-moi. Dis-le-moi, Gene. Pourquoi?

Il avait l'air de celui qui n'avait pas envie de s'embarquer dans une discussion sans fin.

– C'est toujours pour la même raison, Lee. Depuis la nuit des temps, le pouvoir est l'esclave de l'argent. Il y a trop de lobbys, de groupes d'influence, d'intérêts en jeu. Les planètes sont alignées pour Patrick. L'environnement est devenu l'enjeu principal et toute une économie est en train de se développer autour. Tu ignores tout de ce qui se passe sous la surface...

J'ai plongé ma main libre dans la poche du blouson de cuir que m'avait prêté Nicholas.

– Peut-être. Mais, cette fois-ci, tu as mal joué tes cartes, et ton château est en train de s'écrouler. Tu as déjà perdu, Gene...

J'ai brandi l'enregistreuse numérique que m'avait remise Adrian Mitchum avant que je n'entre dans le bureau, puis j'ai fait rejouer à Gene un bout de la conversation que nous venions d'avoir.

D'un ton sarcastique, j'ai soufflé:

– Tu vois, j'ai tout enregistré...

Gene se tordait de rire pendant que je recommençais à enregistrer. Un rire sinistre.

– Mais tu n'as vraiment rien compris, ma pauvre! Tu peux m'arrêter, mais tu n'arrêteras pas la machine. Les forces sont déjà en mouvement.

J'ai voulu le ramener dans la réalité.

– Moi, je n'arrêterai peut-être pas la machine, Gene. Mais Chase, lui, le pourra peut-être en témoignant, en parlant aux médias...

J'ai guetté sa réaction. Gene s'est figé, il a repris son sérieux d'un coup. À l'expression de son visage, j'ai su que j'avais touché une corde sensible.

– Ne compte pas sur lui, Lee.

– Pourquoi est-il revenu?

Gene a paru hésiter un instant, puis il a marmonné sa réponse:

– Je ne sais pas...

– Voilà! Tu ne sais pas pourquoi il est revenu. Tu ne le sais pas parce que tu t'es toi-même fait doubler par la machine, Gene.

Il a souri en affirmant d'un ton pervers:

– Tu crois que Chase va tout arranger? Laisse-moi te dire une bonne chose, laisse-moi te faire un aveu: je ne sais pas comment il est parvenu à se glisser à travers les mailles du filet. Il a été très fort pour réussir à revenir sans que je sois informé de sa présence en sol américain. Mais c'est trop tard, Lee. J'ai repris le contrôle du jeu. Une équipe de tueurs est déjà en route pour l'éliminer...

– Non! Tu ne vas pas…

Je me suis arrêtée en plein milieu de ma phrase. Le grand stratège avait versé le poison et ne possédait pas l'antidote. Chase n'allait pas mourir de nouveau! Je n'allais pas permettre ça! Je ne pouvais pas permettre ça! Mais Gene était lancé et il continuait à déverser son fiel.

Il y avait déjà de longues minutes que Leah Hammett s'était enfermée dans le bureau en compagnie de Gene Crawford. La porte était close, le store de la paroi vitrée, baissé. Des éclats de voix filtraient de la pièce, mais les jumeaux ne pouvaient entendre distinctement la conversation. Adrian faisait les cent pas dans le couloir tandis que Nicholas, assis en tailleur sur le sol, jouait à Tetris sur son cellulaire.

Tous deux se figèrent lorsque Leah apparut dans le corridor.

Des gouttelettes de sang constellaient son visage. Le policier s'avança vers elle et prit doucement l'arme qui pendait au bout de son poing, contre sa cuisse. Visiblement en état de choc, Leah se retourna lentement vers lui. Sa voix n'était plus qu'un murmure:

– Il a essayé de m'arracher le pistolet. J'ai voulu l'en empêcher, nous avons lutté. Le coup est parti tout seul…

Nicholas se rua dans la pièce. Le corps de Gene Crawford était affalé dans son fauteuil, sa tête éclatée était renversée vers l'arrière.

La détonation avait été étouffée par le silencieux. Les jumeaux ne l'avaient pas entendue.

44.

SORTIE DE SCÈNE

Le jour mourait. Dans les arbres, le vent remuait mollement les feuilles aux teintes cuivrées. Un peu en retrait de Lawrence Street, adossée à la rivière Concord, l'ancienne usine de textile moisissait là, abandonnée et triste comme un navire échoué. La façade de l'édifice de briques rouges était percée d'une enfilade de fenêtres éclatées ou obscurcies par la poussière.

La fourgonnette s'immobilisa à quelques mètres de l'endroit où Chase avait abandonné la voiture. Lourdement armés, les cinq membres du commando sortirent de leur véhicule et s'abritèrent derrière la masse de tôle.

L'un d'eux alla inspecter l'intérieur de la voiture, dont la portière du côté conducteur était restée ouverte. Après s'être assuré qu'elle était vide, il fit un signe de la main en direction des autres membres de son unité. Ce fut son dernier geste. Un claquement étouffé retentit dans l'air, une gerbe de sang jaillit, sa tête explosa.

À l'abri derrière la fourgonnette, nullement surpris, Ramirez se tourna vers ses hommes.

– *One shot, one kill.*

La devise du sniper. Chaque membre de l'unité comprenait de quoi il retournait : l'homme que Chase venait d'abattre avait été tué à l'aide d'une carabine à lunette de tir munie d'un silencieux. Une attaque frontale aurait été suicidaire. Ramirez donna ses instructions à voix basse. Après avoir éteint leurs émetteurs-récepteurs, les membres restants du commando se dispersèrent, chacun gagnant le couvert des arbres.

Chaque homme approcherait l'usine d'un angle différent, compliquant ainsi la tâche du tireur embusqué, qui ne pourrait tous les couvrir seul. Une fois les tueurs dans l'immeuble, Chase perdrait l'avantage du terrain.

Ramirez se plaqua contre le mur extérieur. Il avait longé la rivière Concord sur plusieurs mètres, coupé à travers des fourrés et atteint l'usine par l'arrière. Il allait pénétrer dans l'édifice par une fenêtre cassée du rez-de-chaussée lorsqu'un claquement étouffé brisa le silence. Ramirez sut à l'instant que Chase venait d'abattre un autre de ses hommes. Ils n'étaient donc plus que trois. Avançant avec prudence, il enjamba les détritus qui jonchaient le sol et se dirigea vers l'escalier. C'était un défi d'avancer sans faire craquer quoi que ce soit sous les semelles de ses bottes.

Ramirez s'arrêta : il venait de percevoir un raclement. Son index se crispa sur la détente de son fusil d'assaut, une dose d'adrénaline fut libérée dans son système nerveux, puis la tension se relâcha. Cooke, un des membres de son unité, venait d'apparaître de l'autre côté de l'escalier. À l'aide de signes, il lui fit comprendre que le rez-de-chaussée était sécurisé. Les deux hommes commencèrent à monter les marches. Au premier étage, à quelques mètres du palier, ils trouvèrent le corps de

Garcia. Ce dernier gisait dans une mare de sang, la gorge tranchée. Ramirez n'avait jamais été un as en mathématiques, mais il n'eut pas besoin de faire le décompte pour savoir qu'ils n'étaient désormais plus que deux.

En silence, Cooke et lui inspectèrent une par une chaque pièce de l'étage. Derrière une cloison, ils découvrirent un lit de camp, une glacière au propane, des bidons d'eau, un seau dégageant une forte odeur d'urine, du papier hygiénique, quelques vêtements glissés dans un sac de sport et des boîtes de munitions. La planque de Chase Moore.

Ne manquait plus que le principal intéressé.

J'avais pris le cellulaire de Gene dans la poche de son veston. Tandis que Nicholas m'aidait à me débarbouiller le visage dans le corridor, Adrian a enveloppé le pistolet dans un mouchoir et il est entré dans la pièce. Il en est ressorti moins d'une minute plus tard sans dire un mot. Par la suite, nous avons refermé la porte du bureau, abandonnant le corps derrière nous.

Il n'y avait pas une seconde à perdre : si Gene avait dit vrai, la vie de Chase était en danger. Nous avons traversé la salle commune du bureau de campagne en quatrième vitesse, puis nous sommes sortis. Là, nous nous sommes engouffrés dans la Mustang de Nicholas, garée devant l'immeuble. Adrian me pressait de questions.

– Comment pouvez-vous être sûre que Chase sera là-bas ?

– Je vous l'ai dit: à cause du message sur la carte postale. Plus vite, Nicholas.

La Mustang a négocié un virage serré, les pneus mordaient l'asphalte en gémissant.

– Je roule déjà à fond.

Nicholas conduisait effectivement comme un fou. J'étais assise à l'avant, à ses côtés, et Adrian se trouvait sur la banquette arrière. Assis au milieu du véhicule, il se cramponnait aux appuie-tête de nos sièges. C'est lui qui a repris la parole:

– *Là où l'Irlandais d'Arabie boit* ou quelque chose du genre?

– Exactement! Ça m'a pris un moment à comprendre qu'il parlait de l'usine de Lawrence Street. Chase est d'origine irlandaise. L'un de ses acteurs préférés était Peter O'Toole. Quel a été son rôle le plus marquant au cinéma?

– La *Guerre de Murphy*?

Nicholas lui a donné une claque sur l'épaule.

– Mais non, crétin! C'est *Lawrence d'Arabie*...

Adrian a grommelé quelque chose. Je me suis retournée et je l'ai dévisagé.

– *Lawrence d'Arabie*... Lawrence Street!

Nullement convaincu, le policier a esquissé une moue dubitative.

– Désolé, mais je ne comprends toujours pas. Quel rapport avec un endroit où boit un Irlandais? Il doit certainement s'agir d'un pub irlandais. Peut-être le Old Court, dans Central Street?

– Mais non! L'usine de textile de Lawrence Street, c'était l'endroit où, Chase et moi, on allait boire des bières!

Aplati contre le mur, dissimulé aux regards, Chase surveillait les marches et le palier en contrebas. Il n'y avait qu'une façon pour les hommes qui voulaient l'éliminer de gagner les étages supérieurs: emprunter l'escalier.

Chase entendit un craquement ténu. D'instinct, il sut que ses assaillants s'engageraient sur le palier d'une seconde à l'autre. Il attendit qu'ils franchissent les premières marches, puis, pistolet au poing, il sortit son avant-bras dans la cage d'escalier. Ses tirs atteignirent le premier homme à la cuisse et au visage.

Sous la force de l'impact, le corps fut projeté vers l'arrière. Chase entendit des détonations, puis sentit une brûlure: le deuxième homme avait ouvert le feu.

Touché au bras par deux projectiles, Chase lâcha son pistolet, et l'arme se mit à débouler une marche après l'autre en bondissant. Sans hésiter, il remonta l'escalier en restant accroupi. Le deuxième homme tira une longue rafale à travers la paroi. Les balles sifflèrent et allèrent se ficher dans le mur quelques centimètres au-dessus de la tête de Chase. Le bras gauche inerte le long de son corps, il poursuivit sa course. Outre son couteau, il n'avait aucune arme sur lui. Il devait donc atteindre le toit, où il avait laissé la carabine de précision.

C'était sa seule chance.

Ramirez regarda les trois traces d'impact sur son thorax. Le gilet pare-balles qu'il portait sous sa tenue de facteur venait de lui sauver la vie. Après avoir écarté du pied le pistolet de Chase, il se pencha sur le corps de Cooke. Celui-ci n'avait plus de visage. Serrant les dents, Ramirez s'empara du lance-roquettes M72 LAW que le cadavre portait en bandoulière et l'arma. Il se lança au pas de course vers le haut de l'escalier. Cette fois, Chase Moore n'allait pas lui échapper. Il n'allait pas seulement le tuer, il allait le pulvériser, le réduire en cendres.

Ralentissant progressivement, Nicholas a pointé du doigt une fourgonnette noire stationnée cent mètres devant nous.

– On arrive. Nous ne sommes pas les premiers…

Nicholas a continué d'avancer en roulant à bas régime. Après une lisière d'arbres, l'usine est apparue dans notre champ de vision. L'endroit n'avait pas changé d'un iota depuis la dernière fois que j'y étais venue.

– Il y a une autre voiture dans le stationnement. Regardez sur le sol, près de la portière ouverte… On dirait…

Adrian a repris la phrase de son frère, qui demeurait bouche bée :

– C'est un corps. Restez ici, Leah. Nicholas et moi, on va aller voir…

Nicholas a immobilisé la voiture derrière la fourgonnette. Pistolet au poing, les jumeaux allaient sortir de la Mustang lorsque, en jetant un coup d'œil en direction de l'usine, nous avons tous les trois été témoins de la même scène : un homme coiffé d'une casquette des Red Sox courait à grandes enjambées sur le toit. Je l'ai reconnu sur-le-champ : c'était Chase. À l'extrémité opposée, un trait orange a enflammé le ciel.

Comme dans une séquence de film jouant au ralenti, la dernière chose que j'ai vue, c'est Chase être propulsé dans les airs. Au même moment, une boule de feu a embrasé le toit à l'endroit précis où il se trouvait une seconde auparavant.

Ma bouche s'est ouverte, mes yeux se sont écarquillés, mon cœur a volé en éclats. Personne ne pouvait survivre à une telle déflagration. Personne…

Un cri animal est monté de mes entrailles. J'avais beau hurler le nom de Chase à m'en arracher les poumons, griffer, frapper et me débattre pour essayer de sortir de la Mustang malgré Nicholas et Adrian qui m'en empêchaient, je ne pouvais rien y changer : je venais de perdre Chase pour la deuxième fois.

Il était mort dans les airs, les bras en croix, comme un ange calciné…

Tout finissait là où tout avait commencé, à quelques mètres du lieu où la voiture de Patrick était entrée dans l'eau, vingt-cinq ans plus tôt.

Tout finissait près du pont des Six Arches, là où nous nous étions tant aimés.

45.

CONVENTION DÉMOCRATE

Je crains de ne pas avoir l'étoffe des héros. Après avoir lutté avec l'énergie du désespoir pour sortir de la voiture, je me suis sentie si engourdie que je n'avais plus la force de bouger. J'entendais Adrian aboyer des directives à Nicholas, mais sa voix me semblait étouffée, distante. Des tremblements me secouaient de la tête aux pieds. Tout ce que j'avais vécu depuis le début de la journée semblait irréel. Un vacarme de sirènes montait au loin. Nicholas a appuyé sur l'accélérateur et nous avons roulé un long moment en silence.

– Emmenez-moi au Convention Center.

Je me suis surprise à prononcer ces mots d'une voix calme et déterminée. Les jumeaux m'ont regardée, interdits. Ils s'attendaient sans doute à ce que je craque et fonde en larmes. Mais ce n'était pas le moment de pleurer. J'aurais le reste de ma vie pour ça.

Adrian me jaugeait.

– Vous êtes en état de choc, Leah. Ça ne serait pas raisonnable.

Les hommes croient détenir le monopole de la violence, être les seuls à éprouver le désir de la vengeance.

– Je vais avoir besoin d'une robe de soirée et de maquillage.

Ma décision était prise. J'avais le goût du sang dans la bouche et j'allais me rendre à la soirée de la convention démocrate pour y affronter mon cher mari.

Empoignant le cellulaire que j'avais récupéré sur le corps de Gene, j'ai pianoté un texto pour Patrick :

Juste te dire que j'ai perdu mon cell
Gene dit que tu es en avance. Génial !!!
J'arrive bientôt, je pense à toi…
Leah

Dans le rétroviseur, Nicholas a cherché du regard l'approbation de son frère. Adrian a fini par acquiescer d'un mouvement de tête et nous avons mis le cap sur Boston. Bien entendu, nous allions devoir rendre compte de nos actes.

Mais pas avant d'être allés au bout de cette histoire…

Je ne pouvais pas retourner au Kerouac pour enfiler une tenue appropriée. À l'heure qu'il était, l'endroit devait grouiller de policiers. Il nous faudrait donc improviser. Le Boston Convention Center, là où avait lieu le rassemblement des partisans de Patrick, était situé dans Summer Street. Nous aurions pu nous arrêter dans une boutique du centre-ville, mais Adrian ne voulait pas courir le risque que je sois reconnue. Nous disposions de peu de temps avant que Patrick ne monte sur scène.

Nicholas a regardé son frère dans le rétroviseur avec un petit sourire.

– Tu penses à la même chose que moi, *bro*?

Adrian a sorti son cellulaire.

– Oui. J'appelle Janet.

Et c'est comme ça que, trente minutes plus tard, nous nous sommes retrouvés devant la porte d'un luxueux loft de Beacon Hill, l'un des quartiers les plus huppés de Boston. Tout ce que je savais avant que nous appuyions sur sa sonnette, c'était que Janet faisait à peu près ma taille. Vêtue avec élégance d'un jean et d'une chemise noire, une femme au début de la quarantaine nous a ouvert. Un sourire éclairait ses traits fins. Ses cheveux roux étaient relevés en chignon sur sa tête.

– Entrez, mes amis. Entrez.

S'avançant dans le vestibule, Adrian s'est approché et il a embrassé Janet sur la bouche en la serrant dans ses bras. Ensuite, Nicholas l'a imité : baiser sur la bouche et accolade. Un peu gênée, j'ai détourné la tête. La scène me paraissait étrange, d'autant que Janet avait quelques années de plus que les jumeaux. Adrian a fait les présentations sans mentionner mon nom de famille, mais j'ai perçu dans le langage corporel de Janet qu'elle savait qui j'étais. Nous avons échangé les politesses d'usage.

Par la suite, Adrian l'a prise à l'écart et ils se sont mis à discuter à voix basse. M'invitant à le suivre, Nicholas s'est dirigé sans attendre vers la cuisine. Des yeux, j'ai fait le tour du propriétaire. L'appartement à aire ouverte n'était qu'une immense pièce entièrement peinte en blanc. La déco était épurée, le mobilier, minimaliste et très design, l'ensemble, résolument zen. Quelques tableaux représentant des corps tordus ornaient les murs. Au fond se trouvait une cloison rouge derrière laquelle devaient se nicher une chambre et la salle de bains.

– Un verre d'eau?

Je me suis retournée, j'ai saisi le verre que Nicholas me tendait et je l'ai bu d'un trait. Décidément, ça devenait comme un rituel entre nous.

– Merci.

– Pas de quoi. Je vais fumer une cigarette. Vous en voulez une?

Sans autre formalité, Nicholas a tourné les talons et s'est dirigé vers les portes vitrées. J'allais lui emboîter le pas lorsque Adrian et Janet sont venus me rejoindre.

– Je crois comprendre que vous êtes pressée. Venez avec moi, Leah. Je vais vous indiquer où se trouve la salle de bains. J'ai déjà préparé ce qu'il vous faut.

C'était effectivement le cas. Après avoir pris une douche rapide et enfilé la robe de chambre que Janet avait mise à ma disposition, je me suis installée à la coiffeuse où un séchoir à cheveux et du maquillage m'attendaient. Posé devant moi, le cellulaire de Gene s'est mis à vibrer. Le nom de Patrick s'est inscrit sur l'afficheur. J'ai hésité une seconde, puis j'ai laissé l'appel filer dans la boîte vocale. Au moment où je mettais la touche finale à ma peinture de guerre, le reflet de Janet m'est apparu dans le miroir; elle se tenait dans l'embrasure de la porte, derrière moi.

– Vous êtes magnifique.

Je l'ai remerciée d'un sourire. Janet s'est avancée dans la pièce, puis elle a mis la main sur mon épaule.

– Ça va aller, Leah...

J'ai relevé les yeux et fixé le reflet de son visage dans le miroir. La situation aurait pu paraître étrange, mais il n'y a eu aucun malaise.

– Qu'est-ce qu'Adrian vous a dit, Janet?

Elle m'a fait un clin d'œil de connivence.

– Rien. Ou plutôt si... Il m'a dit de ne pas vous poser de questions. Mais j'ai comme un sixième sens pour détecter les gens qui ont des ennuis. Les vêtements sont sur le lit. Ils devraient vous aller comme un gant...

Alors qu'elle quittait la pièce, je me suis dit que j'aurais aimé avoir une amie comme Janet.

Quelques minutes plus tard, je suis ressortie de la chambre vêtue d'une élégante robe de soirée noire, d'une veste et de chics escarpins. Les jumeaux ont relevé la tête en même temps. Nicholas a sifflé, tandis qu'Adrian m'a tendu le bras en me complimentant. Au mur, un écran plat ouvert sur CNN a attiré mon attention. À voix basse, dans mon dos, j'ai entendu Adrian faire des remontrances à son frère:

– Je t'avais dit d'éteindre ça, imbécile.

– Relaxe, *bro*.

Déjà, je ne les écoutais plus. M'emparant de la télécommande, j'ai monté le volume. Sous la reporter qui parlait, mine grave, cheveux au vent, une bande déroulante indiquait les résultats préliminaires du vote. Patrick semblait en bonne posture, mais, à ce stade, toute mon attention s'est portée sur les lèvres de la journaliste, dont je buvais les paroles :

– Je me trouve en ce moment près du Kennedy Civic Center, là où est situé le quartier général de la police de Lowell. Et, Lloyd, je peux vous dire qu'ici il y a une opération policière d'envergure qui se déroule actuellement…

Ce que j'entendais me donnait le vertige. Le bulletin de nouvelles se concentrait sur certains événements auxquels les frères Mitchum et moi avions été mêlés dans les dernières heures. À une vitesse effarante, les médias menaient en parallèle des forces de l'ordre une enquête qui masquait la réalité.

Ainsi, pour expliquer la fusillade de Lawrence Street, la journaliste avançait l'hypothèse d'un règlement de comptes entre factions rivales du crime organisé.

– Pour l'heure, les autorités refusent de confirmer quoi que ce soit. Mais je vais vous dire une chose, Lloyd : il n'y avait pas eu autant d'activité policière dans la région depuis les tristes événements du marathon de Boston, en 2013.

Janet a éteint l'écran. Pourquoi ne parlait-on pas de moi alors que j'avais vu des passants filmer les derniers soupirs de Francis avec leurs téléphones cellulaires ? La « machine » évoquée par Gene était-elle déjà à l'œuvre pour brouiller les pistes ?

Pas un mot non plus à propos de la mort ce dernier. Dans les circonstances, ça m'apparaissait comme une bonne nouvelle.

En effet, je comptais sur l'effet de surprise pour affronter Patrick : je lui apprendrais de vive voix la mort de son vieux complice.

Pourvu que le corps ne soit pas découvert d'ici là...

N'ayant rien manqué du bulletin télévisé, Janet n'en avait pas pour autant perdu son flegme.

– Je vois que vous avez eu une rude journée, mes amis...

Au moment de la quitter, je l'ai remerciée chaleureusement et je l'ai serrée dans mes bras comme une vieille amie. Pour leur part, les jumeaux ont ajouté quelques baisers langoureux.

Il fallait rouler dix minutes en voiture pour se rendre de Beacon Hill jusqu'au Boston Convention Center. Nous sommes restés un moment sans parler, comme si l'imminence de notre arrivée rendait le moment plus solennel. J'ai finalement brisé le silence :

– Au fait... Janet, c'est l'ancienne copine de qui au juste ?

Adrian a été le premier à répondre :

– Celle de Nicholas.

– La tienne aussi, *bro* !

– Vous n'êtes quand même pas sortis avec elle en même temps ?

Adrian a réfléchi un instant.

– C'est compliqué, Leah.

Nicholas a renchéri :

– Ouais, c'est une longue histoire.

Le moteur de la Mustang a cessé de rugir, nous avons progressivement perdu de la vitesse, puis Nicholas a rangé la voiture sur le côté. Le dôme blanc du Boston Convention Center se dressait devant nous. J'ai regardé ma montre: je ne disposais plus que d'une vingtaine de minutes avant que Patrick monte sur scène.

Dans l'amphithéâtre, la foule trépignait. Il y avait tous ces gens que je ne connaissais pas, qui me saluaient et s'approchaient pour me serrer la main, tous ces étrangers que j'aurais voulu mordre, mais à qui je m'efforçais de sourire. Il y avait comme toujours ces journalistes trop bien coiffés qui se prenaient pour des divas avec leurs cheptels d'assistantes. En retrait, considérés comme les membres d'une caste inférieure, quelques caméramans préparaient leur fourbi et maniaient leurs spaghettis de fils. Le grand cirque était quasiment prêt. Chacun connaissait son rôle et savait ce qu'il avait à faire.

Mais, moi, je ne savais pas où aller. Comme j'étais censée arriver avec Gene, je comptais sur lui pour me conduire en coulisse jusqu'au *war room*, la pièce d'où toute l'équipe de campagne surveillait le déroulement de l'élection. M'élevant sur la pointe des pieds, j'essayais de repérer un visage familier dans la cohue, mais il y avait trop de monde, beaucoup trop de monde.

J'allais me mettre à jouer des coudes lorsque j'ai entendu une voix familière dans mon dos. Un petit homme replet à la peau noire marchait dans ma direction.

– Mais qu'est-ce que tu fais là, toute seule?

– Salut, Murph. Ça va?

Shane Murphy a répondu par l'affirmative, s'est avancé vers moi et m'a fait la bise. Puis, me prenant par le bras, il s'est mis à nous frayer un chemin à travers la foule compacte.

– Pour être honnête, j'avais hâte que tu arrives. Patrick est mort d'inquiétude. C'est lui qui m'a envoyé guetter ton arrivée.

J'ai feint la surprise :

– Ah oui ? Pourquoi ? Il n'a pas reçu mon texto ?

Shane a adopté le ton pontifiant qu'il employait à l'occasion avec moi, quand il me faisait des commentaires sur mes textes :

– Leah… mets-toi à sa place. C'est une journée importante pour lui et il se faisait une joie de passer la soirée en ta compagnie, à attendre les résultats. Et voilà que tu arrives seulement quelques minutes avant son allocution. Avoue qu'il y a de quoi être énervé !

Je n'avais aucune raison de laisser Murphy me parler de la sorte, ni aucune envie de lui apprendre la vérité. Je voulais simplement éviter un affrontement. Alors, je lui ai jeté mon plus beau regard de chien battu.

– Tu as raison, Murph. Désolée.

– En passant, Patrick a essayé de te joindre sur le cellulaire de Gene après avoir reçu ton message texte.

Voilà. Il allait être question de Gene. J'ai rentré la tête dans les épaules : je redoutais que Murph me demande où il était passé. Ma réponse allait devoir être convaincante pour ne pas éveiller ses soupçons. Contre toute attente, il a enchaîné avec une autre question :

– Mais, au fait, qu'est-ce qui s'est passé ? Tu as complètement disparu des radars…

Le truc, lorsque l'on ment, c'est de dire aux gens quelque chose qui ressemble à la réponse à laquelle ils s'attendent. J'ai affiché la mine de celle qui a passé sa journée à courir et récité sur un ton de circonstance l'excuse que j'avais inventée en marchant vers le Boston Convention Center :

– Si tu veux vraiment le savoir, Murph, j'ai eu une journée de merde ! J'avais dit à Gene que cette présentation à Pollard prendrait beaucoup plus de temps que prévu, mais évidemment, tu le connais, il ne m'a pas écoutée... monsieur je-sais-tout ! Figure-toi donc qu'une fois revenue au bureau de campagne, je me suis aperçue que j'avais perdu mon cellulaire. Je suis donc retournée à Pollard et j'ai passé un temps fou à le chercher. Bien sûr, je ne l'ai jamais retrouvé. Puis, lorsque je suis rentrée au Kerouac pour me changer, j'ai réalisé que j'avais oublié ma trousse de maquillage à Minneapolis. Il a fallu que je coure en catastrophe dans une pharmacie pour en racheter.

Nous arrivions sur le côté de l'estrade. Disposés derrière la scène, quatre grands panneaux illuminés montraient, sur fond de bannière étoilée, les villes de Washington, de Boston, de New York et de Chicago.

Par groupes de trois, des drapeaux montés sur des hampes de bronze et coiffés de l'emblème de la nation — un aigle à tête blanche — formaient un demi-cercle autour du lutrin de bois où Patrick prendrait la parole. Un large bandeau de velours bleu royal surplombait les panneaux. Dessus, on pouvait lire, en grandes lettres blanches :

« *Stand Up for America — Stand Up for Planet Earth — Vote for Adams.* »

Murph a ouvert une porte et nous avons pénétré dans un couloir. À part deux types affectés à la régie qui parlaient dans des talkies-walkies, il n'y avait plus personne. J'ai soufflé sur une mèche de cheveux qui me tombait dans l'œil.

– Bref, Murph, je t'ai dit que j'ai eu une journée de merde ?

Shane avait depuis longtemps avalé mes mensonges. Il a changé de sujet :

– Les premiers résultats sont sortis. Patrick est actuellement en avance dans quinze États, Stavanger, dans huit. On mène dans les gros États, à New York, en Californie et en Floride, et on est en voie de gagner au Colorado, en Caroline du Nord et en Arizona, des États baromètres qu'on lui avait concédés dans nos sondages maison.

J'ai hoché la tête en signe d'approbation.

– C'est fantastique, ça ! Dans combien de temps Patrick monte-t-il sur scène ?

– Dans une dizaine de minutes. Je t'avertis, il est de mauvais poil. Il vient de s'enfermer dans la salle de conférences et il a fait expulser tout le monde.

– Pourquoi ?

– D'après ce que j'ai compris, Pool s'est encore mis un pied dans la bouche.

Pool était l'un des commettants de Patrick. Le jour de l'élection, chaque candidat envoie ses alliés le représenter sur différentes tribunes, comme je l'avais fait moi-même lors de mon allocution à Pollard. Maires, gouverneurs, sénateurs, artistes ou présentateurs télés, ces commettants, ces «têtes parlantes», moussent les idées du candidat, tentent d'influencer le vote des électeurs et, par la suite, leur perception à l'égard des résultats. À ma connaissance, Pool n'en était pas à sa première déclaration malencontreuse.

– Crois-tu que je pourrai voir Patrick un peu avant qu'il monte sur scène?

– Je vais te le ramener dans le *war room* dès qu'il a fini de gérer la crise. Ta robe est magnifique, soit dit en passant. J'imagine que tu n'as pas pu réviser le discours intégral...

– Désolée, mais avec tout le reste... j'ai manqué de temps...

– Ça va, je comprends. Veux-tu quand même y jeter un coup d'œil?

– Pour être honnête, non. Je suis sûre que vous pouvez très bien vous passer de mes lumières...

Je savais que cette réponse était celle qu'espérait Shane Murphy. Parce que, depuis le début, il avait vu comme un affront le fait que Patrick veuille me consulter pour revoir l'ensemble du discours. Murph n'aimait pas que l'on vienne jouer dans ses plates-bandes, et devoir tenir compte de mon avis sur un autre sujet que l'environnement l'emmerdait. Il a plongé la main dans la poche de son veston et en a tiré un feuillet qu'il m'a tendu.

– Tiens, prends-le quand même. Il y a eu des changements de dernière minute. Gene n'a même pas vu cette version. Ça va rassurer Patrick s'il pense que tu l'as lue. Il a vraiment beaucoup insisté.

L'accord était tacite. Shane allait jouer le jeu et dire à mon mari qu'il avait considéré mes commentaires.

– Au fait, tu es au courant pour Francis Powers?

J'ai essayé de ne pas montrer mon émotion en débitant une formule toute prête :

– Oui. C'est terrible...

– J'espère qu'ils vont retrouver le salopard qui conduisait le véhicule. Patrick avait l'air remué. Je ne pensais pas que Powers et lui étaient proches...

J'ai sursauté. Le sale hypocrite! C'est lui qui, à travers Gene, avait cautionné son exécution!

– Oui, j'espère qu'on coincera le coupable.

– Tiens, nous arrivons.

Les hommes du Secret Service montaient la garde devant la pièce où Patrick s'était enfermé. Plus nous approchions et plus j'avais les jambes en coton. J'ai salué les agents d'un sourire crispé. M'entraînant à sa suite vers le *war room*, Shane s'est arrêté devant Briggs.

– Il est toujours en conférence téléphonique avec Pool et Crawford?

– Oui, monsieur.

J'ai eu l'impression que les mots déchiraient mes tympans. Je me suis tournée vers Murphy et j'ai essayé de contrôler le trémolo dans ma voix :

– Gene est au téléphone?

– C'est lui qui a appelé Patrick au sujet de Pool.

46.

ENTRÉE EN SCÈNE

Shane a ouvert la porte et j'ai balayé la pièce du regard. L'équipe de campagne au grand complet était réunie dans le *war room*. Occupant un pan de mur, vingt écrans syntonisaient les grands réseaux — CNN, MSNBC, Fox News, ABC, NBC, CBS, PBS —, lesquels diffusaient des émissions spéciales pour la soirée des élections. L'armada composée d'aides politiques, de rédacteurs, d'attachés de presse et de plusieurs collaborateurs s'entassait sur de longs canapés où, les traits tirés, les yeux vitreux ou injectés de sang à cause du manque de sommeil, chacun surveillait avec attention les chaînes qu'on lui avait assignées.

Cravate détachée, cheveux en bataille pour certains, remontés en chignon pour d'autres, une partie de l'assemblée prenait des notes, tandis que l'autre jouait du téléphone cellulaire. Une table avec des restes de buffet, des assiettes de carton sales et une cafetière, avait été tirée contre le mur. Près de la poubelle, des gobelets de café vides jonchaient le tapis.

Le jour du Super Tuesday, l'image et la perception du public deviennent un enjeu encore plus fondamental que durant le reste de la campagne. Ainsi, donner l'impression que Patrick était sur une lancée comptait autant que de gagner des appuis parmi les délégués. En contact étroit avec la presse, les membres de son équipe suivaient de près la tombée des résultats et s'assuraient que la perception lui demeurait favorable. Cellulaire à l'oreille, s'adressant sans doute à un journaliste, une «tête parlante» tentait de corriger le tir en faisant les cent pas.

– C'est vrai, Robert. Vous avez tout à fait raison: la semaine dernière, nous avions promis d'obtenir de meilleurs résultats au Nouveau-Mexique. (...) Oui, oui, je comprends très bien votre question. (...) Justement, c'est ce que je tenais à vous souligner. Nous avons revu notre stratégie en cours de route afin de nous concentrer sur le Colorado, l'Arizona et la Californie. Aussi, avec les gains que nous sommes en voie d'obtenir dans ces États aujourd'hui, notre performance au Nouveau-Mexique est loin d'être une source de préoccupation...

J'ai avancé dans la pièce. Les activités de la ruche ont cessé un instant, le fil du temps s'est suspendu. Embrassades, poignées de main, accolades à n'en plus finir, *high five*, cette petite faune m'a accueillie avec un débordement d'enthousiasme auquel je me suis efforcée de répondre à grand renfort de sourires. Pas le choix: je devais jouer le jeu jusqu'à ce que le coucou de la pendule sonne la fin.

– On est en avance, Leah!

– C'est dans la poche, madame Hammett! C'est dans la poche!

– Ce sale con de Stavanger se fait hacher menu, Leah!

Tout le monde avait repris son poste. Je discutais du scénario de la soirée avec l'une des attachées de presse de mon mari. Tandis qu'elle m'expliquait qu'il allait d'abord monter seul sur scène et que je le rejoindrais sous une pluie de ballons à la fin de son discours, la porte s'est ouverte brusquement, livrant le passage à Patrick Adams dans toute sa splendeur. L'homme que j'avais épousé vingt-cinq ans plus tôt...

Je l'ai regardé comme si je le voyais pour la première fois : on aurait dit un étranger.

Spontanément, tout le groupe s'est levé d'un bond. Sous les applaudissements de son équipe, Patrick s'est avancé vers moi. M'étreignant plus fort et plus longtemps que d'ordinaire, il a plaqué un baiser sur mes lèvres. Un baiser livré comme un coup de poing, un geste presque sauvage.

– Je suis content de te voir.

J'ai surmonté ma répulsion et caressé sa joue.

– Félicitations, monsieur le futur président !

La porte s'est ouverte de nouveau. Le visage de Shane est apparu dans l'entrebâillement. Les clameurs se sont tues.

– Patrick, c'est à toi dans deux minutes !

Mon mari a pris une grande inspiration et acquiescé d'un signe de tête. Tandis que Murphy s'effaçait, Patrick s'est penché vers moi et il a murmuré dans mon oreille :

– Où est Gene, bon sang?

Mon regard planté dans ses iris gris, j'ai réprimé l'envie de lui cracher au visage, de clamer haut et fort devant tous que Gene et lui étaient des assassins et que j'avais abandonné le cadavre de ce dernier dans une mare de sang.

À défaut de faire éclater la vérité, j'allais au moins crever ses derniers espoirs.

– Il a été retenu par la machine…

Patrick m'a regardée d'un drôle d'air. Autour de nous, en demi-cercle, toute l'équipe attendait pour féliciter le héros de l'heure. Il avait menti à Shane en lui disant que Gene était au téléphone avec Pool. Alors, j'étais certaine d'une chose : il n'y avait jamais eu d'appel avec Pool. Que fabriquait-il, avec qui parlait-il ? Je brûlais d'envie de lui poser la question, mais ce n'était ni le moment ni l'endroit. Je me suis dégagée de son étreinte et Patrick a commencé à distribuer les poignées de main et les sourires.

Précédés par Murphy, Briggs et deux techniciens de régie du Boston Convention Center, Patrick et moi marchions dans le corridor menant à l'estrade. Il regardait droit devant lui. Dans quelques secondes, il monterait sur scène pour prononcer son discours. Le grondement sourd de la foule massée dans l'amphithéâtre remuait comme une main dans mon ventre. Je donnais l'impression d'être calme, mais une violence effrayante bouillait en moi. J'avais envie d'arracher les yeux de mon mari.

Sans m'arrêter de marcher, j'ai parlé à voix basse pour que lui seul m'entende :

– Je sais tout, Patrick. Je sais pour Amanda et Chase…

Les paupières closes, il a accusé le coup en silence. Puis il s'est arrêté et s'est retourné vers moi. Il venait de changer complètement de visage. On aurait dit un autre homme...

Maintenant que Chase était ressuscité d'entre les morts et qu'il venait d'aller les rejoindre de façon définitive, plus rien n'avait d'importance pour moi, mon espoir s'était éteint...

J'étais toutefois disposée, pour le bien de mon pays, à ne pas nuire à la candidature de Patrick. Mais ce serait à mes propres conditions. Il ne me toucherait plus jamais. Plus jamais...

J'ai répété en guettant sa réaction:

– Je sais tout...

Je m'attendais à ce que Patrick feigne la surprise, qu'il proteste avec véhémence, mais il a repris sa marche sans dire un mot. Nous étions maintenant derrière l'estrade. Un simple rideau noir nous séparait de la foule. La voix mythique de Bruce Springsteen tonnait dans l'amphithéâtre, accompagnée par des milliers d'autres qui chantaient à l'unisson le refrain de *Born in the USA*. Shane Murphy s'est approché de Patrick et lui a donné une tape sur l'épaule pour lui souhaiter bonne chance, puis il nous a laissés seuls. Au même moment, la musique a cessé, tandis que la foule continuait à chanter l'hymne patriotique.

Haranguant les partisans de Patrick, une voix puissante a retenti. Une clameur immense s'est alors levée, une vague d'applaudissements s'est mise à déferler et des milliers de voix ont commencé à scander son nom.

Ce moment qu'il préparait depuis tant d'années devait être le plus beau de sa vie...

Une expression indéchiffrable flottait sur son visage.

– Était-il vraiment nécessaire de faire assassiner Francis et Chase, hein, dis-moi?

Patrick a écarquillé les yeux et ils sont devenus grands comme doivent l'être ceux des gens qui voient passer un fantôme. Sans attendre de réponse, je suis partie en direction des coulisses pour rejoindre Shane Murphy. J'avais fait quelques pas lorsque Patrick m'a rappelée d'une voix douce:

– As-tu lu le discours, Leah?

Me retournant brusquement, je lui ai lancé un regard de feu. Mais comment pouvait-il faire preuve d'un tel cynisme, d'un tel sang-froid? Comment pouvait-il penser à son texte après ce que je venais de lui dire? J'ai fouillé dans mon sac, j'ai pris le feuillet que m'avait remis Murphy quelques minutes plus tôt et je l'ai brandi dans les airs comme on brandit un poignard. Appuyant sur chaque syllabe, j'ai prononcé ma sentence avec mépris:

– Tu me répugnes…

J'ai tourné les talons. En m'éloignant, j'ai entendu dans mon dos la voix d'un des techniciens de la régie:

– C'est à vous, monsieur Adams.

S'avançant vers le lutrin, Patrick a salué brièvement la foule qui l'acclamait. À mes côtés, Shane Murphy trépignait sur sa chaise.

– Bon sang qu'il a l'air amorphe… Il devrait sourire davantage!

Téléphones cellulaires brandis à bout de bras, des centaines de personnes immortalisaient la scène. Patrick a levé la main pour faire taire la foule et s'est éclairci la voix. Shane avait l'air catastrophé.

– Merde, Leah… il a la tête de quelqu'un qui a perdu ! Lui as-tu fait gober un Valium?

Murphy avait raison : Patrick avait un sourire crispé sur le visage. On était loin de l'attitude triomphante qu'adoptent généralement les politiciens qui se présentent devant leurs partisans après une victoire aussi éclatante que celle qu'il venait de remporter.

– Mais qu'est-ce qu'il fait?

Patrick venait de sortir un feuillet de la poche intérieure de son veston et de le poser sur le lutrin. Murph avait formulé tout haut la question que je me posais tout bas. Normalement, Patrick n'aurait pas dû avoir en sa possession de version papier du discours, puisqu'il devait lire le texte qui apparaissait dans les télésouffleurs disposés de chaque côté du lutrin. Debout, la foule continuait de l'ovationner.

Patrick a pris un air solennel et entamé son discours :

– Mes amis…

Murphy s'est tourné vers moi.

– J'imagine que ce sont ses notes pour l'anecdote personnelle qu'il va raconter…

– Quoi? Quelle anecdote?

Les paumes tournées vers l'assistance en un geste d'apaisement, Patrick a tenté de prendre la parole de nouveau :

– Mes amis…

J'ai insisté :

– Mais quelle anecdote, Murph? De quoi parles-tu?

Shane levait vers moi des yeux implorants. Il semblait désirer ardemment que je le rassure.

– Un bout de texte que Patrick a insisté pour écrire lui-même. Il a fait insérer une note dans la dernière version.

Un truc à propos d'un pont… Le pont des Six Arches. C'est là que vous vous êtes rencontrés, non?

Fébrile, j'ai ouvert le feuillet sur lequel je n'avais même pas encore posé le regard. Tout en haut de la première page, une phrase a capté mon attention :

Note personnelle : commencer en parlant du pont des Six Arches.

47.

EFFACER LES TRACES

Adrian Mitchum marchait de long en large dans le hall d'entrée vitré du Boston Convention Center. Incapable de tenir en place, son frère Nicholas était sorti fumer une cigarette. Malgré leurs mises en garde, Leah Hammett avait insisté pour affronter elle-même son mari. Toutefois, avant d'entrer dans l'amphithéâtre, elle avait remis à Adrian l'enregistreuse qui avait servi, plus tôt, à recueillir les aveux de Gene Crawford.

– Écoutez la bande. Vous saurez tout. Après, ce sera à vous de décider ce que vous voulez en faire. Peu importe ce que vous déciderez, je m'en remettrai à vous.

Elle avait fait quelques pas avant de se retourner.

– Vous savez, Adrian, à compter de maintenant, il faudra que je cesse de penser à moi seule.

Et elle s'était remise à marcher, élégante et vaporeuse, puis elle avait disparu de son champ de vision dans la foule qui se massait à l'entrée de la porte de l'amphithéâtre. Mitchum avait écouté la première partie de la bande. Ce qu'il avait entendu le troublait. Il porta l'appareil à son oreille et recommença à écouter l'enregistrement.

– *Mais pourquoi, Gene? Pourquoi?*

– *Patrick a laissé mourir sa demi-sœur, Leah…*

– *Amanda?*

– *Oui. Le père de Patrick a eu Amanda avec une de ses attachées. Quand Amanda a appris la vérité, elle s'est mise à tourner autour de Patrick. Évidemment, il n'était pas au courant, il ne s'est pas méfié. Ils ont eu une aventure. Amanda a pris des photos d'eux en train de baiser. Après, elle a essayé de se servir de ça pour que Patrick convainque son père de la reconnaître. Elle le menaçait de tout divulguer aux journaux.*

– *Tout ça, c'était pour une vulgaire histoire de fille illégitime?*

– *Une vulgaire histoire de fille illégitime? Tu ne te rends pas compte… Tu te souviens du sénateur Edwards? Il a été crucifié par la presse lors de sa sortie publique en 2010… Imagine pareil scandale en 1991. Et là, c'était pire, les deux enfants du gouverneur avaient couché ensemble et Amanda avait des photos pour le prouver. Le gouverneur avait eu quelques contacts avec Amanda quand elle était petite. Il ne s'est jamais remis de son décès.*

– *C'est pour ça qu'il s'est suicidé?*

– *Non. Il s'est suicidé quand il a appris le rôle que Patrick avait joué dans l'histoire.*

– *Qui le lui a dit?*

– *Patrick. Après votre mariage. Juste avant que vous partiez vivre à New York.*

Adrian arrêta la bande et réfléchit un instant. Une idée avait traversé son esprit comme un météore, mais il ne parvint pas à la préciser. Il avança la bande de quelques minutes et reprit son écoute.

– Qui est chargé de tuer Chase? Tu vas les rappeler tout de suite et annuler tes ordres!

– Range ce pistolet, Lee. On peut encore s'entendre. On peut tout arranger...

– Pourquoi tu n'as pas fait assassiner Chase plus tôt, au lieu de lui faire subir tout ça?

– Range ce pistolet, Lee.

– Réponds! Parce qu'il était plus utile vivant que mort? C'est ça? Un homme que l'on contrôle peut toujours servir. C'est ce que tu pensais, hein, le super stratège?

– J'ai toujours agi dans les meilleurs intérêts de Patrick et dans les tiens! Tout ce que j'ai fait, c'était toujours pour vous protéger, Patrick et toi! Afin qu'il puisse accéder à la présidence!

– Sale menteur! Vous m'avez volé Chase, vous avez volé ma vie et la sienne aussi! Tu vas annuler tes ordres tout de suite!

– C'est trop tard! Et ça suffit! Cesse de jouer les grandes romantiques! Combien de femmes, crois-tu, aimeraient être à ta place, hein? Combien? Au lieu d'en faire baver à Patrick, tu devrais réaliser la chance que tu as! Et considérer comme un privilège le fait d'avoir vécu ces vingt-cinq dernières années avec un homme qui t'aime véritablement et qui aspire à la Maison-Blanche! Petite ingrate... Tu aurais dû cramer ce soir-là...

– *Quoi?!*

– *Tu m'as très bien entendu!*

– *Non... Je veux t'entendre le répéter...*

– *J'ai dit que tu aurais dû cramer ce soir-là, avec ta mère...*

Adrian arrêta l'enregistrement juste après le bruit étouffé de la détonation et resta un long moment pensif.

* * *

Camp Chapman, Afghanistan, octobre 2006

Ils viennent de terminer une énième mission. La lumière filtre par les interstices du baraquement sombre. Chase est étendu sur sa couchette. Connor et Ramirez sont sans doute partis boire un coup. En permission pour quelques jours, ils restent au camp, en attendant leurs prochains ordres. Chase enlève sa casquette des Red Sox et balaie de ses doigts rêches le sable emprisonné dans ses cheveux.

Ils ont essuyé des tirs ennemis dans un village, la nuit précédente. Après avoir été cloués dans leurs positions, ils ont repéré la maison d'où provenaient les tirs et éliminé le nid de talibans qui s'y trouvait. En pénétrant dans l'habitation pour la sécuriser, Chase a découvert un garçon afghan qui avait été touché durant l'attaque. Il gémissait, les yeux exorbités. Son estomac était une plaie béante. Le gamin devait avoir dix ans. Chase l'a pris dans ses bras et a attendu, en lui caressant les cheveux, que la mort le délivre. Il n'y avait rien d'autre à faire.

Chase n'a pas retouché une cigarette depuis vingt ans, mais là, dans le silence du baraquement, l'envie de tabac lui vrille les tripes. Il sort de son portefeuille une photo aux bords racornis et l'éclaire avec sa lampe de poche. Sur le portrait, paupières closes, traits parfaitement relâchés, Leah dort. Autour de son visage, une cascade de cheveux blonds se répand sur l'oreiller blanc.

À gauche, on voit un poignet d'homme et une main.

Cette main tient un pistolet qui est pointé sur la tête de la jeune femme. Il s'agit de la seule photo que Chase a de Leah : celle qu'il a trouvée dans l'enveloppe glissée sous la porte de sa chambre d'hôtel de New York, des années plus tôt.

Un avertissement.

Chase a depuis longtemps cessé de se demander comment ils s'y étaient pris pour savoir qu'il était rentré au pays en 1995. Après cet incident, il n'a plus jamais tenté de désobéir à la règle.

48.

MOMENT DE VÉRITÉ

À partir de l'instant où j'ai compris ce que Patrick s'apprêtait à faire, j'ai pensé monter sur scène pour l'empêcher de tout déballer en direct sur les réseaux nationaux, mais je n'en ai pas été capable. Je n'avais plus la force de bouger, j'étais littéralement soudée à mon siège.

– Mes amis, je vous demande de m'écouter avec attention. Ceci devrait constituer un moment de réjouissance pour nous tous : pour le Parti démocrate, pour les membres de mon équipe qui ont travaillé si fort et pour vous, nos fidèles partisans… Malheureusement, j'ai bien peur d'être celui qui vient gâcher la fête. En effet, il y a quelques minutes, j'ai avisé le bureau du registraire fédéral, qui en saisira le collège électoral, de ma décision de retirer ma candidature.

Shane avait la bouche ouverte, les yeux écarquillés.

J'ai cru qu'il allait avoir une attaque. Dans la salle, les sourires ont commencé à s'estomper, puis des murmures sont montés de la foule. C'est en voyant le visage de Patrick sur l'écran géant que j'ai compris. L'expression que je n'arrivais pas à déchiffrer plus tôt n'était rien d'autre que celle de celui qui a pris la décision d'aller jusqu'au bout et qui trouve soulagement et réconfort dans le fait de passer à l'acte et d'en finir...

– À tous les membres de mon équipe, à tous mes partisans, je vous demande de vous rallier à Colin Stavanger. Je crois sincèrement qu'il a toutes les qualités pour mener notre parti à la victoire et diriger avec droiture notre beau pays. Colin m'a assuré qu'il allait reprendre et faire sien, dans son intégralité, le plan environnemental sur lequel nous avons travaillé avec tant d'acharnement.

Main tremblante, visage cramoisi, Patrick a bu une gorgée d'eau. Un silence de mort régnait dans l'amphithéâtre, interrompu seulement par le crépitement des flashs. Tout s'est mis à tourbillonner dans ma tête... Pourquoi avait-il inséré cette note dans la version finale et tant insisté pour que je la revoie? Voulait-il m'avertir de ce qu'il comptait faire, me donner la possibilité de l'en empêcher?

Patrick a inspiré profondément avant de poursuivre:

– Chers amis, il y a aujourd'hui vingt-cinq ans, j'ai commis une grave erreur. En 1991, une jeune femme du nom d'Amanda Phillips est morte après que ma voiture a plongé dans les eaux de la rivière Concord. À l'époque, j'avais produit une déclaration sous serment dans laquelle j'affirmais que ma voiture avait été volée et que je me trouvais ailleurs en compagnie d'amis ce soir-là. Cette déclaration était fausse. J'ai menti sur toute la ligne.

Dans l'assistance, on lisait de la stupeur et de l'incompréhension sur les visages.

– La vérité, c'est que je me trouvais dans la voiture avec Amanda Phillips lors de l'accident. C'est moi qui tenais le volant. Après l'accident, j'ai réussi à regagner la rive à la nage et, bien que c'eût été la seule chose à faire, je n'ai pas replongé pour sauver Amanda. Je l'ai regardée mourir…

Patrick a marqué une pause. Brusquement, il paraissait si frêle dans l'immensité du monde.

– Je n'y suis pas retourné parce que sa disparition permettait d'éviter qu'un scandale n'éclabousse ma famille… Amanda Phillips était ma demi-sœur… la fille illégitime de mon père.

Des murmures ont parcouru la foule. Le visage dans les mains, Shane Murphy secouait la tête de gauche à droite tandis que Patrick continuait sur sa lancée :

– Par la même occasion, j'ai brisé, cette nuit-là, l'existence de plusieurs autres personnes. Par hasard, un jeune homme du nom de Chase Moore passait par là. Ceux qui se souviennent de cette histoire croient à tort qu'il est mort en essayant de sauver Amanda. Dans les faits, il a tout tenté pour lui porter assistance, mais j'ai réussi à l'en empêcher en utilisant la force. Usant de mon influence, j'ai par la suite exercé des menaces à l'encontre de monsieur Moore pour l'obliger à fuir à l'étranger. Je lui ai volé sa vie. À ma demande, monsieur Moore est de retour au pays depuis quelques jours. Je sais que ce n'est rien comparativement à ce qu'il a subi, mais je voudrais lui présenter publiquement mes excuses. J'ai appris par ailleurs que, dans les dernières heures, une personne de mon entourage pourrait s'être rendue responsable de gestes impardonnables en essayant de me protéger et d'enterrer cette histoire. À cet égard, je voudrais présenter mes plus sincères condoléances à la famille de Francis Powers, lequel m'a apporté toute sa collaboration dans mes démarches pour vous exposer la vérité aujourd'hui. À la famille Powers, je voudrais dire à quel point Francis était un être exceptionnel : sachez que je le regrette infiniment. Au peuple américain, j'aimerais assurer que, bien que ces événements soient survenus à mon insu, j'en assumerai l'entière responsabilité et que je collaborerai avec les autorités afin d'en identifier tous les coupables.

Les mots que prononçait Patrick m'explosaient au visage. Ainsi, si je comprenais bien ce qu'il venait de dire, il n'était pas responsable des meurtres de Francis et de Chase…

– Mon discours pourra vous sembler décousu. Il y a bien sûr des choses que certains d'entre vous ne comprennent pas. La réalité, c'est que cette histoire est bien plus complexe qu'il n'y paraît et qu'il me faudrait plus de temps pour vous livrer toute la vérité. Mais rassurez-vous, tout se clarifiera dans les prochains jours. N'ayez pas peur qu'on vous cache une fois de plus la vérité ou encore qu'on l'enfouisse pour cinquante ans dans des documents classés top secret. Je vous raconte ici l'essentiel, mais sachez que j'ai déjà confié à la presse, par l'entremise de monsieur Powers, un dossier comportant tous les détails de cette affaire. Malheureusement, ils sont encore plus sordides que ce que vous pourriez imaginer…

Un malaise palpable flottait maintenant dans l'air raréfié de l'amphithéâtre. On sentait que Patrick était sur le point de craquer.

– Chers concitoyens, peuple américain… ces vingt-cinq dernières années, j'ai trompé beaucoup de monde : mon pays, mes électeurs, mes collaborateurs et tous ceux qui ont cru en moi, ainsi que la personne que j'aime le plus sur cette terre, ma tendre épouse Leah. Pendant tout ce temps, j'ai été indigne de votre confiance. Aussi, j'apporterai au procureur général ma collaboration pour que tous les pans d'ombre de cette affaire soient éclaircis, pour qu'il n'y ait aucune question laissée sans réponse. Sachez que j'ai l'intention de plaider coupable à toutes les accusations qui découleront de mes actes. Sachez également que je m'attends à passer le reste de ma vie en prison, d'où j'ai l'intention, si on m'en donne l'occasion, de continuer à travailler à la protection de notre environnement. Compte tenu des révélations que je viens de faire, je n'ai de leçon à donner à personne. Cela dit, j'espère que vous continuerez de croire en notre démocratie…

Dans la salle, des huées commençaient à s'élever. Les yeux de Patrick miroitaient comme la surface d'un lac.

– Tout à l'heure, j'affirmais que la nuit où Amanda Phillips est morte, j'ai brisé la vie de victimes innocentes. Avant de terminer, j'aimerais m'adresser à mon épouse, la femme de ma vie…

Patrick avait prononcé la dernière phrase avec un trémolo dans la voix. Des larmes roulaient sur ses joues. J'avais la gorge nouée depuis déjà un moment.

– Ma chérie, après la mort d'Amanda et la fuite provoquée de Chase à l'étranger, j'ai voulu me racheter en m'efforçant de me comporter comme un mari et un citoyen modèle, en bâtissant chaque journée sur une idée simple : faire le bien autour de moi. Toutes ces années, j'ai caressé le rêve naïf que je pourrais tout réussir : te faire oublier le passé, te rendre heureuse et changer durablement le monde. Je t'ai épousée sur la base d'un terrible mensonge, Leah. Et pour arriver à devenir président, je t'ai caché la vérité toutes ces années. Dans les derniers mois, au fur et à mesure que nous nous rapprochions du but et que les possibilités que je sois élu devenaient de plus en plus concrètes, il m'est apparu très clairement que je ne pourrais pas y arriver. Le fardeau était devenu trop lourd à porter et, s'il me semblait impardonnable de devenir président en dissimulant la vérité à plus de trois cent vingt-cinq millions d'Américains, il m'était tout simplement intolérable de te mentir un seul jour de plus... Cela étant, si j'ai bâti notre vie commune sur un mensonge, il y a une chose à propos de laquelle je ne t'ai jamais menti. Sache que tu as toujours compté plus que tout pour moi, Leah. Je te demande pardon. Je t'ai tant aimée... Je t'aimerai toujours...

Le regard de Patrick a quitté l'assistance un moment, sa tête s'est tournée vers moi. Dans ses yeux, j'ai vu défiler en une seconde un tourbillon où virevoltaient en s'entrechoquant une histoire d'amour ratée, de la culpabilité, du soulagement, de profonds regrets, une douleur abyssale...

– En terminant, chers concitoyens américains, à partir d'aujourd'hui, vous allez sûrement me détester et jeter la pierre au messager, mais, de grâce, ne torpillez pas le message par la même occasion. Je vais payer pour mes fautes, mais le monde a besoin d'un plan comme celui sur lequel nous travaillons si fort depuis tant d'années. Il importe d'agir maintenant si nous voulons que le jour se lève de nouveau demain. À vous tous, mes chers concitoyens américains, avec la plus grande humilité, je demande pardon.

Le visage baigné de larmes de Patrick apparaissait en gros plan à l'écran.

– *God bless you, God bless America…*

49.

MALLORY BROWN

Mallory Brown avait regardé l'allocution de Patrick Adams dans le bureau de son rédacteur en chef, sur une vieille télévision à tube cathodique. Tout le temps qu'avait duré la diffusion, entre deux gorgées de whisky soutirées à sa flasque, le vieux Joe Barnes n'avait cessé de répéter qu'il n'arrivait pas à y croire. Dès qu'Adams avait quitté la scène, la correspondante de CNN qui se trouvait au Boston Convention Center avait pris le relais. En état de choc, baissant les yeux sur son calepin pour consulter ses notes, elle s'était bornée à répéter, dans ses grandes lignes, ce que le candidat déchu venait de déclarer.

Barnes appuya sur un bouton de la télécommande pour couper le son, puis se tourna vers Mallory, assise face à lui.

– Je n'arrive toujours pas à y croire !

– C'est pourtant la réalité, Joe.

– Je sais que c'est la réalité, mais je pense que tu ne réalises pas l'ampleur de la nouvelle.

D'un clic de souris, Barnes fit apparaître le site Internet du journal et tourna son écran vers la jeune femme afin qu'elle puisse le consulter.

– Tiens, ton texte est en ligne.

Mallory s'étira le cou et ne put réprimer un sourire de satisfaction en voyant la manchette.

– Oh! Je fais la une…

Le vieux Barnes releva la tête: partant de sa tempe droite, une longue mèche de cheveux ramenée sur le dessus du crâne couvrait tant bien que mal sa tête chauve. Derrière d'épaisses lunettes, ses yeux plissés observaient d'un air moqueur le visage de Mallory.

– La une? Tu veux rire, hein? Bon sang, j'ai soixante-quatorze ans et c'est un des plus gros scoops de ma putain de carrière! Je vais te dire, gamine… Ça va paraître à la une de l'édition papier demain et on va faire nos choux gras de cette histoire pour les mois à venir.

– Mon texte a été publié dans son intégralité?

Barnes prit une gorgée de whisky, puis tendit la flasque à Mallory qui, sans cérémonie, en but une lampée.

– On a saucissonné un peu pour se garder du jus en réserve, mais ton histoire au complet sera là dès demain. La seule chose que j'ai fait retirer, pour l'instant, c'est l'intervention de Kyle Fitzgerald et le marché conclu entre Patrick Adams et Colin Stavanger. Comme ta source est décédée et qu'une partie de l'histoire est basée sur des informations non corroborées, les avocats du service juridique se penchent là-dessus pour voir si on s'expose à des poursuites. De toute façon, il faut retravailler cette partie-là. Tu dois arriver à simplifier le texte pour que le lecteur moyen comprenne. La version actuelle est trop compliquée.

Mallory baissa la tête.

– Je sais, j'ai manqué de temps à cause de la mort de...

Barnes frotta son nez couperosé, puis il leva les mains en l'air.

– Un instant, gamine. Je ne suis pas en train de te critiquer, t'as fait un super boulot. Je dis juste qu'il faut revoir la séquence des événements. Même moi, je ne suis pas certain d'avoir tout saisi. Au fond, si je comprends bien, tout commence par la volonté d'Adams de faire une confession publique à propos de son passé. Mais, avant d'en finir, il voulait obliger Colin Stavanger à reprendre son plan environnemental dans son propre programme.

– C'est exact.

S'enfouissant le visage dans un mouchoir sorti à la hâte, le vieux Barnes fut pris d'une quinte de toux. Il mit un moment à reprendre le fil de la conversation.

– Sauf qu'il fallait rendre le marché attrayant pour Stavanger. Je me trompe? Parce que s'il croyait vraiment à ses chances de devenir président, il n'avait aucun intérêt à l'accepter.

– Tu as raison, Joe. C'est pourquoi Adams a décidé de révéler certaines informations sur son passé à Stavanger.

– Mais si Stavanger avait su que c'était Patrick lui-même qui lui filait les informations, il aurait flairé le traquenard, non?

– Oui. C'est pour ça qu'Adams a mandaté Francis.

Mallory sentit les larmes lui monter aux yeux, mais elle parvint à se contenir.

– Francis a fait croire à Stavanger qu'une source anonyme, « gorge profonde », lui avait remis des informations sur Adams. Et que cette source ne demandait rien en retour, qu'elle se contentait simplement de voir Adams perdre son avance ou être écarté de la course.

– « Gorge profonde », qui n'est en réalité personne d'autre qu'Adams lui-même...

– Absolument. Mais tout ça, ce n'est que la pointe de l'iceberg, Joe. Car Francis et Adams devaient jouer serré. Pour persuader Stavanger que le jeu en valait la chandelle, il fallait que Francis soit assez habile pour le convaincre qu'il avait suffisamment d'éléments en main pour nuire à Adams et, potentiellement, lui faire perdre un nombre substantiel de votes. En même temps, ces éléments ne devaient pas être trop incriminants, sinon Stavanger aurait pu en saisir le procureur général plutôt que de négocier avec Adams.

Le vieil homme se gratta le crâne avec l'index, puis vérifia du bout des doigts que sa mèche de cheveux tenait en place.

– Pourquoi Stavanger n'a-t-il pas décidé de divulguer les infos directement à la presse ? De cette manière, il n'aurait pas eu à contacter Adams pour essayer de passer un marché avec lui. Les médias auraient fait le sale boulot à sa place et il n'aurait pas eu à s'embêter avec le plan.

– C'est là que Kyle Fitzgerald entre en jeu, Joe. Stavanger reçoit un coup de fil de l'Irlandais qui lui dit qu'il sait ce qui se trame. Fitzgerald est aussi craint que respecté dans l'establishment du Parti démocrate.

Quand il «suggère fortement» à Stavanger, pour le bien du parti, de faire un arrangement avec Patrick plutôt que de divulguer l'information à la presse, Stavanger a deux choix: soit il obtempère, soit il prend le risque de s'attirer les foudres du parti.

– Il va de soi que cette vieille pute de Fitzgerald n'allait pas rater l'occasion de tirer profit de la situation…

– Fitzgerald est le gardien du temple, Joe. Son intérêt est de miser sur le bon cheval pour s'assurer que le parti sera porté au pouvoir.

Barnes fronça les sourcils.

– OK, c'est ici que tu me perds. Le rôle de Powers était donc de dire à Fitzgerald que Stavanger était en possession d'informations pouvant mettre Adams hors de course et de lui mentionner que Stavanger voulait révéler cette information à la presse?

Mallory prit la flasque sur le bureau et but une lampée.

– C'est plus subtil et un plus complexe que ça, Joe. En fait, Francis devait convaincre Fitzgerald que si Stavanger agissait de la sorte, il allait entraîner la chute du parti. Car, même si Adams était écarté de la course, il manquait à Stavanger un élément décisif dans son programme pour espérer battre les républicains…

Barnes leva l'index en l'air.

– Le plan Adams…

– Voilà. Mais la difficulté pour Francis était de présenter les choses de manière telle que Fitzgerald pense que l'idée venait de lui.

– Évidemment, si Fitzgerald se rendait compte qu'il y avait un stratagème, tout tombait à l'eau…

Mallory acquiesça d'un signe de tête. Barnes reprit :

– Donc, à ce point, si je comprends bien, l'Irlandais décide d'intervenir auprès de Stavanger.

– Oui. Et Stavanger est coincé. Alors, il contacte Adams pour lui dire qu'il détient des informations sensibles à son sujet… Évidemment, c'est ce qu'attend Adams : c'est lui qui, en compagnie de Francis, a tout manigancé. Je suppose que le reste du programme se déroule comme prévu : Adams commence probablement par tout nier. Il laisse croire quelques heures à Stavanger qu'il ne cédera pas. Puis Stavanger lui fait parvenir une copie de quelques documents qu'il a en sa possession… documents qu'il a au préalable obtenus de Francis…

Barnes regardait la jeune femme comme s'il la voyait à travers les brumes d'un rêve.

– Stavanger propose alors à Adams une sortie élégante : son retrait de la campagne en échange d'un engagement écrit de reprendre son plan environnemental. Une idée qui lui a été soufflée à l'oreille par Fitzgerald, qui lui-même la tenait de Powers. La boucle était bouclée !

– Exact, Joe. Adams feint alors d'abdiquer. Dans les faits, il a exactement ce qu'il voulait ! Une entente est négociée par leurs avocats. Adams et Stavanger se rencontrent peut-être quelque part pour la sceller. Ou encore ils échangent des copies signées par courriel. Dans tous les cas, le sort en est jeté…

Une main sur la bouche, l'air songeur, Barnes se renversa dans son fauteuil.

– OK. On sait qu'Adams était « gorge profonde ». Mais comment a-t-il convaincu Powers de l'aider ? Comment s'établit cette collaboration ? Ils travaillaient quand même tous les deux dans des camps opposés... Une alliance idéologique ?

– Tu vas chercher trop loin, Joe. Ça n'a rien à voir avec la politique. Francis avait été l'amant de Leah Hammett, la femme d'Adams. Francis était encore très amoureux d'elle. Crois-moi, j'en sais quelque chose. S'il avait réussi à tourner la page, peut-être que lui et moi...

Les yeux humides, Mallory prit une profonde inspiration avant de poursuivre :

– Mais bref, à l'insu de sa femme, Patrick connaissait l'existence de leur relation. Il a demandé à Francis de l'aider pour que Leah puisse retrouver son grand amour...

– Chase Moore ? C'est ce que Powers t'a raconté ?

– Francis était trop délicat pour me dire les choses aussi crûment, mais fais-moi confiance là-dessus, je ne me trompe pas.

– Es-tu en train de me dire qu'Adams a sabordé sa vie et sa carrière, et qu'il a tourné le dos à la possibilité d'être élu président des États-Unis pour une simple histoire d'amour ? Pour que Leah Hammett puisse retrouver son premier amant ?

– Il y a bien sûr le poids de la culpabilité qui entre en jeu. Selon Francis, Adams a mené une vie exemplaire après la mort d'Amanda. Mais oui, pour répondre simplement à ta question, je crois que ça explique en grande partie son geste.

– Et ce type, ce Moore, qu'a-t-il fait depuis son retour au pays? Où est-il?

– Je l'ignore. Selon Francis, c'est un électron libre. Il s'est évanoui dans la nature dès qu'il est rentré. Il ne faisait pas confiance à Patrick Adams...

– Ça, on peut le comprendre! s'écria le vieil homme en agitant les bras.

Barnes se perdit quelques secondes dans ses pensées, puis il frappa du poing sur la table.

– Bon sang! Je n'arrive toujours pas à y croire! Le gars a fait tout ça par amour pour une femme... C'est complètement absurde!

Mallory esquissa un sourire affectueux. Barnes n'était qu'un vieux crocodile.

– Décidément, tu ne comprendras jamais rien aux histoires d'amour, Joe... Au contraire, c'est à la fois tragique et complètement romantique...

Rougissant, le vieux rédacteur en chef se renfrogna, ramassa les feuilles de papier étalées en désordre devant lui, puis cogna le paquet contre le bureau à quelques reprises pour les aligner.

– Hum, hum... c'est bien beau tout ça, gamine, mais il reste beaucoup de travail à faire, il faut que tu continues à fouiller cette histoire. Je veux que tu relies les points entre les événements qui se sont produits aujourd'hui pour en faire une séquence. D'une part, Moore est-il responsable de la mort de Powers? D'autre part, la poursuite sur la I-95, le cadavre retrouvé au Kerouac, l'homme tué en pleine rue au centre-ville et les corps criblés de balles dans l'usine de Lawrence Street ont-ils un lien avec notre histoire? Si oui, lequel? Tu as carte blanche, budget illimité. Je veux des résultats, Mallory. Et au plus vite!

Barnes consulta sa montre.

– La soirée est encore jeune, je veux du nouveau sur mon bureau demain matin... Et continue de mettre de l'émotion dans ce que tu écris...

Mallory se leva et se dirigea vers la porte.

– Je m'en occupe, patron.

– Mallory?

La main sur la poignée, la jeune femme tourna la tête et regarda Barnes par-dessus son épaule.

– Je sais que Powers comptait, pour toi. Je suis désolé...

La jeune femme serra les lèvres, émue.

– Merci, Joe.

La journaliste allait refermer la porte derrière elle lorsque Barnes la rappela de nouveau:

– Gamine... c'est du bon boulot...

Alors qu'elle quittait la pièce, le visage de Mallory Brown s'illumina d'un sourire.

Mais un sourire triste...

UN AN PLUS TARD

ÉPILOGUE

Paris

Chaque jour, je respecte le même rituel. Dans la matinée, je prends place à ma table habituelle, dans un petit café de la rue de Turenne. Par la suite, je vais passer une heure dans le parc, au centre de la place des Vosges. Parfois je m'étends dans l'herbe, parfois je m'assois sous les arbres qui bordent le parc. Souvent, perdue dans mes pensées, je caresse du plat de la main les deux morceaux de la carte postale et je les rassemble. Le temps qui passe n'a plus aucune importance.

Il y a un an, après son allocution, tout juste avant de se livrer aux autorités, Patrick m'a rejointe derrière la scène. Sans dire un mot, nos deux corps tremblants se sont étreints un moment, puis il est parti. Je ne lui ai pas reparlé depuis ce jour. Comme il l'avait promis, il a plaidé coupable à toutes les charges retenues contre lui, la plus grave étant celle de meurtre au deuxième degré. Conformément aux lois en vigueur dans l'État du Massachusetts, il a été condamné à la prison à vie, sans possibilité de libération conditionnelle avant un minimum de quinze ans. Il purge actuellement sa peine dans un pénitencier d'État.

Par ailleurs, j'ai demandé et obtenu le divorce.

Je sais qu'on peut me considérer comme une meurtrière, mais je n'ai aucun remords d'avoir tué Gene. Avant d'entrer dans son bureau, la pensée que je n'allais pas le laisser sortir vivant de cette pièce m'avait effleuré l'esprit. Et lorsqu'il a parlé de l'équipe de tueurs chargée d'éliminer Chase et évoqué l'incendie dans lequel ma mère a perdu la vie, il ne m'a pas laissé le choix.

Je l'ai déjà dit: je suis la femme la plus violente que je connaisse. Malheureusement, je ne saurai jamais ce que Gene avait en tête lorsqu'il a affirmé:

– Tu aurais dû cramer, ce soir-là, avec ta mère…

Confessait-il ainsi une responsabilité dans la mort de maman ou exprimait-il simplement un souhait? Qu'importe…

Dans les premières semaines après le discours du Boston Convention Center, je m'attendais à tout moment à ce que la police débarque pour m'arrêter aussi.

C'est encore une possibilité aujourd'hui, mais je ne m'en préoccupe plus. Car ce soir-là, juste avant de rejoindre Patrick, j'ai remis mon sort entre les mains d'Adrian Mitchum. À l'heure qu'il est, il a eu tout le loisir d'écouter plusieurs fois la bande et, même si nous avons gardé contact par courriel, il ne m'a jamais demandé d'explications à ce propos.

Il m'arrive parfois de me dire que, après tout, Mitchum savait exactement ce qu'il faisait en me remettant le pistolet muni d'un silencieux avant que j'entre dans le bureau de Gene, puis, dans les minutes qui ont suivi sa mort, en prenant soin d'effacer mes empreintes et de placer le pistolet près de la main valide du cadavre.

Quoi qu'il en soit, si un jour on juge que je dois faire face à la justice pour mon geste, je me plierai à cette décision sans amertume.

Et si, tard le soir, il me reste un regret, c'est celui d'avoir condamné Francis à mort en parlant à Gene des soupçons que j'entretenais à son égard. Je crains que cette pensée hante mes nuits encore longtemps.

Je vis à Paris depuis dix mois. Je me suis remise à l'écriture peu après mon arrivée. Le fil qui s'était brisé en moi s'est brutalement ressoudé. Comme prise d'une fièvre, j'ai écrit un roman que j'ai terminé en l'espace de quelques semaines. Le texte final attend chez mon éditeur, un vieil ami, depuis déjà quelque temps. Il dort, prêt à être imprimé. J'ai toutefois donné ordre à mon éditeur de ne pas le publier sans mon approbation. Il se pourrait qu'elle ne vienne jamais...

Le roman s'intitule *Sous la surface.*

On peut affirmer que cette œuvre est inspirée des événements que j'ai vécus, mais je ne crois pas pour autant qu'on puisse prétendre qu'il s'agit de l'absolue vérité. Concernant les événements auxquels je n'ai pas pris part, j'ai effectué des recoupements, imaginé ce qui *aurait pu* se passer.

De toute manière, qu'est-ce que la vérité? Allez donc savoir quelle est la part de réalité et de fiction dans un roman.

—

Le corps de Chase n'a pas été retrouvé à proximité de l'endroit où les jumeaux et moi l'avons aperçu sur le toit, avant l'explosion. Pour s'en tirer, il aurait fallu qu'il saute et atterrisse dans les rapides. Il est très peu probable qu'on puisse survivre à une telle chute.

Mais s'il est toujours vivant, je ne vois qu'un endroit dans le monde où lui et moi pourrions nous rejoindre… Et chaque jour je rêve qu'il tourne le coin de la rue, qu'il m'aperçoit dans le parc et que, s'avançant vers moi, il me sourit…

Si vous lisez ce roman, c'est qu'il est revenu.

THE NEW YORK TIMES

Dimanche 16 juillet

UN NOUVEAU ROMAN TRÈS ATTENDU POUR LEAH HAMMETT

*par Mallory Brown**

À compter du 30 août, *Sous la surface*, le nouveau roman de Leah Hammett, sera en librairie. Et, si l'on se fie à notre lecture, ce sera l'un des coups de cœur de la rentrée littéraire.

Nous faisons en effet partie des rares privilégiés à avoir pu lire le quatrième roman de l'auteure, et ce, plusieurs jours avant la date officielle de sa sortie en librairie. Premier constat : Hammett propose un roman aux antipodes de ses trois premiers titres, *L'effet placebo*, *La mort mérite d'être vécue* et *Tu n'iras pas au ciel*. En effet, alors que ses trois premières œuvres traitaient, dans une prose éthérée, de thèmes comme la peur d'être aimé, le deuil et la désagrégation du corps, Hammett propose ici un thriller à la lisière de la fiction et de l'autofiction, ayant pour trame de fond cette journée noire que plusieurs ont pris l'habitude de désigner en parlant tout simplement des « événements de Lowell ».

Plus d'une année s'est écoulée depuis le moment où le sénateur Patrick Adams, alors perçu comme le plus sérieux aspirant à la présidence des États-Unis, a confessé publiquement, dans une allocution télévisée en direct, sa responsabilité dans un drame ayant coûté la vie à la jeune Amanda Phillips, une noyade survenue vingt-cinq ans plus tôt. Cette journée a aussi été marquée, rappelons-le, par le suicide de son plus proche collaborateur et éminence grise du Parti démocrate, Eugene Crawford.

C'est d'ailleurs dans la foulée des événements de Lowell que Colin Stavanger, porté par son adhésion au plan environnemental dont le sénateur Adams avait été le grand architecte, a remporté l'investiture démocrate et, par la suite, l'élection présidentielle de novembre dernier.

Dans la plus pure tradition du thriller, le roman de Hammett jette un éclairage fascinant sur les événements de Lowell en ce qu'il propose une relecture de plusieurs autres incidents violents survenus à quelques heures d'intervalle le même jour, notamment la mort par suffocation d'un homme retrouvé dans une chambre d'hôtel du Kerouac, l'assassinat à l'arme blanche d'un autre homme en pleine rue du centre-ville et, finalement, une spectaculaire fusillade ayant fait plusieurs victimes dans une usine de textile désaffectée de Lawrence Street.

Si l'enquête menée par la police de Lowell a permis dans les jours suivants de conclure que ces incidents violents n'étaient pas liés à l'« affaire Adams », mais plutôt à un règlement de comptes dû à un changement de garde au sein de factions rivales du crime organisé, le roman de Hammett propose une habile reconstruction des faits reliant tous ces éléments entre eux pour former une mosaïque cohérente, qui tire son origine vingt-cinq ans plus tôt dans la mort de la jeune Phillips et dans la disparition mystérieuse d'un homme présenté comme l'ancienne flamme de madame Hammett: Chase Moore.

Si un passage du livre risque de susciter la controverse, voire même de choquer, c'est sans contredit celui où Hammett, se mettant elle-même en scène, assassine de sang-froid Gene Crawford, séquence d'une rare violence. D'aucuns pourraient croire qu'il s'agit d'une confession, d'autres pourraient y voir un jeu de miroirs brouillant la ligne entre réalité et fiction.

Tant le chef adjoint de la police de Lowell, Seymour Glass, que l'inspecteur Adrian Mitchum, qui font tous deux partie des personnages du roman, ont décliné nos demandes d'entrevues. Monsieur Glass s'est contenté, par l'intermédiaire de son attachée de presse, de préciser qu'«il n'y a aucune enquête actuellement en cours concernant madame Hammett, ni aucun élément de preuve qui pourrait le justifier». Lors d'une discussion téléphonique, monsieur Mitchum, à qui nous avons parlé du contenu du livre, s'est contenté d'une déclaration succincte: «Madame Hammett est une excellente romancière. Elle a beaucoup d'imagination.»

Certains passages proposent de nouvelles hypothèses pour combler d'autres pans de l'histoire qui demeurent, à ce jour, truffés de zones d'ombre, plus particulièrement à propos du décès de Francis Powers, proche conseiller du président Stavanger. Pour ma part, j'ai été aussi surprise que flattée de faire partie, dans mon propre rôle, étonnamment proche de la réalité, des personnages du roman...

Au moment où j'écris ces lignes, madame Hammett, qui réside maintenant à Paris, n'est pas disponible pour commenter. Même son de cloche du côté de son éditeur. Celui-ci a affirmé être incapable de joindre madame Hammett depuis plusieurs semaines déjà, ce qui ne fait rien pour empêcher la rumeur d'enfler...

Meurtres, morts violentes, parfum de scandale, soif de pouvoir, complots, dissimulation, mensonges, trahison, tractations secrètes et tromperies, le contenu sulfureux de *Sous la surface* plonge le lecteur dans la tourmente. Et, à mesure que le mythe grandit, les ventes du livre de madame Hammett s'avèrent pour le moins prometteuses...

Réalité ou fiction?

À compter du 30 août, il vous appartiendra, chers lecteurs, de choisir votre camp.

* *L'an dernier, notre journaliste Mallory Brown a réalisé pour le compte du* Lowell Sun *une série d'articles sur les événements de Lowell. Cette série lui a valu de remporter un prix Pulitzer de journalisme.*

FERMETURE

Mais qu'importe : la route c'est la vie.
Jack Kerouac, On the road

Le pavé est un charbon ardent qui brûle mes pieds nus ; le soleil écrasant mord ma peau. Des gouttes de sueur se forment à la racine de mes cheveux, ruissellent sur mon visage et me piquent les yeux. Indolente, je marche jusqu'au rectangle où scintille l'huile turquoise…

Je m'avance sur le plongeoir. J'aime le contact des aspérités de la matière antidérapante contre la plante de mes pieds et j'anticipe avec un frisson de plaisir le choc thermique que j'éprouverai en entrant dans l'eau. Je regarde les corps luisants vautrés dans les chaises longues qui bordent la piscine. Vous n'en saurez pas plus sur l'endroit où je me trouve…

L'Amérique meurt. L'Amérique est morte quand Oswald a tiré sur Kennedy, Hinckley sur Reagan, quand Chapman a assassiné Lennon, quand les avions ont embouti les tours jumelles, quand les frères Tsarnaev ont fait exploser des cocottes-minute au marathon de Boston, quand Colin Stavanger a été élu président, et des milliers d'autres fois encore.

Et chaque fois qu'elle meurt, elle m'emporte. Mais l'Amérique revit et se relève. Et quand l'Amérique ressuscite, je ressuscite avec elle…

Tout a commencé en 1999, à New York, dans le vestiaire du club privé où j'allais nager tous les matins. Une fois par mois, après avoir enfilé mon maillot, je laissais une enveloppe dans mon casier. Quand je revenais, après ma baignade, l'enveloppe avait disparu. À l'intérieur, il y avait tous les documents confidentiels — photocopiés ou sauvegardés sur des disques ou des clés USB — que j'étais parvenue à dénicher dans les affaires de Patrick, les semaines précédentes.

Vous vous demandez qui est derrière tout ça?

En vérité, je l'ignore. Je n'ai jamais rencontré mon contact. Mais oubliez Gene… Je n'ai rien dit à propos des enveloppes lors de notre confrontation pour une raison simple: il avait depuis toujours un accès direct à toutes ces informations privilégiées… De toute façon, vous vous posez la mauvaise question. L'important n'est pas de savoir qui est derrière ça. Ce que vous devriez vous demander, c'est pourquoi j'ai accepté de jouer le jeu…

Tout simplement à cause d'un message déposé dans mon casier, la toute première fois. Deux phrases étaient inscrites sur un carton, en caractères d'imprimerie. La semaine suivante, un autre carton me donnait des instructions plus précises. Chaque fois que j'ai arrêté de fournir des informations, au fil des ans, un carton avec le texte initial réapparaissait, me convainquant de continuer…

Patrick m'a menti pendant toutes ces années et moi aussi j'ai menti. Nous avions tous les deux notre secret. J'ai collaboré plus de quinze ans avec ceux qui espionnaient mon mari…

Encore aujourd'hui, je me sens vide et sale. Et quand j'éprouve ce sentiment, je ressens le besoin de me purifier. Cette fois encore je m'élance, mes pieds quittent le plongeoir, je suis propulsée dans le vide, bras tendus et mains jointes devant ma tête. Dans une fraction de seconde, je fendrai l'eau et, complètement immergée, je nagerai un moment sous la surface.

Bien entendu, je garderai les yeux fermés. Nous gardons tous les yeux fermés…

Je ne saurai jamais qui m'a ainsi recrutée en 1999, mais je me rappelle très bien ce qui était écrit sur le premier carton laissé dans mon casier:

«Vous voulez connaître la vérité à propos de Chase? Aidez-nous à faire élire Patrick comme président.»

Qu'auriez-vous fait à ma place?

Moi, j'ai voulu savoir…

Selon Gene, mettre un président en place se planifie sur des décennies. Ceux qui voulaient porter Patrick au pouvoir désiraient être informés de tout ce qui le concernait et le surveillaient comme des financiers gèrent un investissement. Des hommes comme Kyle Fitzgerald sont-ils la face visible d'intérêts occultes opérant sous la surface? Connaissant le secret de Patrick, ces gens espéraient-ils exercer sur lui, une fois élu, une influence illégitime? Patrick l'avait-il compris? Dans l'affirmative, cela avait-il pesé dans sa décision de se dénoncer?

Les réponses à toutes ces questions me sont désormais égales. Seul l'instant qui passe m'importe. Je le savoure en osant croire que ce sont les gestes que j'ai posés qui me ramènent, bien des années plus tard, à l'origine des choses. Et que ce sont ces gestes qui m'ont permis de retrouver Chase.

La vie n'est pas un conte de fées, mais n'ayez crainte : où que nous allions sur la route, on ne nous retrouvera pas.

Dans les assemblées du gouvernement, nous devons prendre garde à l'acquisition d'une influence illégitime, qu'elle ait ou non été sollicitée, par le complexe militaro-industriel. Le risque potentiel d'une désastreuse ascension d'un pouvoir illégitime existe et persistera.

Dwight D. Eisenhower, 34e président
des États-Unis d'Amérique.
Discours télévisé de fin de mandat
du 17 janvier 1961

POSTFACE, REMERCIEMENTS ET AUTRES DIVAGATIONS

La presque totalité des détails concernant la ville de Lowell sont authentiques. Au service de l'intrigue, j'ai reconfiguré certains lieux et bâtiments. Aussi, n'essayez pas de descendre au Kerouac ; cet hôtel est le fruit de mon imagination… Toutefois, les références à la politique américaine sont, pour autant que je sache, exactes. Je le dis souvent et je le répète : dans un roman, tout est toujours au service de l'intrigue…

Celui-ci n'aurait pu voir le jour sans la collaboration de plusieurs personnes. Merci à Alain Delorme, à mon EHP (éditrice hors pair), Ingrid Remazeilles, et à leur équipe de me renouveler, encore une fois, leur appui. Merci à mon frère d'armes, Benoît Bouthillette, qui, pour un deuxième roman d'affilée à titre de directeur littéraire, a su me guider avec une générosité et un talent immenses. Tu es un phare, *bro* ! Merci aux correctrices, et en particulier à Patricia Juste, qui a travaillé avec tant de soin mon texte. Merci à Mathieu Trahan, mon expert en politique américaine, pour sa disponibilité, ses conseils éclairés et ses anecdotes juteuses. Pour étoffer le mythe, merci à ma source secrète, «gorge profonde»! Merci à Marc-André Audet pour son aide concernant ma page d'auteur. Merci aux blogueurs, chroniqueurs, animateurs, libraires et autres personnes qui font connaître mes livres.

Merci à ma famille et à mes deux ados pour leur amour et leur soutien. Enfin, merci à celle qui partage ma vie et qui, inlassablement, souffle dans mes ailes quand le vent tombe. Bien que les personnes précitées m'aient été d'un secours inestimable, toute erreur qui subsisterait dans ces pages serait de mon fait.

Comme Leah, je suis incapable d'écrire sans musique. Imagine Dragons, Audioslave (*Like a Stone*), The Besnard Lakes, Of Monsters and Men, Lou Doillon (*Devil or Angel*), Hôtel Morphée (*C'est mieux comme ça*), Glen Hansard (*You Will Become*), Alt-J, Metric, Under Byen, Coco Rosie (*Raphael*), Mogwai (*Auto Rock*), The Like (*Don't Make a Sound*), Jeff Buckley (*Vancouver*), Frank Black (*Los Angeles*) et Richard Séguin (*L'ange vagabond*) comptent parmi ceux qui m'ont permis de «passer de l'autre côté». J'ajoute à cette liste l'immense album *Missing Time*, de Pawa Up First, un groupe de Montréal. Leur musique est devenue la bande sonore de *Sous la surface* pendant son écriture.

Je termine par quelques mots à l'intention de mes lecteurs: venez me rejoindre sur ma page d'auteur Facebook pour partager vos impressions de lecture. Votre amour et votre soutien me transportent et j'essaie, livre après livre, de me montrer à la hauteur de votre confiance. Par-dessus tout, je remercie chacun de vous de me confier ses temps libres. Vous êtes les meilleurs!

Amitiés,

M

www.facebook/martinmichaudauteur
www.michaudmartin.com

À PROPOS DE *SOUS LA SURFACE*

Prix Tenebris 2014

Top 5 des polars de l'année 2013, *La Presse*

« Le meilleur suspense à avoir été écrit par un auteur québécois. »
Daniel Marois, Huffington Post

« Et nous voilà plongés dans un maelstrom d'apparences, de complots, de magouilles, de meurtres et de passions amoureuses, le tout savamment orchestré par ce nouveau chef de file du polar québécois, à la plume acérée et qui n'a plus rien à envier à ses modèles anglo-saxons ! * * * * * »
Norbert Spehner, La Presse

« Il emprunte un style d'une limpidité exemplaire qui fait penser que son roman pourrait facilement être traduit dans une dizaine de langues et vendu sur toute la planète. »
Michel Bélair, Le Devoir

«Martin Michaud s'impose comme la figure de proue de l'âge d'or du roman policier québécois. *Sous la surface* est un thriller efficace au possible, limpide.»

Catherine Richer, Dutrizac - 98,5

«Du vrai bon suspense, très brillant dans sa construction.»

Danielle Laurin, Le Téléjournal, Radio-Canada

«Dans son quatrième roman, Martin Michaud laisse de côté son fameux enquêteur Victor Lessard pour un récit profond, fouillé et abouti.»

Anne Bourgoin, 7 jours

«Et franchement, c'est un bouquin qui se lit pour le meilleur seulement, Martin Michaud mariant à merveille suspense et jeux de coulisses.»

Karine Vilder, Journal de Montréal

MARTIN MICHAUD

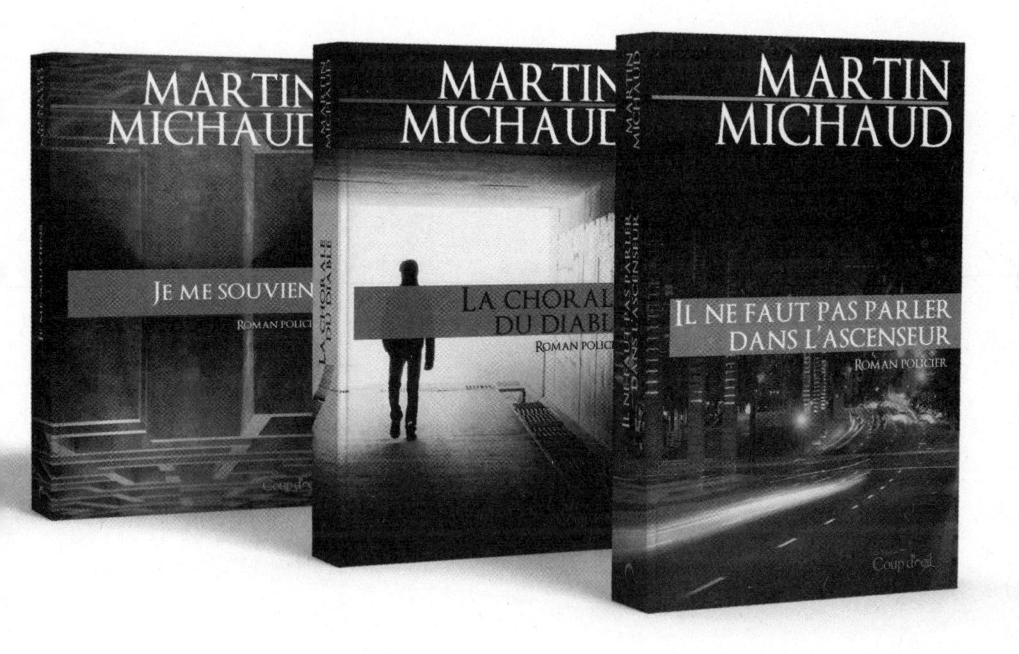

LES ENQUÊTES DE VICTOR LESSARD